47都道府県・
国宝/
重要文化財百科

森本 和男 著

丸善出版

はじめに

　大都市の博物館や地方の観光地をぶらぶら歩いていると、「国宝」「重要文化財」と誇らしげに記載された看板やプレートを目にすることが多くなった。彩り豊かな四季の景色に映える古びた堂宇や、薄暗い仏堂の中で静かにたたずむ仏像に、そのような案内板があると、他の場所では見ることのできない貴重なものであり、見逃さないようにアピールしているかのような印象を受ける。国宝もしくは重要文化財と注記があるだけで、何かしらすごいものを見たような、人に自慢したい語りたい気分になる。

　ところで国宝とは、元来、数多くある文化財の中から政府が輸出を禁止したもので、近代の文化財保護制度の確立によって出現した。文化財の価値を判定して、価値ある文化財を国宝に指定して輸出を禁止し、海外へ流出するのを防ごうとしたのが文化財保護制度の発端だった。そして文化財の価値を判断するために、古くから継承されてきた宗教的感情移入を排除しつつ、近代的美術観や審美眼が新たに形成されたのである。

　現在、国宝／重要文化財が輸出禁止になっていることを知っている人は少ないだろう。国宝／重要文化財の制定された制度的意味には目が向けられず、その一方で、国宝／重要文化財を観ることは、未知を体験する観光のようなレジャーとなっている。文化財保護制度の本来の目的が明確に知られないまま、文化財の価値を判定するという、制度に付随した機能が重宝されているのである。本来の制度的意味からずれてしまった原因は、国宝／重要文化財が観光資源としてますます重要性を帯びているからだろう。

　戦後の高度経済成長期は大量生産、大量消費、大量廃棄の時代で、ともすると安価で画一的商品を無尽蔵に消費することが豊かな生活であり、経済成長こそが富国につながると喧伝された。1989年の

バブル崩壊、続く経済的停滞の時代となって、日本は脱工業化社会へと進んだ。製造業からサービス業へ、第3次産業に従事する労働者が増加し、現在では観光業は重要な産業の一つとなっている。

産業構造の変化や地域社会の衰退が進むなか、地域特性を示す重要な指標の一つとして、国宝／重要文化財が注目されている。けれども文化財だけが地域特性を示しているのではない。そのほかにも動植物や地形、景色などの自然、農業や漁業、地場産業などの生業、偉人や優れた団体・組織などの人間活動等々、さまざまな局面から地域の魅力が見いだされている。文化財は、地域を構成するさまざまな要素の一つに過ぎない。南北に細長い日本列島では、それぞれ異なる環境のもとで固有な文化・社会が形成されてきたのだが、文化財は、その地域的多様性の一端を示しているのである。

人々の好みや価値観も変化してきた。大量生産に象徴される画一的な嗜好から、個性や独自性が尊ばれるようになった。先住民族としてのアイヌの権利や文化が認められ、またLGBT（性的少数者）など少数者の意見や権利も公然となってきた。かつて無視され、抑圧されていた人々が社会的に認められるようになり、社会の多様性が一層顕著となっている。社会は多様性に満ちていて、さまざまな意見や思想、文化の交流が豊かな社会へと導くのである。

国宝というと奈良の大仏や法隆寺が目に浮かぶだろう。しかしそのほかにも、各地に多種多様な国宝／重要文化財がたくさんある。実際に現地へ行って実物を見て、そして古いものが伝承されている周辺地域の雰囲気を体感してほしい。どうして数百年前のものが現在まで残っているのか、過去の歴史、社会、宗教、思想、美意識などに思いをはせながら、自分なりの見識を磨いて現代社会に活用してほしい。

2018年4月

森本和男

目　　次

第Ⅰ部　国宝／重要文化財の基礎知識

1．国宝／重要文化財とは何か
国宝／重要文化財の特徴　2／国宝／重要文化財の種類　3／国宝／重要文化財の指定　5

2．国宝／重要文化財の歴史
廃仏毀釈と寺社の荒廃　9／古い寺院・神社の保存運動　10／宝物の流出　11／文化財を保存する法律　12／戦後の文化財　15

3．国宝／重要文化財の時代別概要
先史時代　17／飛鳥時代　18／奈良時代　19／平安時代　20／鎌倉時代　22／室町時代　25／安土桃山時代　27／江戸時代　29／近代以降　32／近代化遺産　34／北海道・沖縄　34／海外由来の文化財　35

4．文化財の課題　40

第Ⅱ部　都道府県別 国宝／重要文化財とその特色

北海道　44 ／【東北地方】青森県　49 ／ 岩手県　54 ／ 宮城県　59 ／ 秋田県　64 ／ 山形県　69 ／ 福島県　74 ／【関東地方】茨城県　79 ／ 栃木県　84 ／ 群馬県　89 ／ 埼玉県　94 ／ 千葉県　100 ／ 東京都　105 ／ 神奈川県　114 ／【北陸地方】新潟県　120 ／ 富山県　125 ／ 石川県　130 ／ 福井県　135 ／【甲信地方】山梨県　140 ／ 長野県　145 ／【東海地方】岐阜県　150 ／ 静岡県　155 ／ 愛知県　160 ／【近畿地方】三重県　166 ／ 滋賀県　171 ／ 京都府　179 ／ 大阪府　187 ／ 兵庫県　195 ／ 奈良県　201 ／ 和歌山県　209 ／【中国地方】鳥取県　215 ／ 島根県　220 ／ 岡山県　225 ／ 広島県　230 ／ 山口県　235 ／【四国地方】徳島県　240 ／ 香川県　245 ／ 愛媛県　250 ／ 高知県　255 ／【九州・沖縄】福岡県　260 ／ 佐賀県　265 ／ 長崎県　270 ／ 熊本県　275 ／ 大分県　280 ／ 宮崎県　285 ／ 鹿児島県　290 ／ 沖縄県　295

巻末付録　国宝／重要文化財　都道府県別所有数リスト
表1　100年前の国宝　300
表2　戦時中の国宝　301
表3　戦時中の重要美術品　302
表4　現在の国宝　303
表5　現在の重要文化財　304

主要参考文献　305
美術品名索引　306
建造物名索引　310

第 I 部

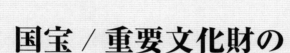

国宝／重要文化財の
基礎知識

凡例

* 国宝／重要文化財の名称は、文化庁ホームページの「国指定文化財等データベース」で表記された名称に準じた。
* 国宝は名称に●、重要文化財は名称に◎の印を付けた。
* 年代表記は、原則として西暦を使用した。
* 旧字体はなるべく新字体に統一した。しかし一部の名詞には、慣例上の旧字体を使用した。
* 第 II 部の各都道府県別の「そのほかの主な国宝／重要文化財一覧」表は、美術工芸品と建造物とを分け、表の中ほどにある実線を境にして上の行に美術工芸品、下の行に建造物を列記した。
* 都道府県別の国宝／重要文化財の件数は、国宝については付録表4（303頁）、重要文化財については付録表5（304頁）を参照。
* 巻末に、主要参考文献を列挙した。

1. 国宝／重要文化財とは何か

国宝／重要文化財の特徴

　文化財というと、仏像や掛軸の絵、骨董品など古めかしい物が思い浮かぶだろう。古い物であれば、何でも文化財になるわけではない。例えば、河原で見かけた丸石に苔が生えて黒ずんで古そうに見えても、それは単なる石であって文化財にはならない。けれども、その石に文字が刻まれていたり、時にはいくつも並べられて石垣のようになっていたら、昔の人が何らかの意図で手を加えたのであるから、それは文化財といえるだろう。つまり人工的な痕跡の残されている物を文化財というのである。

　人工的な物は世の中に無数にある。玉石混交という言葉があるように、優れたものもあれば、取るに足りないつまらないものもある。文化財で優れたものというと、丹精込めて制作されて見る人に感動を呼び起こすもの、制作した人の気持ちや造られた時代の雰囲気を多くの人が感じ取れるようなもの、生活や信仰など文化的特徴を思い浮かべることのできるもの、学術的に価値の高いものなどである。そして、人々の心に感銘を与える優れた文化財を、まだ見たことのない遠くの人に伝えたり、また、そのまま残して後世の人たちに伝えるのが文化財保護なのである。

　文化財保護には、誰でも簡単にできる手軽な方法から、時間や経費のかかる修復まで、さまざまな手法がある。スマートホンで撮影し、ブログやSNSに載せてインターネットで情報発信するというのは、誰でも可能な文化財保護の一つの手段だろう。しかし巨大な寺院や城郭の破損した部分を修復し、後世に残すとなると巨額な費用が必要となる。また古い絵画を修復するには専門家の技術が必須となり、個人の能力では困難だろう。

　そこで保存修復にかかる経費を、人々から集めた税金で支出して、社会的に文化財保護を取り組むという制度ができた。文化財を保護するには個人的に限界があるので、国宝／重要文化財に指定して保護するというのが文化財保護制度である。

　文化財保護のもう一つの大きな目的は、優れた古美術品が海外に流出し

ないように国内にとどめておくことである。国宝／重要文化財は輸出が禁止されている。

2008年3月にニューヨークのオークション会社クリスティーズで、日本の仏像大日如来坐像が競売にかけられた。この仏像は運慶作で、足利義兼が足利市に開いた樺崎寺に伝来したものと指摘されていた。美術史的に貴重な作品が外国のオークションに出品されたため、外国人の手に渡る可能性が高かった。オークションで仏像は、日本の宗教団体が1,280万ドルで購入した。運慶作の秀逸な仏像は、国外へ売られることなく日本にとどまり、翌年7月10日に重要文化財に指定されて、輸出禁止となった。

国宝／重要文化財の種類

優れた文化財を国宝／重要文化財に指定して保護するという制度は、文化財保護法という法律を根拠にして運営されている。この法律は、1950年に国会で可決され、同年に公布・施行された。この文化財保護法の中で、保護の対象となる文化財の種類が述べられている（文化財保護法第2条）。その種類とは、(1) 物体として形のある有形文化財、(2) 歌や人間の動作、造作など形の伴わない無形文化財、(3) 生活や信仰、風俗習慣などを示す民俗文化財、(4) 遺跡や庭園、稀少生物や鉱物などの記念物、(5) 地域的風土によって形成され、生活や生業を示す文化的景観、(6) 古い町並みなど歴史的景観を残す伝統的建造物群の6種類である（4頁表1）。

国宝／重要文化財は、この6種類の文化財の中から形ある文化財、つまり有形文化財の中から選ばれている。その上で有形文化財は、大きく美術工芸品と建造物との二つに分けられる。美術工芸品とは、つまるところ動産で、持ち運びのできる文化財である。それに対して建造物は、動かすことの困難な土地に定着した不動産なのである。

国宝と重要文化財との違いは、無数にある有形文化財の中から、まず優れた文化財として重要文化財が選ばれる。さらに重要文化財の中から、世界文化の見地から価値が高く、類例もなく、国民の宝にふさわしいものとして国宝が選ばれる。現在（2017年12月1日）国宝の件数は1,110件、重要文化財は12,056件である（303頁付録表4、304頁付録表5）。

美術工芸品は、絵画、彫刻、工芸、書跡、古書、考古、歴史に大きく分類され、各分類にはさまざまな内容のものが含まれている（5頁表2）。そ

第Ⅰ部　国宝／重要文化財の基礎知識　　3

表1 文化財の種類(文化財保護法第2条)

文化財の種類		定義・概念
(1)	有形文化財	建造物、絵画、彫刻、工芸品、書跡、典籍、古文書、その他の有形の文化的所産で、わが国にとって歴史上または芸術上価値の高いもの(これらのものと一体をなして、その価値を形成している土地、その他の物件を含む)。
		ならびに考古資料、およびその他の学術上価値の高い歴史資料。
(2)	無形文化財	演劇、音楽、工芸技術、その他の無形の文化的所産で、わが国にとって歴史上または芸術上価値の高いもの。
(3)	民俗文化財	衣食住、生業、信仰、年中行事等に関する風俗慣習、民俗芸能、民俗技術、およびこれらに用いられる衣服、器具、家屋その他の物件で、わが国民の生活の推移の理解のため欠くことのできないもの。
(4)	記念物	貝塚、古墳、都城跡、城跡、旧宅、その他の遺跡で、わが国にとって歴史上、または学術上価値の高いもの。
		庭園、橋梁、峡谷、海浜、山岳、その他の名勝地で、わが国にとって芸術上または観賞上価値の高いもの。
		ならびに動物(生息地、繁殖地、および渡来地を含む)、植物(自生地を含む)、および地質鉱物(特異な自然の現象の生じている土地を含む)で、わが国にとって学術上価値の高いもの。
(5)	文化的景観	地域における人々の生活、または生業、および当該地域の風土により形成された景観地で、わが国民の生活、または生業の理解のため欠くことのできないもの。
(6)	伝統的建造物群	周囲の環境と一体をなして、歴史的風致を形成している伝統的な建造物群で、価値の高いもの。

のうち絵画、彫刻、工芸品の3種類だけで、美術工芸品の約7割を占めている。

　美術工芸品の都道府県別分布状況を見てみると、特に東京都と近畿地方に偏在していることがわかる(6頁図1)。建造物については、美術工芸品ほどではないが、それでも近畿地方に比較的集中しているのが見てとれる(6頁図2)。

　優れた美術工芸品や建造物の分布状況は、ある意味、地域的財力の消長を暗示していると考えられる。高額な費用をかけて制作された精巧で華美な美術工芸品は、財宝として時には資産価値がある。かつて政治経済、宗教、文化の中心であった京都・奈良で、財力のある貴族や権力者たちは、華麗な美術品の制作を注文し収集したり、家宝として子孫に遺贈したり、

表2　有形文化財の種類と件数（2017年12月1日）

	美術工芸品							建造物
	絵画	彫刻	工芸	書跡	古書	考古	歴史	
内容	古墳壁画、仏画、大和絵、寺社縁起絵、障壁画、肖像画、水墨画、近世画、近代画、渡来図	仏像、神像、肖像、伎楽面、能面、近代彫像	仏具、御正体、宝塔・舎利容器、燈籠、鑑、梵鐘、漆器、陶磁器、染織、古神宝類、甲冑、刀剣類	国書、漢籍、仏典、洋本、墨跡	古文書、古記録、古筆、金石文	出土遺物、土偶、銅鐸、中国の青銅器	古写真、出版資料、調査文書、観測器具、機関車	寺社、民家、城郭、書院・茶室、洋風建築、橋、石造物
国宝の例	高松塚古墳壁画、源氏物語絵巻、燕子花図	東大寺大仏、五大明王像	玉蟲厨子、朝鮮鐘、志野茶碗	栄花物語、土佐日記	法隆寺献物帳、御堂関白記	江田船山古墳出土品	伊能忠敬関係資料	中尊寺金色堂、姫路城
国宝の件数	160	134	253	227	61	47	3	225
重要文化財の件数	1,857	2,567	2,204	1,682	703	586	202	2,255

あるいは相互の贈与や、寺院への寄贈も多かっただろう。都に富が集中し、そして都に吸い寄せられるように、必然的に華麗な美術工芸品も都を中心に所在したのである。

　近代になって中央集権国家が形成され、資本が東京に集中すると、東京に富豪が多く登場して、同時に高額な美術工芸品も、動産もしくは財宝として東京へと流れていったのだろう。一方、建造物は土地に定着し、美術工芸品のように人から人へと移転しないため、建てられた本来の場所で、原則そのままの姿で残っている。

国宝／重要文化財の指定

　国宝／重要文化財は、文部科学省に設置された文化審議会で選ばれる。選ばれた文化財の管理や広報などを管掌するのが、文部科学省外局の文化

図1 美術工芸品の分布状況（国宝と重要文化財）

図2 建造物の分布状況（国宝と重要文化財）

庁である。文化審議会には、国語分科会、著作権分科会、文化財分科会、文化功労者選考分科会の四つの分科会と、文化政策部会、美術品補償制度部会、世界文化遺産・無形文化遺産部会の三つの部会がある。文化審議会の委員は30名以内とされ、現在の委員は19名（2017年4月1日現在）である。文化財に関する事項は文化財分科会で検討され、委員は5名である。この分科会で、毎年新しく国宝／重要文化財に指定される文化財が選ばれて、『官報』で告示される。

　文化財にはいろいろな種類があるため、文化財分科会にはそれぞれの分野の専門家で構成された五つの調査会がある。美術工芸品を扱う第一専門委員会、建造物や伝統的建造物群を扱う第二専門委員会、記念物や史跡、文化的景観を扱う第三専門委員会、無形文化財および保存技術を扱う第四専門委員会、民俗文化財を扱う第五専門委員会がある。国宝／重要文化財には美術工芸品と建造物の2種類があるので、それぞれ第一専門委員会と第二専門委員会で討議されている。

　美術工芸品を扱う第一専門委員会には、さらに絵画彫刻委員会、工芸品委員会、書跡典籍委員会、古文書委員会、考古資料委員会、歴史資料委員会の六つの小委員会が設けられている（図3）。

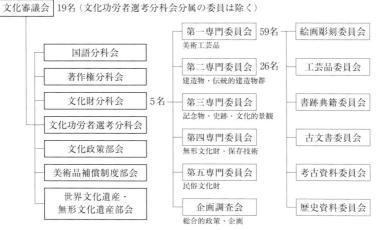

図3　文化審議会（文化庁ホームページの資料より作成）

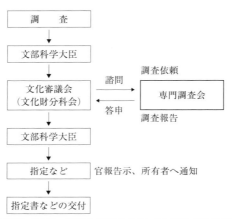

図4　文化財の指定・選定・登録を受けるまで（文化庁文化財部パンフレット）

　国宝／重要文化財が指定される過程は、まず行政関係者が調査し、文化審議会で検討されてから文部科学大臣が指定し、『官報』で告示される（図4）。国宝／重要文化財がどのような基準で選ばれるのか、その討議内容はあまり知られていない。文化や文化財の価値は時代や場所によって変化し、流動性を帯びるため、客観的で普遍的・絶対的評価は困難だろう。

2. 国宝／重要文化財の歴史

　国宝／重要文化財には美術工芸品と建造物がある。持ち運びできる古美術品として、絵画には仏画、彫刻には仏像、工芸品には仏教儀式用の仏具が多い。建造物には、全国に散在する多数の堂宇や社殿が含まれている。すなわち、日本文化は長期にわたって仏教と深い関係にあり、その文化的特徴を反映する国宝／重要文化財も、仏教に関連した物が多いのである。
　仏画や仏像、法具などは、元来は信仰の対象物として、寺院や神社のほの暗い内部で仰ぎ見たり、場合によっては蔵の中に固く秘蔵されて、滅多に見られないものだった。このような信仰の対象を美術品として鑑賞する

習慣や審美眼は、近代になってから進展した。19世紀後半に出現した日本の中央集権国家が、殖産興業を掲げて美術製造の体制をつくり上げ、それに併行して古い美術を保存する制度と法律が整えられていったのである。

廃仏毀釈と寺社の荒廃

　江戸時代中期から国学思想が勃興し、さらに幕末には尊王攘夷思想が広まって天皇の絶対化と排外主義が強まった。明治維新後の新政府は天皇を中心とする統治体制を築き、支配統治のための国家イデオロギーとして神道を重視した。長らく日本は仏教と神道とを混交した神仏習合が一般的だったのだが、新政府は仏教と神道を分離させて、神道を仏教よりも上位に格上げして国家神道をつくった。

　新政府は神と仏を厳格に区別するため、仏像を神体にした神社は改め、仏像を社前に掲げたり、鰐口、梵鐘、仏具などを置いてあれば、速やかに取り除くようにと、1868年3月28日に布告を出した。この布告が引き金となって、さまざまな仏堂、仏像、仏具を破壊する廃仏毀釈が全国各地で起きた。

　廃仏毀釈によって仏像・仏具がいたるところで廃棄される一方、文明開化の進展で西洋へ目を向けた新しい思想、風習、価値観が急速に広まり、古い物の価値は異常に低く見られた。

　1869年に諸藩主が封土（版）と領民（籍）を、新政府に返上する版籍奉還が実施された。これによって新政府は封建的領有体制を解体させ、中央集権的な地方制度へと改編させた。同じように1871年1月5日に、寺社領が上地となった。上地とは、政府によって領地が没収されることである。諸藩の領地に続いて、寺社の領地も新政府の管轄下となった。それまで多くの寺院・神社は、将軍から与えられた朱印地、もしくは大名から与えられた黒印地という領地を所領し、この領地から得られる収入で経営が成り立っていた。ところが寺社領の上地で、寺院・神社は収入を絶たれてしまったのである。

　経済基盤を失って窮乏した寺社は、具備されている品々、伝来の宝物、寄付された物品、その他古文書やさまざまなものまでも売却するようになった。こうして古くから伝わった仏画や仏像、仏具、鐘、宝物が寺社から売りに出され、時には海外へと流出した。また修理費の工面がたたない

第Ⅰ部　国宝／重要文化財の基礎知識　9

まま、堂宇や社殿の荒廃が進んだのである。

古い寺院・神社の保存運動

　嵐のように猛威をふるった廃仏毀釈がやや沈静化し、宗教行政が整備されて寺院・神社の実態を政府が掌握し始めると、政府高官たちは、それまで軽視してきた寺社の保存に目を向けるようになった。

　1878年に天皇の北陸・東海道巡行に随行して、大蔵卿の大隈重信は数名の官員を率いて比叡山を視察した。彼は山内を歩いて、日本の歴史および国家的美観の見地から比叡山を絶賛し、そして人々の勧進（募金）で保存を行うことを建言した。同じく内務省社寺局長の桜井能監も天皇の巡行に随行し、各地の現況を見て回り、帰京後に大隈の建言を参考にしつつ、保存の建言書を提出した。寺院・神社を頽廃させてはいけない。名勝巨宇は国家観光の一端であり、外国人といえどもはなはだ愛惜しているとして、大隈と同様に勧進を許可することを建言した。彼らの提案をもとに、政府は禁止していた勧進を解禁して、人々の寄付金で修繕資金を集め、古い寺院・神社を保存することにしたのである。

　政府の方針転換により、各地の大寺院、名刹などで保存組織が結成され、修復費用を集める募金活動が開始された。日光では地元栃木県の豪農商たちが中心となって保晃会が結成され、募金活動が進められた。集められた基金の一部は、植林事業や鉄道開業などの地域開発にも投資されたが、肝心の日光の諸堂社修理は思うように進捗しなかった。奈良県の興福寺には廃仏毀釈で僧侶がいなくなり、廃寺同然となって荒廃していた。興福寺再興にあたって興福会という募金団体がつくられ、華族の藤原氏を中心に寄付金が集められた。

　伊勢神宮では、内宮・外宮周辺の土地整理、宮域復元と博物館建設のために、神苑会という団体が地元で結成された。しかし寄付金は地元三重県だけではさほど集まらなかった。そこで神苑会の組織を改編させ、総裁に皇族、会頭に宮内次官、各地方の知事を委員長に据えて、半官半民の全国的募金活動を展開させた。

宝物の流出

　建造物の荒廃と並んで、寺院から仏画や仏像、宝物が売られ、海外へ流出していることが問題となった。その一方で、明治政府が富国強兵の国策を掲げて殖産興業に力を注ぐ中で、美術という単語がつくられ、仏画・仏像が古い美術品として認識されるようになった。

　美術という単語は、日本政府が1873年にウィーン万国博覧会に参加した時に初めて使用された。ウィーン万国博覧会には広範な物品が26区の部門に分かれて出品された。現代美術の部門（第25区）に、日本から日本画や油絵の画額、複数の画家の絵からなる屏風など100件余りが出品された。古い美術品の部門（第24区）には、太刀、鎧、兜、馬具、槍などの武器類、陣羽織、火事頭巾、火事羽織、陣笠、能衣装などの衣服類、狩野探幽、狩野探信、谷文晁そのほかの画家の描いた屏風や掛物、厳島神社の扁額、そして鶴岡八幡社所蔵の兵庫鎖太刀、北条政子の蒔絵手箱など約50件が出品された。

　ウィーン万国博覧会で陳列された日本の古いものとは、武具や衣装、画、扁額など雑多な物品で、漫然と並べられていた。古い物に美術を見いだす動機がまだ希薄で、美術そのものの概念がまだ日本で社会的に成立していなかった。

　新政府は殖産興業を促進するため、古い優品に倣った工芸品を製造して輸出することにした。そこで多数の古い物の中から、手本となる優れた物品を見いだし、格付けする価値観が形成されていった。この優品の選別にあたって重要な役割を果たしたのが、お雇い外国人として来日していたアメリカ人のフェノロサだった。彼は1882年の講演で日本美術の優秀性を言葉で表現しつつ（『美術真説』）、多数の古画から次々に優品を鑑定した。フェノロサは、古い器物に美術を見いだすとともに、その美術を同時代の日本画に再興させようと苦慮したのである。

　1881年に上野に建設された博物館が、1886年に宮内省図書寮に移管されて帝国博物館となり、1888年に図書頭および博物館総長に九鬼隆一が就任した。博物館は天皇（皇室）のものとなり、1900年に帝室博物館と改称された。九鬼はフェノロサの提案を参考にして、古美術品の調査と収集、保存と展示、編集と出版を博物館の業務とした。すなわち古い絵画や彫刻、工芸品の中から優れたものを選んで博物館で収集、保管、展示し、さらに

書物などで一般社会に伝えることにした。優れたものを選出するために、九鬼はフェノロサらを引き連れて1888年に宝物の全国調査に着手し、宮内省内に臨時全国宝物取調局(とりしらべきょく)を設置した。ここに優れた古器物を美術と見なす制度が、政府によってつくられたのである。

臨時全国宝物取調局の調査成果は『官報』で3回にわたって発表された。調査対象地は主に関西地方が中心で、調査件数は全部で71,076件、そのうち優等と判定されたのは1,366件、次のもの（次優等）は5,177件だった。当初フェノロサは、優れたものを輸出禁止にしようと想定していた。ところが九鬼は、輸出禁止もしくは抑制する制度・法律を作成しなかった。優品が選出されたものの、流出防止のための具体的対策が講じられなかったので、その後も海外流出は止まらなかった。

優れた古い絵画や彫刻、工芸品を美術品として観賞する制度が整いつつあったが、寺院などからの流出を阻止する実効性のある施策が急務となっていた。

文化財を保存する法律

日清戦争後、ナショナリズムが高まり、停滞していた文化財保存にも新たな進展があった。第9回帝国議会に、古い寺院・神社を保存する請願が多数提出された。請願に関与したのは、政府の殖産興業の政策基盤となっていた地方の豪農商が多く、彼らが荒廃する寺社の建造物の修復と、宝物の流出防止を強く主張した。次の1897年の第10回帝国議会で、政府原案の古社寺保存法が成立して公布された。

古社寺保存法は、国宝（美術工芸品）や特別保護建造物（特建）を所持している古い寺社に、修繕費として保存金を下付(かふ)する法律だった。予算の上限は総額20万円と決められ、この額は第2次世界大戦後になるまで変わらなかった。国宝や特別保護建造物を選択していたのが、内務省に設置された少数の専門家からなる古社寺保存会だった。

古社寺保存法第5条で、国宝は処分または差し押えることができないと規定された。売買、贈与、交換、債務の担保などが不可能となり、宝物の移動禁止が実質的に明文化された。1871年の寺社領上地によって荒廃した寺社の建造物を、税金からなる国家財政で修復し、同時に寺社から宝物流出を食い止める法制度が確立されたのである。古社寺保存法は、文化財保

護に関する日本で最初の法律だった。

19世紀末に日本で文化財保護の法律が誕生したわけだが、この頃の国宝の件数を見てみよう（表3）。文化財の等級別調査は1888年に始まり、臨時全国宝物取調局によって約10年間続いた。調査成果によると、全部で215,091件を監査して優等と判断したのは1,584件だった。その中で絵画の件数が最も多く、約半数を占める。優等に次ぐもの（次優等）は6,412件だった。建造物について、臨時全国宝物取調局はほとんど触れなかった。

法律ができて約20年経った1915年9月の件数を見てみると（300頁付録表1）、美術工芸品の国宝は2,781件、特別保護建造物は658件で、合計3,439件だった。美術工芸品ついては、滋賀県、京都府、奈良県の3府県にそれ

表3　1888年5月から1897年10月までの調査件数
（19世紀末の優等品（国宝）約1,600件）

			絵画	彫刻	美術工芸	書跡	古文書	総計
優等	一等	優等で、歴史の証拠、および美術、美術工芸、建築の模範として重要なもの	56	34	47	3	7	147
	二等	優等で、歴史の証拠、および美術、美術工芸、建築の模範となるもの	163	108	39	10	3	323
	三等	優等で、歴史、美術、美術工芸、建築に重要なもの	497	386	171	44	16	1,114
		小　計	716	528	257	57	26	1,584
それに次ぐもの	四等	歴史、美術、美術工芸、建築に参考となる重要品	832	744	357	68	34	2,035
	五等	歴史、美術、美術工芸、建築に参考となるもの	1,781	1,412	944	159	81	4,377
		小　計	2,613	2,156	1,301	227	115	6,412
登録のみのものなど	六等	歴史の参考に補充すべきもの、または歴史参考簿に登録したもの	102	326	127	56	725	1,336
	七等	宝物参考簿に登録したもの	2,189	2,090	1,134	178	74	5,665
	八等	たんに監査したもの	69,111	41,450	54,617	18,147	16,769	200,094
		小　計	74,731	46,550	57,436	18,665	17,709	215,091

（東京国立博物館編『東京国立博物館百年史』第一法規、1973年、pp. 295〜298）

第Ⅰ部　国宝／重要文化財の基礎知識　13

ぞれ400件以上あり、この3府県だけで全体の約5割を占めている。東京府の件数は35件ときわめて少ない。千代田区日枝神社(ひえじんじゃ)の太刀、台東区浅草寺(せんそうじ)の法華経(ほけきょう)と大蔵経(だいぞうきょう)、国分寺市武蔵国分寺の薬師如来坐像(やくしにょらいざぞう)など、国宝は寺社所有のものに限られ、華族や富裕コレクターたちの古美術品は国宝に指定されなかったので、東京の件数は少数だった。富の集中する東京に、実際にはかなりの数量の優品が蓄積していたはずだが、個人所有は除外されたため、東京府所在の国宝はごく少数だったのである。

特別保護建造物に関しても、滋賀県、京都府、奈良県の3府県だけで全体の約6割を占め、美術工芸品と同様な傾向がうかがえた。

日露戦争後に朝鮮半島を植民地化した日本は、帝国主義列強の仲間入りをした。財閥を中心とする産業の独占化が進む一方、農村では寄生地主制が発達し、大土地所有者に農地が集中して、小作小農民が都市へ流入して労働者となった。資本主義の変動に伴って産業ブルジョアジーが台頭し、代わって、公卿および諸侯から華族となった古い時代の支配者たちが次々に没落していった。この新旧富裕層の交代は、彼らの秘匿していた宝物の大規模な移動をもたらした。すなわち没落した旧藩主・華族たちが高価な宝物を手放し、そして古美術市場に出まわった旧家由来の名品を、新興ブルジョアジー・資産家たちが競って買いあさったのである。

支配者層の交代で古美術品の流動性が高まると、優品の所在が行方不明になったり、あるいは海外へ売却される懸念が増大した。そこで1929年に国宝保存法が制定された。この法律では、まず古社寺保存法の時に国宝と特別保護建造物に分けていた文化財を、両者を国宝の名称にまとめた上で、宝物と建造物に分けた。そして対象を寺社所有の物件に限定していたのを、保護する範囲を広げて、国有、公共有、私有の所有物を含め、つまり所有に関係なくすべての物件を国宝指定の対象とした。

さらに重要な点は、第3条で国宝の輸出または移出(台湾、朝鮮などの植民地へ持ち出すこと)を明確に禁止したことである。寺社所有の物件だけでなく個人所有のものも国宝に指定できるようになり、しかも輸出禁止が法律で明文化されたのであった。

国宝保存法が制定されても、国宝と認定され法律で指定されるまでに時間がかかり、指定件数も少なかったので、1933年に「重要美術品等ノ保存ニ関スル法律」が制定された。準国宝級の文化財をとりあえず重要美術品に指定し、その輸出または移出には文部大臣の許可を必要とした。つまり

輸出の抑制である。こうして優れた文化財の国外流出を防ぐため、国宝か重要美術品に指定して、輸出を禁止、抑制する法制度が日本でそろったのである。

国宝保存法や重要美術品の法律が制定されてから約10年経った戦時中の国宝と重要美術品の件数を見てみよう（301頁付録表2、302頁付録表3）。以前は寺社所有のものに限定されていたが、新しい二つの法律では所有に関係なく、個人所有のものも国宝指定の対象となり、数量が増えた。国宝の宝物類（美術工芸品）は5,074件に達していた。京都府に1,131件、奈良県に659件あり、その次に東京府に633件あって、滋賀県は549件だった。他府県と比較して東京府には典籍と刀剣がきわめて多い。重要美術品の美術工芸品は5,771件あり、そのうち東京府に2,880件あって全体の約5割を占めている。京都府567件、兵庫県499件、大阪府400件なので、東京府の件数は突出している。個人所有の物件を含めると、東京に美術工芸品の優品が集中していたことがわかる。

国宝の建造物は全部で1,000件あり、滋賀県、京都府、奈良県の3府県に多く所在していた。重要美術品の建造物は193件で、国宝の建造物に比較して少数だった。

戦後の文化財

第2次大戦後、日本の超国家主義・軍国主義がアメリカを中心とする連合国軍占領下で排除された。二度と戦争をしたくないという厭戦気分が満ちあふれ、新生日本を、平和と文化に基礎をおく文化国家にする気運が高まった。1946年に日本国憲法公布記念式典で昭和天皇は、「自由と平和とを愛する文化国家を建設するように努めたいと思ふ」と述べている。

憲法の公布された1947年5月3日を期して、東京と奈良の帝室博物館は国立博物館に統合され、宮内省から文部省へと移管された。殖産興業推進の重要な一角を担っていた博物館が、1886年に農商務省から宮内省に移管され、その後61年を経て再び政府所管の博物館となった。

皇室の宝物だった正倉院御物の一部が、1946年秋から奈良の博物館で一般公開されるようになった。それまで人々に公開されたのは、1940年に東京帝室博物館で開催された正倉院御物特別展観の時だけだった。正倉院御物は天平時代の宝物として古来有名だったが、長らく勅封されたままで、

一般の人々は見る機会がなかった。

　日本文化を具現する文化財に関心が向けられ、戦争中に空襲で破壊されたり、放置された建造物などとともに、富裕層の所有する高価な宝物の行方が問題になった。華族制の廃止、寄生地主や財閥の解体などによって、かつての支配層が没落し、彼らの所持していた宝物が売られて、またもや文化財の大移動が発生した。高価な美術品が財産税（富裕税）の対象となり、国宝にも一般の財産並みに財産税が課せられた。ハイパー・インフレで物価が急上昇し、古美術品の値上がりもすさまじかった。国宝に指定されると、その評価額は数倍に跳ね上がって数百万円にも達する場合が多く、その評価額に富裕税が課せられた。当然のように所有者は国宝の指定を忌避したり、あるいは売買に課せられる多額の物品税を避けようと、正式な売買ルートを経ずに、優品がヤミからヤミへと移動する可能性も高かった。

　1949年1月26日の法隆寺金堂の壁画焼失を直接的契機に、文化財に関する新しい法律を求める動きが活発となり、1950年に文化財保護法が制定された。これが現在に続く文化財保存の法律である。

　それまで文化財の保存は、種類によって「国宝保存法」、「重要美術品等ノ保存ニ関スル法律」、「史跡名勝天然紀念物保存法」と異なる法律によって、別々に保存されていた。3本の法律を廃止して新しく1本の法律にまとめ、法律の中で有形文化財、無形文化財、民俗文化財、史跡、記念物、埋蔵文化財などに文化財が分類された。

　以前の国宝と重要美術品は有形文化財に区分され、すべてを審査し直してから、改めて国宝と重要文化財の2段階に分けられることになった。旧国宝は輸出禁止、旧重要美術品は輸出要許可に分類されていたが、国宝と重要文化財はともに輸出禁止となった。ここに現行の国宝／重要文化財が誕生したのである。

　文化財保護法によって文化財を専門に管掌する文化財保護委員会が、文部省の外局として新しく設置された。戦前まで歴史文化に関して、政治や行政から過度に干渉を受けたという反省から、政府から距離をおいた行政機関が設けられたのである。この文化財保護委員会のもとに、国立博物館や研究所が置かれた。その後文化財保護委員会は、日本語、芸術、著作権などを管掌していた文部省文化局と統合されて1968年に文化庁となり、現在に至っている。

　国宝／重要文化財の件数を歴史的にたどると、20世紀初頭に国宝は約

3,400件あり、戦時中に国宝約6,000件、重要美術品約6,000件となった。現在（2017年）は国宝1,110件、重要文化財12,056件である。

3. 国宝／重要文化財の時代別概要

　現在、国宝／重要文化財の件数は合計して13,000件を超える。個々の物件については、文化庁ホームページにある「国指定文化財等データベース」を利用して、名称、種別、国、時代、所在地、経緯度、簡単な説明などの情報を得ることができる。
　文化財の時代区分はおおむね文化史の時代区分と重なり、先史時代、飛鳥時代、奈良時代、平安時代、鎌倉時代、安土桃山時代、江戸時代、近代以降に分けられる。

先史時代

　文献記録が少なく、考古学的遺跡や遺物によって復元されるのが先史時代である。さらに細かく旧石器時代、縄文時代、弥生時代、古墳時代に分けられる。
　旧石器時代は今から4万〜1万5,000年前に相当し、寒冷な氷河時代だった。日本の旧石器は20世紀後半になってから認識されるようになり、その研究の発端となったのが、1949年の群馬県岩宿遺跡の調査だった。岩宿遺跡は史跡、出土遺物は重要文化財に指定された。
　縄文時代は1万5,000〜2,200年前に相当し、氷河時代が終わって地球温暖化が進み、日本各地で貝塚が形成された。狩猟採集を基盤とする生活だが、現代人の美意識にも共感を呼び起こすバラエティに富んだ縄文土器が、長期にわたってつくられた。縄文時代の国宝は、大半が東日本の土偶である。重要文化財は、主に東日本出土の縄文土器、土偶、土面、岩版、大珠などである。
　弥生時代は紀元前3世紀から紀元後3世紀中頃に相当し、農耕を基盤とする小国家が出現した時期である。弥生時代の国宝は、西日本の遺跡から

第Ⅰ部　国宝／重要文化財の基礎知識　17

出土した銅鐸、銅戈、銅剣、銅矛など、祭祀で使われたと思われる青銅器が主体である。そのほかに福岡県平原方形周溝墓出土品である死者とともに埋められた鏡などの副葬品、福岡県志賀島で見つかった漢委奴國王金印がある。重要文化財には、弥生土器、銅鐸、銅戈、銅釧、および青銅器製造で使用された鎔笵などがある。九州地方の環濠集落で有名な佐賀県吉野ヶ里遺跡の墳丘墓出土品も重要文化財である。西日本の小国家にとって意義深い祭器などが、国宝／重要文化財の中核を占めている。

　古墳時代は3世紀中頃から7世紀末に相当し、権力を掌握した豪族たちの墓である古墳が各地でつくられ、緩やかな政治的結合が形成された時期である。古墳時代の国宝は、大刀、馬具、鏡など古墳の副葬品が大半を占め、古墳周辺を飾った埴輪像も含まれている。そのほかに神社の祭祀品が少量ある。重要文化財も同じ傾向がうかがえ、ほとんどが九州地方から東北地方南部までの古墳出土品である。

飛鳥時代

　飛鳥時代は、推古天皇が奈良盆地南部の明日香地方を都とした592年から646年の大化の改新、もしくは710年の平城京遷都までに相当する。中央集権国家の形成と仏教渡来とが重なり、美術史的には朝鮮三国および唐の影響を受けた。国宝には彫刻の仏像が多く、京都府広隆寺の2体の弥勒菩薩半跏像を除くと、ほかのすべては奈良の古寺にある。重要文化財の彫刻のうち半数近くが、法隆寺から献納されて現在東京国立博物館にある金銅小仏像である。工芸品の大半も法隆寺の由来品で、それ以外には大阪府四天王寺の七星剣、丙子椒林剣などがある。

　紙に書かれた仏教の経典が仏典で、仏教の伝来とともに日本に将来した。紙造りの技術も仏教とともに渡来人たちによって伝えられたと考えられている。現存最古の仏典として金剛場陀羅尼経と浄名玄論の2件がある。古文書として栃木県那須国造碑、地方行政を記録した滋賀県西河原遺跡群出土木簡など、考古資料としては奈良県山田寺跡出土品、大阪府四天王寺講堂址出土品などがある。なお壁画古墳で有名な奈良県高松塚古墳は特別史跡に指定され、出土品は古墳時代考古資料の重要文化財、壁画は奈良時代絵画の国宝に指定されている。古墳そのものの年代は700年前後と推定された。

現存する日本最古の建造物は飛鳥時代のもので、すべて国宝である。世界的に見ても同年代の古い木造建造物は残っていなく、非常に希有な文化財である。法隆寺西院にある金堂、五重塔、中門、東西廻廊と、奈良県法起寺三重塔の6棟だけである。金堂は金色の仏像を安置した建物、塔は仏骨などを安置したり供養する建物、講堂は経典を講義したり説法する建物である。

　7世紀に中国では隋・唐の大帝国が出現し、朝鮮半島では三国時代から統一新羅が誕生した。日本でも中央集権化と仏教の興隆が進み、東アジア全体は大きな変動期を迎えていた。新しい時代の到来とともに国宝／重要文化財の内容も、前時代とは質的に全く様相を異にし、仏教と国家統治に不可欠な文字に関連するものが中心となった。特に仏教は、その後長期にわたって日本の文化的母体となったのである。

奈良時代

　奈良時代は、平城京に遷都した710年から滋賀県長岡京に遷都した784年、もしくは平安京に遷都した794年までである。国内では律令制度が定着し、対外的には遣唐使を派遣する一方、東北地方の蝦夷や南部九州の隼人を服属させた。美術工芸品の国宝は書跡・典籍、工芸品、彫刻の順に件数が多い。

　書跡・典籍は、そのほとんどが東京都か近畿地方に所在する仏典である。工芸品とは水瓶、鋺、水注などの銅製容器、陶硯、漆器などの道具類、褥などの織物で、大きな仏具として梵鐘がある。彫刻は奈良県所在の仏像が多い。そのほかにわずかに伎楽面が含まれている。

　奈良時代には行政記録を紙に書き記す制度が定着し、紙も大量につくられた。中央集権的国家制度であった律令制の実態を示す戸籍などの貴重な行政文書が、正倉院文書の中に残されている。けれども正倉院の収蔵品は宮内庁管轄で、国宝／重要文化財には指定されていない。古文書として法隆寺献物帳、聖武天皇勅書、写経所の公務日記である天平年間写経生日記、行政文書の太政官符などがある。考古資料には、奈良県興福寺金堂鎮壇具、東大寺金堂鎮壇具などの寺院祭具、火葬骨を容れた骨壷や石櫃、被葬者の名前と職を記した墓誌、軍団や倉の銅印などがある。数少ない絵画として、経文の上段に釈尊説話の場面を彩り鮮やかに描いた絵因

果経が有名である。

建造物は国宝が大部分を占め、そのすべてが古都奈良の唐招提寺、東大寺、法隆寺、薬師寺、新薬師寺、元興寺、海竜王寺の建造物である。平城京に遷都すると、飛鳥や藤原京にあった多くの寺院が続々と移築されるか、新たに建てられて、寺院の建築ラッシュが続いた。仏教は都全体をおおい、741年に国分寺・国分尼寺創建の詔、743年に盧舎那大仏造立の詔が出されて、仏教は国家の根本となった。

寺院と仏像が増え、仏経を読誦する機会が激増すると、必然的に仏典の需要も急速に高まり、経文を手で書き写す写経が盛んとなった。写経司という写経を専門に行う政府機関が設置されたり、そのほかにさまざまな写経所がつくられて、聖武天皇をはじめ、藤原氏などの貴族層も競って写経に力を注いだ。絵因果経も写経所の画師によって描かれたと推測されている。この時代の写経への熱狂が数多くの仏典を生み出し、今日の国宝／重要文化財として残ったのである。

平安時代

平安時代は、794年の平安京遷都から12世紀末の鎌倉幕府開府まで、約400年間に及ぶ。律令制を再興させようとしたが成功せず、貴族中心の摂関政治、院政へと続き、荘園制が発展して武士が台頭した。文化的に前半は唐の影響を受け、894年の遣唐使廃止以降、後半は日本独自の文化が栄えた。

美術工芸品については彫刻が多く、ほかの種類を圧倒している。ほかの時代と比較しても平安時代の彫刻の優品は、数量が突出するほどきわめて多い。その背景には、造寺造仏の功徳が極楽往生への証と見なす浄土教の教えが広がり、盛んに仏像がつくられたためと考えられる。

仏像は前時代まで乾漆、塑造、銅造、木造などさまざまな材質で仏像がつくられたが、平安時代になるとほとんどが木造となった。国宝の彫刻は京都府と奈良県に多く集中している。一方、重要文化財の彫刻は2府県に偏在することなく、全国各地に散在している。仏像だけでなく、神仏習合を示す神像や、地域色豊かな石仏・磨崖仏もつくられた。

書跡・典籍として、紺色の紙に金色・銀色の文字や経文、華麗な諸尊や装飾を施した装飾経がある。仏典以外にもさまざまな分野の書物が国宝／

重要文化財になっている。当時流行した法華経、歴史書の日本書紀、類聚国史、地理誌の播磨国風土記、肥前国風土記、文学作品の日本霊異記、今昔物語集、歌集の万葉集、古今和歌集、寺社縁起物の四天王寺縁起、書跡は三筆として空海（弘法大師）の金剛般若経開題残巻、嵯峨天皇宸翰光定戒牒、三跡として小野道風筆三体白氏詩巻、藤原行成筆白氏詩巻、藤原佐理筆詩懐紙などがある。

絵画は、唐から帰国した最澄・空海の新しい仏教に基づく密教絵画が広まった。仏像だけを描いた仏画に限らず、多彩なテーマと表現が展開された。方形や円形の区画の中に諸尊や守護を描いた密教の曼荼羅図、浄土信仰に基づく阿弥陀来迎図などの仏画以外に、物語絵の源氏物語絵巻、寝覚物語絵巻、貴族風俗を描いた山水屏風、説話絵の伴大納言絵詞、信貴山縁起、戯画の鳥獣人物戯画などがある。

工芸品の中で、刀剣類の占める割合が高い。刀の古いものを大刀、平安時代以降のものを太刀と書く。太刀は片刃で、直線的に伸びる直刀から湾曲する湾刀へと、騎馬戦への移行とともに平安時代末期に形態が変化した。剣は両刃で直線状に伸び、実用品ではなく、仏像の持ち物か密教の祭祀具とされている。国宝／重要文化財の刀剣類には、鞘を螺鈿で装飾した儀仗用の梨地螺鈿金荘餝劔のような美術的なものは少なく、そのほとんどは刀身そのものが優品とされている。

蝦夷征服やたび重なる合戦、さらに荘園から続々と武士たちが輩出して武闘が常態化すると、太刀の需要が全国で高まり、刀工技術も各地で発展した。武士たちは名刀の所持を誇示し、刀剣は威信財、贈与財でもあった。その後武家社会を通じ、特に1588年の豊臣秀吉の刀狩で、刀剣は支配層の特権的身分を示す象徴になった。

近代になって身分制が廃止され1876年に刀の携帯を禁ずる廃刀令が出されてからも、主に軍人を中心に殺傷具を珍重する気風が残った。第2次世界大戦の敗戦で日本政府は、日本軍の武装解除や、戦争と再軍備の禁止を規定したポツダム宣言を受け入れた。そしてアメリカ軍占領下で、民間所有の刀剣を含む一切の武器の引き渡し、所持を禁止する命令が出された。現在、刀は危険な凶器とみなされ、特別な許可がない限り、法律で所持が禁止されている。

古文書として、最澄が唐より持ち帰った経巻目録である伝教大師将来目録、日記で宮廷貴族の生活を書き留めた藤原道長の御堂関白記、藤原

第Ⅰ部　国宝／重要文化財の基礎知識　21

実資の小右記 などがある。宮廷などで記録される公用の公務日記が衰退し、代わって父祖の日記から形式化した朝議典礼の規則を見いだし、かつ自らも筆録しておくという私日記が盛行したのである。仏教の末法思想が広がり、仏法を絶やさないように銅製の経筒に経巻を入れて地下に埋納する風習が流行した。各地の遺跡から出土した経筒や経塚出土品が、特徴的な考古資料として国宝／重要文化財になっている。

　建造物は平安前期、中期、後期に小区分され、そのうち半数以上が後期に属している。前期と中期の寺院建造物は、京都府と奈良県に限られるが、後期になると全国に散在している。奈良の平城京では都に数多くの寺院が建造されたが、平安京では東寺（教王護国寺）と西寺に限られた。新しい密教の到来で山地に伽藍が設けられ、最澄は比叡山寺、空海は高野山金剛峯寺を創設した。奈良県室生寺は古い山地伽藍の姿を残していて、金堂と五重塔は平安前期の建造物である。

　死後の安穏を願う浄土教が貴族の間で流行した。平安中期の京都府平等院鳳凰堂は、中国の浄土曼荼羅に描かれた宝楼閣を具現させた建物と考えられている。浄土信仰は全国に広がり、末法を克服しようと各地で活発に寺院が建てられた。平安後期の国宝として岩手県中尊寺金色堂や大分県富貴寺大堂などの阿弥陀堂がある。

　平等院近くにある京都府宇治上神社は平等院の鎮守である。平安後期の本殿は母屋の前面に庇をつけ、屋根をそのまま一連に葺き下ろした流造といわれる建物で、神社建築としては最も古いとされる。

鎌倉時代

　鎌倉時代は、鎌倉幕府が成立した12世紀末から1333年の幕府滅亡まで、約150年間である。公家と武家に公権力が二元化するなか、寺社勢力、農民、商人、職人、芸能民など身分集団が多元化し、各地域の自立性も芽生えた。宗教的には、誰でも容易に功徳にあずかれることを説いた新しい鎌倉仏教が勃興し、また宋から禅宗が伝えられた。文化的には貴族とともに武士も担い手となり、広範な信徒獲得を目指す新仏教の影響もあって、写実的で平明な表現が基調となった。中国の影響を受けた絵画や建築も流行した。

　1180年に平重衡の軍勢が南都（奈良）の興福寺・東大寺の衆徒を攻め、堂塔伽藍も焼亡してしまった。鎌倉時代の文化的造形は、東大寺と興福寺

の復興から始まった。国宝の彫刻が興福寺、東大寺にあり、なかでも東大寺南大門にある運慶作の巨大な一対の金剛力士立像が代表的作品である。平安時代の瞑想的で円満な面相、典雅で貴族趣味的な仏像から、目を見開き筋肉を隆起させ、力強く動くような造形へと変化した。

仏像以外に、東大寺の復興に尽力した俊乗坊重源、踊念仏の祖である空也上人などの高僧や祖師の肖像彫刻も、この時代になって初めて登場した。禅宗では師僧との精神的な結びつきが重視され、礼拝するために師の姿を理想化した頂相彫刻という肖像がつくられた。鎌倉幕府の開設で東国でも造仏が盛んとなり、神奈川県高徳院の阿弥陀如来坐像（鎌倉大仏）などがつくられた。

絵画は彫刻と同じほど件数が多く、多様である。前時代から続く曼荼羅図、阿弥陀来迎図に加えて、対極的な業火な情景を描いた六道絵、地獄絵、餓鬼絵などの絵画が出現した。一遍上人絵伝、法然上人絵伝には開祖の布教の様子が描かれ、民衆にも理解しやすく、宗派の結束を高める絵巻だった。粉河寺縁起など、寺院の由来と霊験を説く寺社縁起絵も前時代に続いて多い。

インドの仏が日本の地に垂れた神だとして、垂迹神像がつくられた。那智滝図は、和歌山県熊野の滝そのものの神体、飛滝権現を描いた垂迹画だった。祖師や武家などの肖像画が描かれ、親鸞聖人像、伝平重盛像、伝源頼朝像などがある。禅宗の影響で、宗祖釈迦如来や達磨大師、禅宗祖師の画像が中国からもたらされ、日本でもしばしばつくられた。

書跡・典籍として、前時代に引き続いて優美な装飾経が国宝／重要文化財になっている。また親鸞の教行信証、観無量寿経註、日蓮の立正安国論、観心本尊抄、道元の普勧坐禅儀など仏教の新宗派開祖たちの自筆教義原本がある。そのほかに、仮名文字で筆記された紀貫之の土佐日記、歴史書の栄花物語、歌集の後撰和歌集などがある。禅宗高僧の書跡（筆跡）を墨跡という。臨済宗大徳寺派の宗祖大燈国師の墨跡が国宝／重要文化財となっている。

古文書として、藤原定家の漢文体日記である明月記、円仁の入唐求法巡礼行記、源頼朝筆書状、日蓮自筆遺文などがある。そのほかに、前時代から蓄積され始め、主に中世荘園制を記録した東寺百合文書、東大寺文書、石清水八幡宮文書など寺社で伝わった寺院文書、神社文書がある。

工芸品の半数以上が刀剣類である。承久の乱後に武家優位が決定的となり、鎌倉幕府の基盤も全国に拡大した。作刀が盛行して、各地で著名刀工が輩出したため、数多くの名刀も残ったのだろう。刀剣類以外の工芸品は、密教法具、舎利塔、懸仏、華鬘、磬、錫杖、鰐口、梵鐘などの仏具、神社に奉納された古神宝類、蒔絵箱、鏡、釜、石燈籠、甲冑、鞍などがある。
　考古資料、歴史資料はともに国宝がなく、重要文化財だけで数も少ない。考古資料では、骨蔵器、墓出土品などの埋葬関係品や、中世集落の生活を物語る広島県草戸千軒町遺跡出土品がある。歴史資料では、密教関連書物を印刷、刊行するために彫られた高野版板木など、各種の版木が重要文化財となっている。
　鎌倉時代の建造物は、鎌倉前期と後期に区分されている。建造物の造営も、仏像と同様に南都の東大寺・興福寺復興から始まった。東大寺復興を指揮した重源は、宋で建築を見聞したといわれ、従来の和様とはまったく異なる大仏様という斬新な技法で建造した。彼の造営した建物で東大寺に現存するのは南大門と開山堂である。興福寺は藤原氏の氏寺で、北円堂は伝来の和様の技法で建造された。奈良時代の建立以来、南都の諸大寺は約400年を経て、建物の荒廃も進んでいた。東大寺・興福寺の復興および南都仏教の再興に刺激されて、南都で堂宇の修造復興が続いた。
　来日した宋僧蘭渓道隆のため、1253年に鎌倉に建てられた建長寺は、純宋式の伽藍だったといわれている。禅宗寺院の造営には、新たに禅宗様という建築様式が移入されたが、創建頃の鎌倉五山や京都五山の建造物は現存していない。
　仏像を安置した金堂には、元来礼拝する空間はなかった。密教の影響もあって次第に金堂前に礼拝のための礼堂が置かれるようになり、仏堂に礼拝場所を付設させるのが密教建築の特徴の一つとなった。さらに発展して、平安時代末期の奈良県当麻寺本堂は、本尊を安置した内陣と礼拝する場所の外陣とが一つの屋根の下に接して納められ、奥行きの深い仏堂となった。この建造物が中世本堂建築の始まりとされ、次いで鎌倉前期に京都府大報恩寺本堂、滋賀県西明寺本堂、長寿寺本堂などが建立された。福井県明通寺本堂では、堂の規模に対して外陣が大きくとられ、内陣の来迎柱（仏壇背面の柱）を後退させて仏壇前を広げるという新しい設計が施された。以後、本堂建築にはさまざまな試みが加えられた。
　木造建物以外の建造物として、五重塔、九重塔、十三重塔、宝塔などの

石塔や、五輪塔、宝篋印塔という石造の墓塔がある。大部分が鎌倉後期に属している。

室町時代

　室町時代は、1336年に足利尊氏が京都室町に幕府をひらき、1573年に織田信長が15代将軍足利義昭を追放して幕府が滅亡するまでの、約240年間である。1333年の鎌倉幕府滅亡後、天皇が南朝と北朝に分裂し、再び1392年に両朝が合体するまでの、前半約60年間を南北朝時代と呼んでいる。政治的には幕府権力が弱体で、守護大名の領国支配が強まり、商業の発達と郷村の成立で民衆勢力が強まった。文化的には武家文化が公家文化を凌駕し、禅宗文化や宋元の影響が高まった。その一方で能、狂言、茶道、御伽草子など新しい庶民的文化が出現した。

　絵画は、伝統的な着色の仏画・曼荼羅図が前半の南北朝期には含まれていたが、後半の室町期になるときわめて少量となった。禅宗は祈祷仏教ではないので仏画の生産が衰退し、禅宗の興隆とともに絵画の趨勢も水墨画へと流れていった。可翁の描いた初期水墨画の寒山図、そして如拙、周文、雪舟へと、水墨画の進展が国宝絵画によって示されている。

　絵巻も後半になると衰退した。南北朝期には慕帰絵詞、版画融通念仏縁起、親鸞上人絵伝などの高僧伝・布教絵巻がある。後半の室町期には、源頼光の怪物退治を描いた土蜘蛛草紙、放屁の珍芸で貧富を対照させた福富草紙などの御伽草子絵のほかに、宮廷および幕府の絵師となった土佐光信、幕府御用絵師となり後の狩野派の始祖となった狩野正信の絵などがある。

　工芸品は刀剣類が多数を占め、刀剣以外のものとして舎利塔、鰐口、梵鐘などの仏具、神社の古神宝類、陶磁器、蒔絵箱、鏡、釜、石燈籠、甲冑、鞍などがある。

　彫刻は、仏画の生産が衰退したように仏像製作も沈滞し、優品の出現が減少した。奈良県長谷寺の本尊十一面観音立像は高さ10mを超える巨像である。禅宗の頂相彫刻として、神奈川県瑞泉寺の夢窓国師坐像、京都府大徳寺の大燈国師坐像、大徳寺真珠庵の一休和尚坐像などがある。そのほかに、能楽で使用された能面が彫刻に含まれている。

　書跡・典籍には、前時代まで多かった装飾経が相対的に少なくなった。

第Ⅰ部　国宝／重要文化財の基礎知識　　25

寺院記録である京都府東寺の東宝記、歴史書の古事記、太平記、神皇正統記、吾妻鏡、曽我物語などがあり、虎関師錬の著した元亨釈書は僧伝・仏教史として名高い。陸奥の戦国大名伊達氏の家法を記録した塵芥集は、中世武家社会の法律を示している。世阿弥自筆の能本や、足利尊氏や後醍醐天皇に親任された夢窓疎石の墨跡などが重要文化財となっている。

　古文書には宸翰が多く含まれている。宸翰とは能書（文字を巧みに書くこと、書くひと）とされた天皇の書跡を意味する。まとまった文書として、武家が残した鎌倉～江戸時代の上杉家文書がある。上杉家とは丹波上杉氏のことで、足利尊氏の母が上杉氏出身であったことから室町幕府に重用され、鎌倉府の執事として関東管領を輔佐していた。後に家勢が傾き、長尾景虎（上杉謙信）に名跡を譲った。中世越後国の領国支配、さらには近世の藩政改革の様子も伝える文書である。

　考古資料と歴史資料は少量である。考古資料として、緑泥片岩の板石6枚を組み立ててつくられた六角柱状の石幢がある。幢とは、元来竿の先端に彩色した布の旗を付けたもので、堂宇などを荘厳にしていたが、後に石面にして仏像などを表現するようになった。埼玉県大聖寺の石造法華経供養塔も、緑泥片岩の板石を素材とした板碑と呼ばれる卒塔婆6枚を、六角筒形に組み合わせた六面塔である。

　建造物は全国に散在している。室町前期、中期、後期の3時期に小区分され、そのうち後期に属する建造物が約半数を占め、前期と中期がそれぞれ約4分の1の割合である。鎌倉時代に建てられた純然たる禅宗様の建造物は残存せず、室町時代のものが現存する。岐阜県永保寺観音堂、神奈川県円覚寺舎利殿が禅宗様の仏殿で、見た目の特徴として、裳階の付いた二重の屋根、反りの強い軒などの点があげられる。

　密教本堂建築には、和様、大仏様、禅宗様、折衷様などさまざまな工法が複雑に組み合わされて、多彩な展開となった。神社建築の数量は多いが、流造で建てられた一間社か三間社、もしくは春日造といった小規模かつ単純な構造の社殿が主流だった。神社には伝統を墨守する傾向が強く、シンプルな姿に大きな変動をうかがえない。

　室町時代後期から戦乱が続き、幕府の経済力が衰退して、大規模建造物を造営する力も弱まった。守護大名や在地勢力の興隆で寺院の財政的基盤だった荘園制が脆弱となり、寺院自身による堂宇の建造も困難となって、

新興領主層の庇護のもとで建物の造営が行われた。建築技術の交流も滞り、概して建築は地域的かつ小規模化した。

　室町時代になって、住宅と民家が国宝／重要文化財に含まれた。鎌倉時代に武家社会に適した建物が発生し、室町時代には連歌や茶会などの会合、来客との対面を重視した会所が中核的建物となった。主室に、書画軸を壁に飾って花瓶や香炉を置く床の間の原形の一つとされる押板、書籍や工芸品を飾る違棚、出窓風の読書机で文房具などを飾る付書院が付設されて、書院造が完成したといわれている。

　一般の人々の住居は、古く縄文時代から平安時代後半頃まで、基本的に大地を掘りくぼめ、4本程度の柱を立てて屋根を葺いた竪穴住居だった。その後中世に、平面長方形の掘立柱建物へと変化したことが遺跡や絵巻などで確認されている。現存する最古の民家として、室町時代末期の兵庫県箱木家住宅、古井家住宅、奈良県堀家住宅の3棟の農家がある。竪穴住居との相違は、屋根を支える上屋と、壁と細い柱でできた周囲の下屋からなる二つの建築構造で構成される点である。

安土桃山時代

　安土桃山時代は、1573年に織田信長が15代将軍足利義昭を追放してから、1600年の関ヶ原の戦い、あるいは徳川家康が江戸幕府を開府する1603年までの約30年間である。織田信長と豊臣秀吉が政権を握った時代で、信長の居城だった安土城と、秀吉の居城だった伏見城がのちに桃山と称されたことから安土桃山時代という。

　ほかの時代に比べてきわめて短期間でありながら、群雄割拠を生き抜いた戦国大名、海外をも視野に入れて旺盛な蓄財をした豪商や町衆など、さまざまな新興階層が進取の覇気に満ちて、多様な文化的展開が見られた新時代だった。神仏を脱して現世利益を追求する今生謳歌の風潮が強く、彼岸の概念がなかった禅宗が伸びて、在野の臨済宗や曹洞宗が戦国大名や豪商たちからの帰依を受けて発展した。キリスト教が伝来して、仏教とは異なる世界観があることを日本人は初めて知った。東南アジアとの活発な交易や、豊臣秀吉の朝鮮侵略などで陶磁器、香木、薬種、典籍、絵画などさまざまな唐物といわれる物品もしくは技術者が日本にもたらされ、国際色豊かな文化が育まれた。中世的荘園制を打破して地域社会を掌握した戦国

大名たちは、巨費を要する大規模建造物の築造や、戦乱で荒廃した堂宇・社殿を復興した。城郭を中心とする城下町が整備されて、都市文化発展の基盤ができた。

美術工芸品の国宝／重要文化財は、国宝が少なく、大多数が重要文化財である。絵画と工芸品の件数が多く、この両者を合わせただけで全体の8割以上を占める。前時代まで仏教を核とした仏画、仏像が基本だったが、桃山時代になると仏教的なるものの存在が希薄となった。

絵画には仏画が含まれず、武家の邸宅を飾った障壁画や屏風絵が主体をなしている。織田信長自慢の安土城天主は、外観五重、内部7階の壮大な建物で、各階は多種多様な障壁画で埋められたという。以後、豊臣秀吉ら権力者たちは競って城郭や居宅のみならず、堂宇社殿を豪華な金碧障壁画で飾るようになった。代表的絵画として、長谷川等伯の京都府智積院の楓図、松に草花図、松に梅図、狩野永徳の洛中洛外図などがある。そのほかに雲谷等顔、海北友松の画、織田信長像、豊臣秀吉像、浅井長政像・浅井長政夫人像などの肖像画、異国情緒にあふれた洋風画のレパント戦闘図・世界地図などがある。

工芸品にはさまざまなものが含まれ、水指、花生、茶碗、壺、手鉢などの陶磁器、文台、机、棚、唐櫃などの蒔絵、能装束、小袖、羽織、道服などの衣類、刀剣、鍔、具足、陣羽織などの武具がある。仏具は少なく、数件の梵鐘だけである。陶磁器は茶道具で、東京都三井記念美術館の志野茶碗は、白濁半透性の志野釉の下に鉄絵具で縦横の筋が描かれ、侘茶の世界で名碗とされている。織部四方手鉢は、対角線に把手を付けた横長四角形二段造りの鉢で、把手と器体の半分に緑釉、ほかの半分に鉄絵と白泥で文様が描かれている。造形の多様性と絵付装飾の出現で、自由溌剌な時流を陶磁器の中に見いだすことができる。陶器は単なる容器の域を脱して、名工による美の表現へと変質したのである。

書跡・典籍として吉利支丹（キリシタン）版という印刷書物がある。キリスト教伝道で日本に来たイエズス会士たちが、布教のためにローマ字や日本語文字の活版印刷機を使って長崎などで出版したもので、教義書のドチリーナ・キリシタンなどがある。キリスト教の禁教以降、日本国内での出版活動は途絶えた。古文書にはポルトガル国印度副王信書、織田信長自筆書状、豊臣秀吉消息、長宗我部地検帳などがある。

考古資料には、特別史跡の福井県一乗谷朝倉氏遺跡から出土した一乗谷

朝倉氏遺跡出土品がある。この遺跡は城館、家臣の武家屋敷、民衆の町屋、寺院などで構成された戦国大名の城下町遺跡で、領主と家臣たち、および人々の生活が出土品から復元されている。

建造物には大型のものが多い。領国一円支配を確立させた戦国大名たちは、武力で延暦寺、園城寺、本願寺、根来寺、粉河寺などの強力な寺院勢力を打倒しつつ、逆に復興によって新しい堂宇・社殿を次々に造営した。寺社と戦国大名との結びつきを見てみると、宮城県瑞巌寺本堂、大崎八幡宮と伊達政宗、滋賀県園城寺金堂、日吉大社西本宮本殿及び拝殿・東本宮本殿及び拝殿と豊臣秀吉、京都府北野天満宮、東寺金堂と豊臣秀頼、広島県厳島神社本殿と毛利元就、島根県神魂神社本殿と毛利輝元などで、建造もしくは改修の関係がうかがえる。

豪華な建物への趣向は、秀吉の死後に京都東山に建てられた豊国廟に総合され、豊富な彫物と華麗な彩色で装飾された。豊国廟は、後に徳川氏によって徹底的に破壊されたが、絢爛志向の霊廟建築は、その後も徳川家康を祀った江戸時代前期の栃木県日光東照宮へと継承された。

日本の代表的な巨大建造物というと、すぐさま城の天守が思い浮かぶだろう。そもそも城は中世豪族たちの居館から発展し、防備用の濠や柵、櫓のような望楼、生活のための居宅など建築の各要素が統合されて変形したのである。立地条件が山地から平地へと移動するにつれ、巨大な石垣、厚い土壁、高層化が進み、天守がつくられるようになった。下層に御殿風のやや大型の建物があって、その上に高欄（手すり）の付いた小型の物見台がのるという、いわば望楼の付随した住宅、閣だった。現存する最古の望楼型天守は福井県丸岡城天守で、その外観は愛知県犬山城天守と似ている。

天守の軍事化が進むと住宅的要素が排除されていった。望楼型天守の下層部分の大型建物と、上層の物見台とが一体化して区別がなくなり、外見が塔のように直線的になったのが層塔型天守である。長野県松本城天守は、下層に御殿風の入母屋屋根がなく、多層の屋根が下から上へ次第に小さくなるので、層塔型天守の先駆とされている。

江戸時代

江戸時代は、徳川家康が1603年に江戸で幕府を開き、15代将軍徳川慶

第Ⅰ部　国宝／重要文化財の基礎知識　29

喜が将軍職を辞して大政を朝廷に返還した1867年までの、約300年間である。幕府と諸藩からなる幕藩体制によって統治された。文化的には、前時代から引き続いて京都が重要な地点だったが、江戸でも新しい芸術文化が生まれ、両者が2大中心地となって各地に影響を与えた。武家の間では、絵画における狩野派のように御用製作集団が確立されたが、創造性を失っていった。一方、庶民たちは財力と生命力にあふれ、絵画や文学、芸能などの分野で次々に新機軸が生み出された。鎖国の状況でありながら、オランダの学術や文化も積極的に取り入れられた。

　美術工芸品は、国宝はわずかで、大部分が重要文化財である。絵画、工芸品、歴史資料が多く、ほかの種類の文化財は少ない。

　近世絵画の展開を国宝絵画が示している。江戸時代初期には、俵屋宗達の風神雷神図、源氏物語関屋及澪標図、尾形光琳の燕子花図、紅白梅図など豪華な金碧障壁画が残っている。江戸時代後半になると、中国の明清画の影響を受けつつ実物写生を描く新しい画風を、円山応挙が確立させた。応挙の作品として、金泥の素地に水墨で松を描いた雪松図がある。同じく中国画を学びつつ日本の南画を大成させたのが池大雅、与謝蕪村で、山水人物図、楼閣山水図、十便図・十宜図などの作品がある。江戸時代末期に渡辺崋山は西洋画を研究し、鷹見泉石像などの写実的な肖像画を描いた。

　桃山時代に肉質風俗画が数多く描かれ、続く江戸時代にも風俗図が盛行して、金地の風俗図がある。画題は次第に遊郭や歓楽街にしぼられ、描かれる人物も少なくなって一人立ちの美人図が出現して、浮世絵へと流れていった。浮世絵版画には鳥居清倍の市川団十郎の竹ぬき五郎図、鳥居清長の大川端夕涼み図、喜多川歌麿の婦人相学十躰浮気之相図、東洲斎写楽の寛政六年五月興行江戸三座役者似顔絵、安藤広重の江戸近郊八景図などがある。

　工芸品には、陶磁器、蒔絵、染織、刀剣類などがある。文禄・慶長の役で朝鮮半島から多数の陶工たちが連れてこられ、佐賀県の唐津焼をはじめ、福岡県の上野焼、高取焼、山口県の萩焼、鹿児島県の薩摩焼、熊本県の八代焼などの藩主の御用窯で陶磁器生産が始まった。

　有田で赤絵（色絵）の技術が開発されて、伊万里、柿右衛門、佐賀藩主鍋島氏の鍋島焼で陶磁器が製造された。石川県の大聖寺藩御用窯の九谷焼で色絵磁器が作られ、京都でも御室焼の野々村仁清が優美な作品を残した。

本阿弥光悦は刀剣の研磨と鑑定を家業にしつつ、書・絵画・作陶・茶道などにも多彩な才能を発揮させた。光悦作の作陶として楽焼白片身変茶碗（銘不二山）、楽焼黒茶碗（銘雨雲）、楽焼赤茶碗（銘雪峯）などがあり、蒔絵として舟橋蒔絵硯箱などがある。光悦の作風や宗達の画風をもとに、独自の個性を発揮させたのが尾形光琳で、伊勢物語に出てくる八橋と燕子花を題材にした八橋蒔絵螺鈿硯箱がある。
　歴史資料は、ほかの時代と比較して豊富である。国宝が2件ある。1件は仙台藩主伊達政宗が家臣支倉常長を正使にして、1613年にローマ教皇のもとに使節を送った時の慶長遣欧使節関係資料である。もう1件は全国を測量して日本地図を完成させた伊能忠敬関係資料である。
　そのほかの歴史資料に朝鮮通信使関係資料、日米和親条約批准書交換証書、日米修好通商条約、安政二年日蘭条約書などの外交文書、箱館奉行所文書、長崎奉行所キリシタン関係資料などの行政文書、坂本龍馬関係資料、岩倉具視関係資料、大久保利通関係資料などの個人資料、駿河版活字、群書類従版木、集古十種板木などの印刷出版資料、仙台藩天文学器機、地球儀、渾天儀などの観測器具、古写真の銀板写真など、多種多様な形態の資料がある。
　建造物の国宝はわずかで、ほとんどが重要文化財である。民家が約3割、神社が約3割、寺院が約2割を占めている。
　豊臣秀吉、徳川家康によって天下統一が成就されると、分散的だった建築も統合されて、大型で彩色豊かな建造物が造営されるようになった。書院造は、桃山時代の滋賀県園城寺光浄院客殿・勧学院客殿など、僧侶が起居する禅宗の簡素な方丈から、江戸時代初期の、天井や周囲の豪華な装飾で格式を意識させ、封建的身分を明確にする床面に上段を設けた京都府二条城二の丸御殿や西本願寺書院に至って、完成したとされている。
　格式や身分を重視する豪華な対面空間としての書院造への対照として、草庵風の丸太や土壁などで、自然で簡素な洗練された美を演出しようとしたのが数寄屋造だった。侘茶を示す言葉として数寄という単語が使われ、茶の湯を行う場所が数寄屋と称されるようになった。茶道を大成させた千利休の作成した桃山時代の妙喜庵茶室（待庵）は、素朴な茅葺民家のたたずまいを見せている。
　城郭などの築造技術が仏堂建築にも応用されて、桃山時代から江戸時代中期にかけて大型で復古的な建造物が続々と復興もしくは創建された。滋

賀県園城寺金堂、延暦寺根本中堂、京都府東寺金堂と五重塔、清水寺本堂、奈良県金峯山寺本堂、長谷寺本堂、長野県善光寺本堂などの建造物がある。最後の大型仏堂建築となったのが、1709年に再建された東大寺金堂（大仏殿）だった。

17世紀中頃から幕府が寺社建築の規模と豪華な組物を規制したので、堂宇・社殿の建造には、細部の装飾や絵模様を加えることが流行し、獅子、麒麟、猿、波など精緻をきわめた彫刻をしつらえる集団的工匠たちが出現した。日光東照宮の眠り猫で有名となった左甚五郎の伝説は、そのような名工たちの活躍から生まれた。

民家には、農家や漁家、町家、中下級武士の住居などがあり、気候・風土・生業の相違によって千差万別な様相を見せている。農家が最も多く、曲屋、中門造、大和棟、合掌造、分棟型などさまざまなタイプがある。町屋とは、城下町や宿場、町場で街路に面して建ち並ぶ奥行きの長い、細長い住居で、道路側に店舗もしくは作業場となる空間が設けられている。

そのほかの建造物として、江戸時代前期に開校された岡山県旧閑谷学校、狂言舞台の京都府壬生寺大念仏堂、現存最古の芝居小屋とされる香川県旧金毘羅大芝居、長崎県の石造アーチ橋の眼鏡橋、旧熊本藩主細川氏が参勤交代に使用した御座船（波奈之丸）の御座所部分だった細川家舟屋形など、多様な用途のものが含まれている。

近代以降

文明開化によって西洋の制度・思想が奔流となって日本に導入されたが、同時に天皇制を中心とする復古調とが奇妙に同居して、新しい近代社会が形成されていった。新興ブルジョアジーが政治経済力を強め、並んで資本主義の発達で都市の労働者や勤労市民が増大すると、欧米と同じように都市文化、大衆文化が日本でも主流となっていった。

近代以降の美術工芸品に国宝はなく、重要文化財が約100件ある。ほかの時代と比べて指定文化財はきわめて少量である。絵画には日本画と洋画があり、日本画として狩野芳崖の悲母観音像、不動明王図がある。日本で美術の概念を説き、日本画の再興を目指したフェノロサが、狩野派の流れを引く芳崖の画才を見いだした。同じくフェノロサのもとで新日本画を描いた橋本雅邦の白雲紅樹図、竜虎図がある。岡倉天心、橋本雅邦に師

事した横山大観の代表作として生々流転図がある。

洋画には、最初の近代洋画家として著名な高橋由一の描いた花魁、鮭、イタリアから来日したお雇い外国人アントニオ・フォンタネージに学んだ浅井忠の春畝、収穫、留学先のフランスで絵画を学んで帰国した黒田清輝の舞妓、智・感・情、明治ロマン主義を代表する青木繁の海の幸、わだつみのいろこの宮、西洋風の写実に東洋的な装飾性を加味させた夭折の画家岸田劉生の切通しの写生、麗子微笑などがある。

彫刻については、日本で彫刻を教えたイタリア人ビンチェンツオ・ラグーザの日本の婦人像、仏師の弟子で近代木彫を発展させた高村光雲の老猿、画家から彫刻家に転じた荻原守衛の女、北条虎吉像などがある。

歴史資料として旧江戸城写真ガラス原板、旧江戸城写真帖、銀板写真、映画フィルム「紅葉狩」、同「小林富次郎葬儀」、同「楠公訣別」などの古写真・映像資料、明治新政府の各省庁の行政文書を収録した公文録、群馬県行政文書、埼玉県行政文書などの地方行政文書、1872年に実施された近代最初の文化財調査の記録である壬申検査の関係資料・写真・写真ガラス原板などが含まれている。

近代以降の重要文化財について、美術工芸品の数量は少ないが、逆に建造物は多い。飛鳥〜江戸時代まで長らく日本の建造物は、中国大陸の建築技術を随時摂取しながら、木造の建物を基本にして歩んできた。近代になると木造建築を継承しつつ、以前とはまったく異質・異形の石造もしくはレンガ造の建築が欧米から移入され、今まで日本になかった外観・様式の洋風建築が大量に建てられ始めた。

殖産興業を強力に推進した明治政府は、西洋の産業技術を吸収、実践するために工部省を設置し、鉱山、鉄道、灯台、電信、造船、製鉄など、さまざまな近代事業を繰り広げた。操業に必要な設備、工場、家屋を建て、そして日本人技術者の教育を目的に、政府は西欧から多数の建築家を雇い入れた。中でもイギリス人建築家のジョサイア・コンドルは、日本人建築家の育成だけでなく、鹿鳴館、三菱1号館、上野の旧帝室博物館、日本ハリストス正教会教団復活大聖堂（ニコライ堂）、旧岩崎家住宅など多数の建物を設計して、日本の近代建築の基礎を築いた。近代化の象徴だった洋風建築が大々的に展開されたが、外国人建築家たちが手がけた建造物は、今日ほとんど残っていない。

外国人建築家から洋風建築を学んだ日本人建築家たちが、19世紀末から

第Ⅰ部　国宝／重要文化財の基礎知識　33

活躍し始めた。建築界に君臨した有名な辰野金吾の作品として、代表作であるネオ・バロック様式にルネサンス風意匠を加えた日本銀行本店本館をはじめ、旧日本銀行京都支店、旧日本生命保険株式会社九州支店、東京駅丸ノ内本屋などが残っている。

　アメリカ、ドイツに留学した妻木頼黄の代表作が旧横浜正金銀行本店本館で、ドイツ・ルネサンス様式の外観に随所にネオ・バロック的様相が見られる。宮廷建築家となった片山東熊の作品は、皇室に関連する宮内省関連の建造物が残存している。旧帝国奈良博物館本館、旧帝国京都博物館本館と表門、上野の表慶館がある。旧東宮御所（迎賓館赤坂離宮）は、1899年に工事が着工され、10年かけて完成した大作だった。

▌近代化遺産

　近代の国宝／重要文化財の建造物に、産業・交通・土木に分類されたものがある。この種類の建造物が文化財と認識されて、重要文化財に指定されたのは戦後になって1956年からである。最初に指定されたのは旧造幣寮鋳造所正面玄関（大阪府桜宮公会堂玄関）だった。明治新政府は貨幣鋳造のために造幣寮を設置し、イギリス人技術者の設計による本格的な工場が1871年に落成した。鋳造所は解体されたが、トスカナ式の円柱が並ぶ鋳造所の玄関が、洋風建築として保存された。なお、造幣寮の応接施設として同時に建てられた泉布観も重要文化財に指定された。その後、1968年に愛知県明治村にある旧品川燈台、1977年に古い鉄橋の東京都旧弾正橋（八幡橋）、1978年に帆付鉄製汽船の明治丸、1988年に福岡県門司港駅（旧門司駅）本屋などが重要文化財となった。

　1993年に近代化遺産を重要文化財に含める方針が決まって、近代化遺産の文化財が急増した。世界遺産となった群馬県旧富岡製糸場は、工部省とともに殖産興業の一翼を担った民部省によって、1872年に建てられた生糸を生産する最初の官営工場だった。その中の繰糸所、東置繭所、西置繭所が国宝で、首長館、女工館、蒸気釜所などが重要文化財である。

▌北海道・沖縄

　北海道と沖縄は、それぞれ独自の歴史文化の道を歩んで日本に組み込ま

34

れた。国宝 / 重要文化財についても、日本の一般的な時代区分に当てはまらないものが含まれている。

　北海道は、先住民族であるアイヌ民族が暮らしていた土地である。古くは蝦夷地（えぞち）と呼ばれ、鎌倉時代から和人（わじん）（日本人）が入植し始め、江戸時代に松前藩が成立して、和人の流入が増大した。近代以降に国家的事業として蝦夷地開拓が進められた。

　北海道の歴史には、日本の他地域とは異なる時代区分が、考古学的に設定されている。旧石器時代、縄文時代に続いて、本州などで弥生〜古墳時代に相当する年代を続縄文文化（ぞくじょうもんぶんか）、奈良〜平安時代を擦文文化（さつもんぶんか）・オホーツク文化とし、擦文文化の後に13世紀にアイヌ文化が成立した。重要文化財に指定されているのは、旧石器時代、縄文時代、続縄文文化、オホーツク文化、擦文〜アイヌ文化のそれぞれの遺跡から出土した考古資料である。

　沖縄の歴史にも、北海道と同様に独自の時代区分が設けられている。旧石器時代に続いて、縄文〜平安時代前半を貝塚時代、平安時代後半〜室町時代前半をグスク（沖縄独特の城塞）時代とする。続いて1406〜69年は沖縄諸島で政治的に統一された第1尚氏時代、1469〜1609年は王朝の代わった第2尚氏時代前期、1609〜1879年は薩摩藩支配下の第2尚氏時代後期とされている。1879年に琉球処分で琉球王国が解体され、沖縄は強制的に日本に組み込まれた。

　沖縄はアジア太平洋戦争の時に、唯一日本国内で戦場となり、多くの文化財が破壊された。1930年代から戦時文化財保護の国際規範が確立されつつあったが、沖縄戦では日本軍もアメリカ軍も文化財保護に配慮した気配はうかがえない。鎌倉芳太郎（かまくらよしたろう）が撮影した膨大な琉球芸術調査写真は、破壊される前の文化財の様子を伝える貴重な資料である。彼の写真は『沖縄文化の遺宝』として1982年に刊行され、また世界遺産となった首里城の復元の際にも重要な参考資料となった。

海外由来の文化財

　日本は東アジアの東端に位置し、人と物が絶えず交流して、さまざまな文化的要素が複雑に折り重なって日本文化が形成された。海外からもたらされるものに、時には限りないほどの憧憬を抱きつつ、入手に奔走（ほんそう）することさえあった。海外由来の国宝 / 重要文化財の件数を、地域別に伝来元を

第Ⅰ部　国宝 / 重要文化財の基礎知識　　35

見ると、中国からのものが最も多くて約900件、次に朝鮮半島から約100件、欧米から約30件と、中国産の物品が大半を占める。これらの輸入品は舶載品、舶来品、将来品、請来品、渡来品などと称され、江戸時代までは唐物と呼ばれることが多かった。

3世紀に成立した中国の歴史書『魏志倭人伝』によると、239年（景初3年）に倭国（日本）の女王卑弥呼が男生口（奴隷）4人、女生口6人、班布2匹2丈を魏の皇帝に朝貢し、皇帝はその返礼に親魏倭王の称号と金印紫綬を卑弥呼に授けた。さらに皇帝は、絳地交龍錦（深紅色の布地に蛟竜の文様を描いた錦）5匹、絳地縐粟罽（深紅色の布地で細かいちぢみ織の毛織物）10張、蒨絳（茜染めの布）50匹、紺青（濃藍色の布）50匹、紺地句文錦（紺色の布地にジグザグ文様のある錦）3匹、細班華罽（細かい花模様を斑に織り出した毛織物）5張、白絹50匹、金8両、5尺刀2口、銅鏡100枚、真珠・鉛丹各50斤も贈与し、国中の人に示すようにと説いた。

魏の皇帝は卑弥呼に、王の称号だけでなく、権力を人々に誇示するための各種の高級な織物・布、金、刀、銅鏡、顔料を与えたのである。珍しい中国製品は、所有者の権威を高める威信財だった。

魏の皇帝から卑弥呼が受け取った織物・布について、実物が残っていないので、一体どのようなものだったのか詳細は不明である。しかし銅鏡については、日本各地の古墳から出土する三角縁神獣鏡の一部が、卑弥呼に贈られたものだとする説が有力である。もしも三角縁神獣鏡が卑弥呼の銅鏡だったとすれば、権威を象徴する中国からの渡来品が日本国内で分配され、現在にまで残った古い事例といえるだろう。

7～16世紀の間に、権力の座にあった天皇、公家、武家たちの入手した中国製品がそのまま後世に伝わり、文化財と認識されて国宝／重要文化財となったものが多いだろう。中でも南宋と元時代の件数が多く、それに隋・唐、明時代の件数が続く。隋・唐のものは7世紀初頭から9世紀末まで続いた遣隋使・遣唐使の影響、南宋のものは12世紀後半から始まった平氏と鎌倉幕府による南宋貿易と、多数の僧が往来した仏教交流の影響、元のものは禅宗交流の影響、明のものは室町幕府および勘合符貿易、密（私）貿易の影響がそれぞれ考えられる。

中国由来の国宝／重要文化財の中で書跡・典籍と絵画が多い。なかでも日本に伝来した漢文の書物である漢籍は、中国で失われて逆に日本にのみ存在するものが多数あるという点で、特異な存在である。歴史上、書物・

図書の流通は印刷の出現によって革命的に変化したのだが、それまでは手で書き写されたごく少数部の写本で伝えられていた。

　中国で印刷された刊本が普及し始めたのは世界で最も古く、11世紀の北宋の時代だった。すると多くの人々は刊本を手にして、書写された書物を読まなくなり、また書写する習慣もなくなって、それ以前の古い写本が急速に姿を消していった。したがって現在中国で現存する古い漢籍は、宋時代に刊行された以降のものとなり、宋版の刊本が貴重視されているのである。

　ところで日本で印刷出版が普及し、写本に代わって刊本が書物の主流となったのは江戸時代になってからである。日本では長らく書写の写本による講義や読書が基本だった。律令制の大学寮で明経博士（みょうぎょうはかせ）や文章博士（もんじょうはかせ）となって知識を独占世襲した少数貴族や、新しい仏教を積極的に取り入れた有力寺院などで多数の写本が蓄蔵、作成された。中国で失われ日本で現存する本を佚存書（いつぞんしょ）と呼ぶが、唐時代の古文尚書（こぶんしょうしょ）など佚存書が多く伝来している。

　印刷された刊本は北宋時代からあるが、日本では主に南宋時代以降の刊本が多く、留学僧や中国の商人によって日本に伝来した。中国で散逸して日本に残存する書物として、大阪府杏雨書屋（きょううしょおく）（武田科学振興財団）所蔵の宋刊本史記集解（しきしっかい）、千葉県国立歴史民俗博物館所蔵の宋版史記、宋版漢書、宋版後漢書などがある。

　栃木県足利学校遺跡図書館は、国宝の宋版周易注疏（しゅうえきちゅうそ）、宋版尚書正義（しょうしょせいぎ）、宋版礼記正義（らいきせいぎ）、宋刊本文選（もんぜん）（金沢文庫本）のほかにも、重要文化財となった書物を多く所蔵している。足利学校は室町時代初期に足利氏一門によって漢学教育のためにつくられた学校で、永享年間（1429～41年）に関東管領の上杉憲実（うえすぎのりざね）が鎌倉円覚寺の僧快元（かいげん）を庠主（しょうしゅ）（校長）に招いて再興させた。

　忘れてはならない中世の図書館として、もう1か所、神奈川県金沢文庫がある。好学の武将だった北条実時（ほうじょうさねとき）（1224～76年）が鎌倉時代中期につくった文庫で、孫の貞顕（さだあき）に至るまで蔵書が蓄積された。実時は、明経博士の家系で鎌倉時代の碩儒（せきじゅ）（儒学の大学者）だった清原教隆（きよはらののりたか）に師事し、日本で書写された写本をはじめ、当時新刊だった宋刊本も多数入手して、和漢の多方面にわたる書物を収集した。鎌倉幕府滅亡で北条氏が殉じた後、文庫の管理は隣接する菩提寺の称名寺（しょうみょうじ）に委ねられたが、蔵書の散逸を防ぐことができなかった。金沢文庫旧蔵本で、国宝／重要文化財になった書物

第Ⅰ部　国宝／重要文化財の基礎知識　　37

が多数ある。

　中国由来の絵画は一般に渡来画と呼ばれ、国宝／重要文化財で見ると南宋時代と元時代のものが多い。平安時代に最澄・空海ら留学僧たちが中国から持ち帰った仏画は、日本で密教仏画制作の手本になったと考えられる。しかし彼らがもたらした仏画そのものは、ほとんど残っていない。

　平安時代末期から中国との交流が活発になり、新しい仏教である禅宗が日本に伝わり、重源や栄西など留学僧も増えた。日宋交易も興隆し、多数の書物や絵画が日本へもたらされた。これらの絵画は、主に人物、山水、花鳥を題材にしていて、仏画のように信仰の対象として見つめて祈祷するわけではない。禅宗の影響を受けて、日常の中から美や真理を求道する新しい鑑賞方法へと、絵画の見方も変化したのである。武家の間に禅宗が広まると、禅林文化の一端として絵画が収集され、例えば足利義満のコレクションには、現在国宝となっている渡来画の優品が多数含まれていた。このような絵画の鑑賞と収集は、公家文化には見られなかった武家のつくり出した美意識によるものだった。

　南宋時代末期から元時代初期の禅僧画家の牧谿は、薄い陰影の水墨で描く罔両画という技法を得意とし、日本の水墨画に大きな影響を与えた。彼の作品として大徳寺の観音図・猿鶴図、竜虎図、芙蓉図、大徳寺竜光院の栗図・柿図、瀟湘八景図の一部である東京都根津美術館の漁村夕照図、畠山記念館の煙寺晩鐘図、京都国立博物館の遠浦帰帆図などがある。日本で牧谿とならび賞賛されたのが玉㵎で、徳川美術館の遠浦帰帆図、出光美術館の山市晴嵐図などが重要文化財である。瀟湘八景図とは、湖南省洞庭湖南部で瀟水と湘水の2本の川が合流して湖に注ぐ景勝地を舞台に、八つの題材に分けて描かれた絵画である。日本でも室町時代以降に大いに流行した画題である。

　元時代の個性ある画家として、顔輝をあげられるだろう。顔輝は道教や仏教関係の人物を描く道釈人物画を得意とし、作品として東京国立博物館の寒山拾得図と京都府知恩寺の蝦蟇鉄拐図がある。彼の人物画には誇張された表情、表現があり、怪奇的な様相を見せ、江戸時代の曽我蕭白の描いた人物画に通じる不気味さの漂う画風である。

　朝鮮半島由来の国宝／重要文化財は、918〜1392年の高麗時代のものが最も多くて約7割を占め、主に絵画と工芸品からなっている。絵画のほとんどが高麗仏画で、わずかに水墨画の山水図が含まれる。高麗仏画は唐時

代の8世紀後半の作風を継承しているとされ、阿弥陀浄土信仰に関連して、阿弥陀如来像、観音菩薩像、地蔵菩薩像が中心となっている。根津美術館所蔵の阿弥陀如来像には大徳10年（1306年）の年記があり、赤色と緑色のコントラストのある衣服に金泥が施され、精密な細部表現がなされて、高麗宮廷画といわれている。

　工芸品は主に朝鮮鐘（ちょうせんしょう）で、そのほかに高麗青磁と、細かい貝片で装飾された螺鈿経箱（らでんきょうばこ）が少量ある。朝鮮鐘の特徴は、鐘を吊るす頭頂部の竜頭（りゅうず）が、日本の和鐘では2頭の竜による双頭であるのに対して、朝鮮鐘では単頭の竜で、脚を踏まえ背面に旗挿し（はたざし）、または甬（よう）という円筒形飾りが置かれている点である。そして鐘身胴部には、和鐘のような縦横に区画された袈裟襷（けさだすき）がなく、飛天や仏像、銘文などが鋳出されている。

　数は少ないが欧米由来のものもある。16世紀末〜17世紀初頭の国際交流を示す文化財と、19世紀以降に持ち込まれた近代化に関する工業機械・製品、観測器具の、大きく二つの時期に分けられる。

　東京国立博物館にある1585年イタリア・レッジオ刊行の天正遣欧使節記（てんしょうけんおうしせつき）は、戦国時代の1582年に九州のキリシタン大名大友宗麟（おおともそうりん）、大村純忠（おおむらすみただ）、有馬晴信（ありまはるのぶ）がローマ教皇に派遣した少年使節団の記録である。日本に初めて来航したオランダ船で、1600年に豊後沖に漂着したリーフデ号船尾にあったエラスムス立像がある。同船に乗り込んでいたイギリス人航海長ウィリアム・アダムス（三浦按針（みうらあんじん））とオランダ人船員ヤン・ヨーステンは徳川家康に仕えた。

　祭礼の山車（だし）にかけられる豪華なタペストリーがある。京都府祇園祭で山鉾を飾る祇園会鯉山飾毛綴（ぎおんえこいやまかざりけつづれ）、大津市天孫神社の祭札で曳山を飾る四宮祭月宮殿山飾毛綴（しのみやまつりげっきゅうでんざんかざりけつづれ）、滋賀県長浜市曳山祭の曳山を飾る長浜祭翁山飾毛綴（ながはままつりおきなやまかざりけつづれ）などは、人物像を織り込んだ16世紀のベルギー製タペストリーである。

　近代の工業製品として、東京都郵政博物館にあるエンボッシング・モールス電信機は、江戸時代末期に黒船で来航したペリー提督が持参し、アメリカ大統領から徳川将軍へ寄贈した日本で最初の通信機だった。

　工業機械には、金属加工用の工作機械である1856年オランダ製の堅削盤（たてけずりばん）が長崎県長崎造船所史料館に、艦船の建造・修理用の1865年オランダ製スチームハンマー（旧横須賀製鉄所設置）が神奈川県ヴェルニー記念館に、本格的な紡績工場として成功した三重紡績の1893年イギリス製リング精紡機（せいぼうき）が明治村に、幕末にオランダ商館長から徳川将軍に献上された

第Ⅰ部　国宝／重要文化財の基礎知識　　39

というスタンホープ印刷機が東京都国立印刷局（博物館）にある。

　観測器具として、上野の国立科学博物館に、日本に現存する最古の地震計であるイギリス製ミルン水平振子地震計、近代天文観測で活躍したイギリス製天体望遠鏡（8インチ屈折赤道儀）などがある。

4. 文化財の課題

　文化財にはさまざまな種類がある。文化庁の関与する文化財として、国宝／重要文化財のほかに、史跡・名勝・天然記念物、世界遺産、登録文化財、人間国宝、近代化遺産、日本遺産などがある。これらの文化財は文化施策の一環として文化庁が管掌しているが、近年、文化庁とは関連のない文化財・遺産が次々に登場している。

　例えば文化庁の近代化遺産によく似たものに、経済産業省が2007〜08年度にまとめた近代化産業遺産がある。近代化産業遺産が文化庁の近代化遺産と違う点は、テーマごとに、工場や土木施設など不動産だけでなく、機械や文書などの動産の文化財も取り上げ、さらにストーリー（あらすじ）に沿って文化財が並べられるので、個々の文化財の解説というよりも、産業全体の流れを把握できるようになっている。近代化遺産と近代化産業遺産とは重なる部分があるが、地域社会や産業発展という観点から見ると、経済産業省の近代化産業遺産の方が理解しやすいといえるだろう。経済産業省としては、近代化産業遺産を観光など地域活性化に役立てたいとしている。

　また世界農業遺産という遺産もある。この遺産は、社会や環境に適応した伝統的農業、文化、景観、生物多様性を次世代に継承することを目的に、国連食糧農業機関（FAO）が2002年に開始し、日本では農林水産省が管掌している。2011年に新潟県佐渡地区と石川県能登地区、2013年には静岡県掛川地区、大分県宇佐地区、熊本県阿蘇地区、2015年には岐阜県長良川上中流域、和歌山県みなべ・田辺地域、宮崎県高千穂郷・椎葉山地域が認定された。世界農業遺産に認定して、過去の伝統を引き継いだ現在の生きた農業を示し、そのまま未来へと、持続可能な社会を目指している。

文化庁だけが文化財や遺産を取り扱っているのではなく、ほかの官庁も自己の関与する産業を促進させるため、文化財や遺産を認定している。このように選択者のそれぞれ異なる主体的目的により、さまざまな文化財が選ばれているのであって、必ずしも文化庁の指定する文化財だけが、歴史文化を代表しているわけではない。さらには行政機関とは別個に、多数の民間団体や個人が選び出した文化財、遺産、記念、記憶も数限りなくたくさんある。

　社会はたくさんの集団や人々で構成され、多様な意見や思想が入り混じって、豊かな文化が形成される。歴史文化に対する認識も多様であり、文化財への思いもバラエティに富んでいるだろう。多様な文化の形成が、主体的・自主的にみずからの見解や認識を研鑽することによって得られるように、文化財に関しても、他人の意見や評価を単にうのみにするのではなく、主体的に考えて接する姿勢が大切だろう。そして自己の見解に沿って、どのように文化財を残していくのか、自主的に取り組むことが多種多様文化財の保存につながるのである。

第Ⅱ部

都道府県別
国宝/重要文化財と
その特色

凡例

* 国宝/重要文化財の名称は、文化庁ホームページの「国指定文化財等データベース」で表記された名称に準じた。
* 国宝は名称に●、重要文化財は名称に◎の印を付けた。
* 年代表記は、原則として西暦を使用した。
* 旧字体はなるべく新字体に統一した。しかし一部の名詞には、慣例上の旧字体を使用した。
* 第Ⅱ部の各都道府県別の「そのほかの主な国宝/重要文化財一覧」表は、美術工芸品と建造物とを分け、表の中ほどにある実線を境にして上の行に美術工芸品、下の行に建造物を列記した。
* 都道府県別の国宝/重要文化財の件数は、国宝については付録表4 (303頁)、重要文化財については付録表5 (304頁) を参照。
* 巻末に、主要参考文献を列挙した。

尖頭器

地域の特性

　日本の最北に位置する北海道は、日本の全面積の約5分の1を占める大きな島である。元来アイヌの人たちが暮らすアイヌ・モシリ（アイヌの島）で、近代以前は蝦夷地と呼ばれていた。中央部に大雪山があり、その北に北見山地、南に日高山脈が走っている。南北にのびる山地の西側に石狩平野、東側に十勝平野、島の南東部に根釧台地が広がる。近代になって、広大な平地の原生林が農地へと大きく変貌した。

　鎌倉時代から和人が移住し始めると、アイヌと和人との仲違いが激しくなった。江戸時代には蝦夷地に松前藩が置かれた。1648年のシャクシャインの戦いでアイヌたちが敗北すると、アイヌは和人に隷属化した。18世紀に外国船がたびたび訪れるようになり、1807年に全島が幕府直轄地となった。1854年に日米和親条約が締結され、箱館が開港された。明治維新により1869年に開拓使が置かれて、北海道と改称された。

国宝/重要文化財の特色

　美術工芸品の国宝は1件、重要文化財は26件である。唯一の国宝は、函館市著保内野遺跡から出土した縄文時代の土偶である。重要文化財の多くは遺跡から出土した考古資料で、それ以外には江戸時代以降の歴史資料などが少量ある。建造物に国宝はなく、江戸時代中期以降の寺院や城郭、近代以降の官庁や学校の建物など29件が重要文化財となっている。考古資料を除くと、重要文化財は主に道西部に分布し、江戸時代以降の和人の活動を示す文化財である。

　アイヌの文化財は、有形文化財の国宝/重要文化財に含まれていない。その代わりに民俗の分野で、アイヌの丸木舟、アイヌの生活用具コレクション、アイヌのユーカラ、アイヌの建築技術および儀礼、アイヌ古式舞踊が重要文化財に指定されている。また道南部日高支庁の沙流川流域では、

アイヌの伝統に関連する文化的景観が保存されている。

◎**白滝遺跡群出土品** 遠軽町の白滝ジオパーク交流センターで収蔵・展示。旧石器時代の考古資料。道北東部の北見山地から東へ流れる湧別川流域の白滝遺跡群から出土した石器で、全部で1,858点ある。道路建設に伴い23遺跡、面積約14haに及ぶ大規模な発掘調査が行われ、そのうち旧石器時代を主体とする遺跡が20か所あり、総数約767万点の石器や剥片が出土した。そして服部台2遺跡、奥白滝1遺跡、上白滝2遺跡、上白滝5遺跡、上白滝7遺跡、上白滝8遺跡の6遺跡から出土した主に黒曜石でつくられた石器が重要文化財に指定された。また遺跡群の一部の範囲が史跡に指定された。付近には通称赤石山を中心とする日本最大の黒曜石原産地がある。今から約3万〜1万2,000年前の後期旧石器時代のもので、特徴として細石刃と呼ばれる石器があげられる。細石刃とは、長さ3〜5cm、幅1cm以下の薄くて細長い小さな石器で、骨や木などの棒に細い溝を彫って、複数の細石刃を溝にはめ込んで刃部にするのである。この小さな石器は、ユーラシア大陸からアラスカまで広い範囲で出土している。細石刃以外に、動物の解体・加工に使用された削器や掻器、穴を穿つ錐形石器、骨・角・牙などに溝を彫るために使用された彫器、槍の先に装着された尖頭器など、さまざまな用途に応じた石器が製作された。なかでも長さ30cm以上の大型尖頭器が多数出土した。白滝産黒曜石はサハリンや北海道南部の遺跡でも見つかっていて、広い流通ネットワークの存在が想定されている。

●**土偶** 函館市の縄文文化交流センターで収蔵・展示。縄文時代後期の考古資料。像高40cmを超える大きな土偶で、中が空洞になっている中空土偶である。亀田半島北東海岸近くの著保内野遺跡で、1975年に農作業をしていた主婦が偶然発見した。顔面をやや上に向け、顎から耳にかけて細かい円形文様で髭が表現されている。同じ円形文様が下腹部にも見られる。頭部、頸部、両乳部、腰部、膝部、脛部に細い隆帯で幾何学模様がめぐらされ、両脚には縄文が施されている。頭部の髪飾りと両腕が欠損しているが、これは縄文人が祭祀などで故意に破壊したからである。

2006年に遺跡が再調査され、土偶出土地点の北側で直径約6mの環状配石遺構と土坑墓群が確認された。環状配石遺構は大型礫を円形に配した外帯と、破砕された礫を不規則に配した内帯で構成されていた。土坑墓の一

北海道　45

つから、ヒスイの勾玉と漆櫛の残片が出土した。漆櫛残片に放射性炭素による年代測定を実施したところ、3,270±40年前だった。この土偶は、葬送儀礼の一環として死者に添えられたと考えられている。

◎松法川北岸遺跡出土品

羅臼町の羅臼町郷土資料館で収蔵・展示。オホーツク文化期の考古資料。オホーツク文化は、6～11世紀にオホーツク海沿岸やサハリンに広がった独特な文化である。松法川北岸遺跡は知床半島東岸、羅臼町市街地から約4km南に位置し、国道の改修工事に伴って発掘調査された。15軒の住居跡が発見され、大半はオホーツク文化のもので、3軒が火災によって焼けていた。屋根に土をかぶせた土葺の住居だったため、竪穴住居の内部は炭焼き窯状態となり、非常な高温で熱せられた木製品が腐敗せずに良好な状態で出土した。注目された木製品は、注口部に熊の頭が写実的に彫り出された細長い槽（おけ）で、口縁下部には海の神であるシャチの背鰭のモチーフが付されていた。山の神のヒグマと海の神のシャチを合体させた容器で、神聖な儀礼に関する祭祀道具だったと考えられている。現在でも知床半島にはヒグマとシャチが多数生息し、人々に畏敬の念を抱かせている。

◎美々8遺跡出土品

江別市の北海道立埋蔵文化財センターで収蔵・展示。擦文文化からアイヌ文化の考古資料。美々8遺跡は、千歳空港建設に伴って発掘調査され、千歳市と苫小牧市の境界を東西に流れる美沢川流域に位置している。旧石器時代からアイヌ文化（中近世）までのさまざまな時代にまたがる複合遺跡で、中でも低湿地で見つかった擦文～アイヌ文化期の交通、集落、漁撈、送り場などに関する遺構・遺物が特徴的だった。斜面を上り下りした道跡、アイヌ墓、舟着場、建材群、舟小屋、幣棚（ヌササン）、立杭列、杭穴列、水場遺構、炉跡、灰送り場跡、錘石（ピッ）などの集中箇所があった。これらの遺構の時期は、有珠山と樽前山の噴火による火山灰層によって年代が確定された。出土した遺物には、生業や日常生活に関わる多種多様な用具類、アイヌの伝統的な自製品、本州からもたらされた和産物などの移入品が混在していた。重要文化財に指定されたのは、土器・陶磁器・土製品、木製品、漆器、繊維製品、石製品、ガラス玉、骨角製品、金属製品で、合計1,164点である。美々8遺跡の出土品から、人と物資の交流地点で繁栄したアイヌたちの生活がうかがえる。

◎北海道庁旧本庁舎

札幌市にある。明治時代の官公庁舎。1869年に蝦夷地が北海道と改称され、開拓使が設置された。開拓使が廃止されて1886年に北海道庁が設置されると、旧開拓使札幌本庁舎（1879年に焼失）の跡地に新しい庁舎の建設が始まり、1888年に完成した。設計者はアメリカで建築学を学んだ平井晴二郎で、手宮機関車庫（1885年竣工）なども設計している。アメリカ風ネオ・バロック様式のレンガ造である。地下1階、地上2階、スレート葺、東面して左右南北に翼棟を配し、中央屋根上に八角の塔屋（ドーム）が立つ。焼失した開拓使札幌本庁舎にも八角塔があり、それをしのんで道庁舎の屋上にも塔屋が設けられた。1896年に八角塔・換気塔などが撤去され、1909年に火災でレンガ壁体を残して室内と屋根が焼失し、1911年に復旧工事が完成した。1968年に創建時の姿に復元された。

旧本庁舎の建物内に北海道立文書館所蔵の箱館奉行所文書がある。江戸時代末期に五稜郭が築かれて箱館奉行所が置かれたが、1869年の函館戦争で建物が焼失し、奉行所にあった文書も被災した。しかし外交・貿易事務などを担当した運上会所や、オホーツク海側の紋別御用所などの文書は出先機関にあったので残り、重要文化財に指定された。

◎旧花田家番屋

北海道西海岸の小平町にある。明治時代後期の漁家。1910年代に北海道で鰊漁が最盛期を迎えた。多数のヤン衆（雇漁夫）が働き、財をなした網元は鰊御殿を建てた。花田家は18か統の鰊定置網（建網）を経営し、雇人も500人を超え、米蔵、網蔵、船倉、粕蔵、作業場など100棟近い建物を建てた。蒸気機関のウィンチ、トロッコの使用、各漁場間に施設電話を設置するなど、当時の最新機器を取り入れた大鰊漁家だった。番屋とは鰊漁網元の家の総称で、旧花田家番屋は1905年に建てられた。海岸に面した桁行16間、梁間12間の大きな2階建の主屋に、離れや居室が付随している。玄関を入ると、巨大な梁組による高い吹き抜けが目に入り、土間から漁夫溜り、そして奥の壁際の3段寝台へと広大な空間が見渡せる。多い時には200人もの漁夫が寝泊まりしていた。網元の居室は天井が高く、欄間には透彫を多用して、鰊魚場親方の豪放な気性がうかがえる。現在では衰退してしまった鰊漁の、かつて喧騒だった様子を今に伝えている。

☞ そのほかの主な国宝 / 重要文化財一覧

	時 代	種 別	名 称	保管・所有
1	旧石器	考古資料	◎美利河1遺跡出土品	ピリカ旧石器文化館
2	縄 文	考古資料	◎カリンバ遺跡墓坑出土品	恵庭市郷土資料館
3	縄 文	考古資料	◎船泊遺跡出土品	礼文町町民総合活動センター
4	縄 文	考古資料	◎動物形土製品／千歳市美々第4遺跡出土	千歳市
5	続縄文	考古資料	◎江別太遺跡出土品	江別市郷土資料館
6	続縄文	考古資料	◎有珠モシリ遺跡出土品	伊達市開拓記念館
7	オホーツク文化期	考古資料	◎目梨泊遺跡出土品	オホーツクミュージアムえさし
8	南北朝	考古資料	◎志海苔中世遺構出土銭	函館市立函館博物館
9	室町〜安土桃山	考古資料	◎上之国勝山館跡出土品	上ノ国町
10	江 戸	歴史資料	◎蝦夷三官寺国泰寺関係資料	厚岸町海事記念館
11	江 戸	歴史資料	◎箱館奉行所文書	北海道立文書館
12	江 戸	歴史資料	◎銀板写真（石塚官蔵と従者像）	函館市立函館博物館
13	江戸中期	寺 院	◎法源寺山門	法源寺
14	江戸後期	寺 院	◎上國寺本堂	上国寺
15	江戸末期	寺 院	◎龍雲院	龍雲院
16	江戸末期	城 郭	◎福山城（松前城）本丸御門	松前町
17	江戸末期	役 所	◎旧下ヨイチ運上家	余市町
18	明 治	官公庁舎	◎豊平館	札幌市
19	明 治	文化施設	◎旧旭川偕行社	旭川市
20	明 治	文化施設	◎旧函館区公会堂	函館市
21	明 治	学 校	◎旧札幌農学校演武場（時計台）	札幌市
22	明 治	学 校	◎遺愛学院（旧遺愛女学校）	遺愛学院
23	明 治	交 通	◎旧手宮鉄道施設	小樽市
24	明 治	住 居	◎旧本間家住宅	増毛町
25	大 正	宗 教	◎函館ハリストス正教会復活聖堂	函館ハリストス正教会

02 青森県

合掌土偶

地域の特性

　本州の最北端に位置し、県中央を南北に走る奥羽山脈によって太平洋側と日本海側に分かれる。奥羽山脈を境にして日本海側には積雪が多く、津軽地方では古くから稲作が行われた。太平洋側は雪が少なく晴天も多いが、冷たい偏東風（やませ）が吹いて冷害凶作になりやすい。太平洋側の南部地方では畑作と馬の畜産が発展した。この東西の気候風土の違いは、生活慣習や祭礼にも反映されている。

　古くは、中央から見て「みちのく（道の奥）」、陸奥と呼ばれていた。『日本書紀』に蝦夷の名で津軽の人が登場している。戦国時代に勢力を伸ばした津軽為信が弘前藩の初代藩主となり、弘前城が築かれた。一方、鎌倉時代に糠部郡（青森県東部から岩手県北部）に土着した南部氏が、1599年に盛岡に居城を築いて、盛岡藩ができた。弘前藩と支藩の黒石藩、盛岡藩と支藩の八戸藩、合計四つの藩が明治維新の廃藩置県で青森県となった。

国宝／重要文化財の特色

　美術工芸品の国宝は3件、重要文化財は22件である。そのうち遺跡から出土した縄文時代の考古資料が多い。縄文人の暮らしや、本州最北での稲作開始を考古資料が示している。それ以外は中世の甲冑と太刀、仏像などがある。建造物に国宝はなく、桃山時代以降の建造物32件が重要文化財となっている。中世末期に確固とした統治体制を津軽と南部に築いた戦国大名が、江戸時代に弘前藩と盛岡藩の藩主となった。津軽氏は長勝寺、南部氏は櫛引八幡宮を再建した。長勝寺には藩主を祀る霊屋が建てられ、櫛引八幡宮には南部氏が奉納した美麗な甲冑がある。

◎**三内丸山遺跡出土品**　青森市の青森県立郷土館で収蔵・展示。縄文時代前期・中期の考古資料。三内丸山遺跡は、青森市を北東へ流れる沖館川の右岸台地上に営まれた大規模な集落遺

東北地方　49

跡である。県営野球場建設のため1992年から発掘調査が開始されたが、重要な遺構・遺物が相次いで発見されたため、野球場建設が中止され、1997年に史跡、2000年には特別史跡に指定された。盛土、大型竪穴住居跡、掘立柱建物跡、道路跡に沿った墓列など、多数の遺構とともに膨大な数量の遺物が出土した。そのうち第6鉄塔地点と竪穴住居跡から出土した土器・土製品、石器・石製品、骨角牙貝製品、木製品、編物の1,958点が重要文化財に指定された。珍しい遺物として十字型をした大型板状土偶、骨角製の針・釣針・銛頭・ヘアピン・ペンダント、石製の装身具、漆塗り木製品、編籠などがあげられる。編籠は高さ約15cmで、ヒノキ科に属する針葉樹の樹皮を細長い紐にして編み上げている。縄文時代のものとしてはほかに類例がなく、縄文ポシェットと呼ばれている。第6鉄塔地点は低湿地だったため、有機質の保存状態が良好で、約5,500年前の編籠が腐敗せずに出土したのである。

● **土偶** 八戸市の八戸市埋蔵文化財センター是川縄文館で収蔵・展示。縄文時代後期の考古資料。八戸市中央を北に流れる新井田川右岸にある風張1遺跡から出土した。風張1遺跡は、土坑墓群を中心に周辺に掘立柱建物、竪穴住居が多数建てられ、全体が環状となった拠点的集落遺跡である。この遺跡から出土した遺物666点が、1997年に重要文化財に指定され、さらに土偶1点が2009年に国宝に指定された。

　土偶は像高約20cmで、しゃがんで手を合わせたポーズをしていることから「合掌土偶」と呼ばれている。竪穴住居の出入口とは反対側の壁際から、左足部分を欠いた状態で見つかった。左足部分は、同じ住居の2.5m離れた西側の床面から出土した。一般に土偶は、一部を打ち欠いた状態で捨て場などから出土する事例が多く、竪穴住居跡から完全な形で出土したのは珍しい。額から鼻、目と口を細い隆帯で表現し、胴部中央に縦の刺突文が並ぶ。胴部と手足には、細い沈線で区切られた部分に縄文が装飾されている。顔面と胴部の一部に赤色顔料が認められ、全体が赤く彩色されていた可能性がある。両腿の付け根および膝と腕が割れていて、割れた部分はアスファルトで修復されていたので、長く大切に扱われたと推測されている。なお同館内では、縄文文化の造形美を示す是川遺跡出土品も多数展示されている。

◎ **砂沢遺跡出土品** 弘前市の藤田記念庭園考古館で収蔵・展示。弥生時代前期の考古資料。砂沢遺跡は、岩木山東麓

の裾野にある砂沢溜池の中にあり、縄文時代から弥生時代にかけての遺跡である。1984〜88年に発掘調査が行われ、縄文時代の竪穴住居跡、弥生時代前期の水田跡や溝、捨て場が見つかり、大量の遺物が出土した。そのうち土器・土製品、石器・石製品、炭化米の230点が重要文化財に指定された。紀元前200〜100年の水田跡が6枚発見され、南から北へ徐々に低くつくられていた。弥生時代の水田跡としては日本で最北に位置し、東日本では最も古い。水田の形はほぼ長方形で、高さ約15cmの畔(あぜ)で区画され、面積は全体がわかるもので80m²、最も大きいものは205m²と推定された。炭化米が出土し稲作が行われていたのは確実だが、267点もの石鏃(やじり)が出土したので、狩猟活動も盛んだったことを示している。縄文時代末期に狩猟・採集・漁労を営みながら集落で暮らしていた砂沢遺跡の人々が、北上してきた稲作技術を取り入れて、試験的に水田耕作を始めたのである。

● **赤糸威鎧**(あかいとおどしよろい)　八戸市の櫛引八幡宮国宝館(くしひきはちまんぐうこくほうかん)で収蔵・展示。鎌倉時代末期の工芸品。兜(かぶと)と大袖(おおそで)の付いた大鎧(おおよろい)である。大鎧とは、弓を持ち馬に乗った1対1の戦いで、矢から身を守るためにつくられた鎧である。南北朝から室町時代になると、戦いは騎馬による個人戦から槍を使用する集団戦へと変化し、胴丸(どうまる)が多くなった。赤糸威鎧は、ほとんどあますことなく八重菊金物で装飾され、ところどころに「一」文字に三つ盛り菊の模様が施されている。小札(こざね)は黒漆塗りの鉄と革の1枚交ぜで、茜染(あかぞ)めの赤い組糸で威している。前面胴部分の金具回りおよび革所(かわどころ)には、牡丹に3頭の獅子を配した藍染(あいぞめ)の韋包(くみいと)みに、鍍金(ときん)の覆輪(ふくりん)をめぐらす。兜は鉄地黒漆塗り三十六間四方白の星兜鉢(ほしかぶとばち)で、眉庇(まびさし)には、八重菊の飾られた鍬形台(くわがただい)に鍍金の大鍬形(おおくわがた)が付けられている。大袖には上部にたなびく雲、その下に菊籬架垣(きくまがき)と「一」文字の金物が飾られている。重量は約40kgもあり、戦場で着用して戦うことは不可能である。鎌倉時代の精緻な工芸技術を駆使して製作された鎧は、実用の域を脱して威厳を示す奉納品となった。奈良県春日大社の赤糸威鎧と双璧をなす華麗な甲冑である。同館内では、ほかにも白糸威褄取鎧(しろいとおどしつまどりよろい)、紫糸威肩白浅黄鎧(むらさきいとおどしかたしろあさぎよろい)、白糸威肩赤胴丸(しろいとおどしかたあかどうまる)、兜(かぶと)が展示されている。

◎ **長勝寺**(ちょうしょうじ)　弘前市の弘前城の近くにある。江戸時代前期の寺院。弘前藩主津軽氏の菩提寺(ぼだいじ)で、三門、本堂、庫裡(くり)、御影堂(みえいどう)と、津軽氏の霊屋(たまや)が重要文化財となっている。三門は1629年に2代藩主津軽信牧(つがるのぶひら)に

東北地方　51

よって建立された。2階建の楼門で柱上の組物は三手先、柱間にも組物をおく詰組となっている。花頭窓や上端を細めた粽の柱などがあり、禅宗様の手法を見せている。本堂は1610年の造営で、入母屋造に柿葺、8室構造の書院造である。庫裡は切妻造で茅葺、弘前城の前代にあたる大浦城の台所を移築したと伝えられている。御影堂は初代藩主津軽為信の木像を祀った方3間の仏堂で、1629年頃に建てられた。霊屋はいずれも方2間の小さいもので、初代藩主、2代藩主、2代藩主正室、3代藩主、6代藩主の5棟が整然と並んでいる。

　弘前城は初代藩主津軽為信が計画したといわれ、2代目の信牧が築城に着手し、城下町に移るように領内の寺院・神社へ命じた。移転させた曹洞宗33ヶ寺の並ぶ禅林街が形成され、その一番奥に長勝寺が建立された。要害な地形から、禅林街の入口に空堀と土塁を築いて桝形をつくり、長勝寺を中心とする長勝寺構という城下南西側の防御施設にしたのである。

◎旧津島家住宅

　津軽半島の五所川原市にある。明治時代後期の住居。作家太宰治（本名津島修治）の生家として有名で、現在は斜陽館という記念館になっている。太宰治は津島源右衛門の6男として生まれた。津島氏は200町歩以上の土地を所有する大地主で、地元で銀行も経営する豪農商だった。父の源右衛門は衆議院議員、貴族院議員、長兄の文治は戦後に青森県知事となった。旧津島家住宅は1907年に完成し、役場、郵便局、警察署、銀行の中心に位置し、小作争議に備えてレンガ塀をめぐらせたという。主屋、文庫蔵、中の蔵、米蔵などがある。主屋はヒバ材を使った木造入母屋造の2階建で、1階に11室、2階に8室ある。玄関から入ると、入口横に銀行の業務窓口のような金融執務室がある。まっすぐ進むと間口2間半、梁間12間の奥に広がる細長い土間がある。大勢の小作人たちが小作米を積んだ場所で、土間の奥に米蔵がある。2階に洋間があり、玄関から通じる階段にも豪華な洋風の手すりが付けられている。日本の資本主義発達の基盤となった寄生地主の豪邸で、住居、事務所、商談場所、検査場、倉庫など、さまざまな機能を兼ね備えていた。和風と洋風を別館にした住居が多いが、旧津島家住宅では同じ棟内に和風と洋風の部屋が設けられた。

☞ そのほかの主な国宝／重要文化財一覧

	時代	種別	名称	保管・所有
1	縄文	考古資料	◎石神遺跡出土品	つがる市森田歴史民俗資料館
2	縄文	考古資料	◎大石平遺跡出土品	青森県立郷土館
3	縄文	考古資料	◎土偶／有戸鳥井平4遺跡出土	野辺地町立歴史民俗資料館
4	縄文	考古資料	◎赤漆塗木鉢	野辺地町立歴史民俗資料館
5	縄文	考古資料	◎風張1遺跡出土品	八戸埋蔵文化財センター是川縄文館
6	縄文	考古資料	◎薬師前遺跡墓坑出土品	八戸市博物館
7	縄文	考古資料	◎猪形土製品／牛腰内2遺跡出土	弘前市立博物館
8	縄文	考古資料	◎是川遺跡出土品	八戸市埋蔵文化財センター是川縄文館
9	弥生	考古資料	◎宇鉄遺跡出土品	青森県立郷土館
10	鎌倉	彫刻	◎木造阿弥陀如来坐像	大円寺
11	鎌倉	工芸品	◎銅鐘	長勝寺
12	南北朝	工芸品	●白糸威褄取鎧	櫛引八幡宮
13	室町後期	寺院	◎円覚寺薬師堂内厨子	円覚寺
14	桃山	寺院	◎革秀寺本堂	革秀寺
15	桃山	寺院	◎清水寺観音堂	清水寺
16	桃山・江戸後期	城郭	◎弘前城	弘前市
17	江戸前期	神社	◎櫛引八幡宮	櫛引八幡宮
18	江戸前期	神社	◎南部利康霊屋	南部町
19	江戸前期〜中期	神社	◎津軽家霊屋	長勝寺
20	江戸中期	寺院	◎最勝院五重塔	最勝院
21	江戸後期	神社	◎旧平山家住宅（五所川原市湊）	五所川原市
22	江戸後期	民家	◎高橋家住宅（黒石市中町）	─
23	明治	学校	◎弘前学院外人宣教師館	弘前学院
24	明治	商業	◎旧第五十九銀行本店本館	青森銀行
25	明治	土木	◎旧大湊水源地水道施設	むつ市

03 岩手県

土偶頭部

地域の特性

東北地方の北東部に位置し、面積は北海道に次いで2番目に広い。西側の奥羽山脈、東側の北上高地にはさまれて、南流する北上川流域に北上盆地があり、南北にのびる巨大な3条の地形からなる。奥羽山脈東麓では高い山が連なり、温泉が多い。北上高地にはなだらかな準平原が続き、畑作と畜産が盛んで、山間に集落が点在する。北上盆地は、広大な平地が広がる穀倉地帯で、人口密度も高く、政治経済の発達した地域である。

古くは蝦夷の住む国とされていたが、平安時代に大和王権の坂上田村麻呂が侵攻した。1100年頃に藤原清衡が平泉に本拠をおいて、奥州藤原3代100年の黄金文化が花開いた。糠部郡（青森県東部から岩手県北部）の南部氏が戦国大名となり、1599年に盛岡に居城を築いて盛岡藩ができた。県南部は仙台藩の領有となった。盛岡藩、仙台藩と支藩の一関藩の三つの藩が明治維新の廃藩置県で統合され岩手県となった。

国宝／重要文化財の特色

美術工芸品の国宝は7件、重要文化財は45件である。国宝はすべて平泉の中尊寺にあり、重要文化財も中尊寺のものが多く、ほとんどが平安時代から鎌倉時代に属している。古代東北の覇者だった藤原氏3代の栄華を誇っている。そのほかに縄文時代の遺跡から出土した考古資料があり、縄文人の暮らしを示している。建造物の国宝は1件、重要文化財は26件である。唯一の国宝は中尊寺金色堂で、重要文化財には江戸時代の農家が多い。県東部の遠野盆地は柳田國男の『遠野物語』で有名である。北上高地には畑作儀礼、狩猟儀礼、山間信仰、馬の祭礼、南部曲家の農家などが残り、民俗・伝説の宝庫である。

◎**土偶頭部**　盛岡市の岩手県立博物館で所蔵・展示。縄文時代後期の考古資料。盛岡市萪内遺跡から出土した像高20cm以上も

54

ある男性と思われる土偶の頭部で、ほかの土偶と比べて非常に大きい。本来は全身像であったと推定されている。丸顔で大きな鼻、強く張り出した眉は縄文人の顔の特徴を表現している。頭部と下顎周囲に円孔があり、頭飾りや髭が埋め込まれていた可能性がある。顔面を一段やや高くして、沈線で区画された杉綾状の沈線文様が描かれているため、あたかも逆三角形の仮面を装着したかのように見受けられる。しかし同じ遺跡から出土したほかの土偶にも同じ表現が認められるので、刺青や身体装飾とも考えられる。

　萪内遺跡は盛岡市を流れる雫石川流域の沖積世段丘に位置し、御所ダム建設に伴う発掘調査で1980年に発見された。縄文時代後期・晩期の住居跡45軒、配石墓坑約1,460基とともに、土器・土製品、石器・石製品、アスファルトなど大量の遺物が出土した。湿地からは水汲み・洗い場、魞と呼ばれる魚を誘導して捕獲する漁労施設が見つかり、また櫛、丸木弓、トーテムポール様木偶、漆塗り木製容器片などの木製品が多数出土した。大型の土偶頭部は墓坑群から出土し、副葬品というよりも供献品や儀式具と考えられている。また近くの墓坑から女性土偶が出土したことから、両性一対による葬送儀礼に関連した呪術的役割があったとされる。

◎聖観音立像

　二戸市の天台寺の所蔵。平安時代中期の彫刻。天台寺の本尊で、観音堂（本堂）内の厨子に安置されていた。桂材で制作され、また参道の登り口に桂清水（桂泉）という湧水があることから、桂泉観音とも呼ばれている。像高116.5cmで、一木造。前面に横方向のノミの彫跡を意識的に残した鉈彫である。垂髻を結い、前立冠、天冠台を付ける。髪、眉、眼、唇、髭などに墨を施し、胸に卍を入れた宝珠形を朱書き、腰の条帛折返し部分に阿弥陀如来の種子（梵字）を墨書きしている。素木仕上げと鉈彫の技法から、素朴な魅力が感じられる。

　天台寺には平安時代の仏像が13体あり、そのうちの2体が重要文化財である。古代中世における天台寺の実態は不明な点が多いが、近世になって盛岡藩3代藩主南部重直と4代重信が天台寺を再興した。境内にある本堂と仁王門は、この頃に建立された。江戸時代に寺領は100石を超え、主要6坊をはじめ、多数の堂社が建ち並んでいた。明治維新の廃仏毀釈で寺は荒廃して多くの仏像が破壊され、聖観音立像と十一面観音立像は、檀家たちによってほかの寺へ運ばれ、かろうじて難を逃れたという。

●金字一切経

　平泉町にある中尊寺・大長寿院の所蔵。平安時代後

期の典籍。一切経とは、仏陀の教説集である経蔵、教団の規則集である律蔵、注釈文献集である論蔵の三蔵を網羅した仏教聖典の総称で、全部で5,400巻近い経典からなっている。紺色に染めた紙に金色の文字で筆写された。仏教で七つの宝石と説かれる七宝の中に青色宝石の瑠璃や金・銀が含まれ、紺色や金色を使用して荘厳な経典が作成されたのである。大長寿院の一切経は奥州藤原氏3代秀衡が発願し、中国からわざわざ宋版一切経を取り寄せて、1176年頃に書写された。現在2,724巻が伝わっている。銀の界線を引いて金泥で経文が書かれ、表紙に法相華唐草文様、巻頭の見返しに釈迦説法図や経意を表す絵などが金銀泥で描かれている。華麗なだけでなく、平安時代の絵画としても貴重な資料である。

　華麗な一切経の書写事業は藤原氏初代清衡から始まった。清衡の作成した一切経は、紺紙に金字行と銀字行を交互に繰り返す金銀字一切経である。秀衡の金字一切経とともに、稀有な経巻として一般に中尊寺経と呼ばれている。1117年から8か年を費やして完成し、1126年に中尊寺建立供養の際、2階建の経蔵に奉納された。1598年に豊臣秀吉の命令でこの経巻が持ち出され、現在は和歌山県金剛峯寺に4,296巻、大阪府観心寺に166巻など分散して、中尊寺にはわずか15巻しか残っていない。

　大長寿院にあるほかの特異な経典として、金光明最勝王経金字宝塔曼荼羅図があげられる。紺紙に金光明最勝王経の経文を金泥で1字1字書き連ねて、全体で九重塔を形づけている。塔が10重に見えるのは、初重に裳階をめぐらしているからである。塔の周囲にはさまざまな経意の絵が、金銀泥ではなく彩色で描かれ、金色の塔と対照的な美しさを見せている。1巻に1塔、全部で10巻ある。造塔・写経・経解説の3功徳業を兼ねるものとして制作された。

◎高野長英関係資料

奥州市の高野長英記念館で収蔵・展示。江戸時代後期の歴史資料。高野長英（1804〜50年）は1804年に奥州市水沢で生まれ、長崎でシーボルトの鳴滝塾に学んだ蘭学者だった。著述書類、文書、記録類、書状類、書跡類、肖像画の58点が重要文化財に指定されている。1828年のシーボルト事件の時にはいち早く身を隠し、1830年に江戸に戻って町医者となった。渡辺崋山と知り合い、蘭書を翻訳して崋山の西洋事情の研究を助けた。通商を求めて来航したアメリカ船モリソン号を砲撃した事件に対して、高野長英は幕府の対外政策を批判する『夢物語』を著し、1839年の蛮社の獄に連座して永牢

の判決を受けた。その後脱獄して潜伏しながら著述を続け、薬品で面相を変えて江戸で医業に従事したが、1850年に隠れ家を捕吏に襲われて、自死した。47歳だった。

●中尊寺金色堂

平泉町の中尊寺にある。平安時代後期の寺院。金色堂は、阿弥陀如来を本尊とする極楽浄土を表した阿弥陀堂である。奥州藤原氏初代清衡の発願により1124年に建てられ、中尊寺創建当初の唯一の建造物である。方3間のシンプルな小堂で、宝形造の屋根に、珍しい木製の瓦が葺かれている。内外の壁すべてを黒漆で塗り、金箔を押す。内陣4本の巻柱上部には菩薩が各12体、合計48体描かれ、下部には夜光貝などによる螺鈿で宝相華唐草文様が飾られる。須弥壇には金色の孔雀がレリーフで描かれ、中央壇上には阿弥陀如来坐像と、観音・勢至の両菩薩立像、持国・増長の二天像、そして6体の地蔵菩薩立像が安置されている。中央壇の左右に後から増設された西北壇と西南壇にも、同じ構成の仏像群が安置された。六地蔵は、死後に地獄など6種類の悪苦の世界に堕ちた場合、悪苦世界から人間を救済して、阿弥陀の極楽浄土へと往生させられると信じられていた。須弥壇内には、藤原氏4代にわたる清衡、基衡、秀衡の棺、泰衡の首級が合祀されていた。平安時代の華麗な工芸技術ならびに奥州藤原氏の貴族文化を知る上で、貴重な資料となっている。

◎旧菊池家住宅

遠野市の伝承園にある。江戸時代後期の農家。寄棟造で、茅葺の曲屋である。曲屋とは、主屋の土間部分を突出させてL字型の棟をもつ民家である。市内小友町高木から移築されたもので、かつては遠野近郊に南部曲屋が多数分布していた。旧菊池家住宅は18世紀前半に建てられたと推定され、当初は曲りの部分がない直屋だった。その後、台所部分が拡張され、さらに馬屋が付け加えられて曲屋の形となった。構造的にも突出部と主屋とは独立し、馬屋を主屋内に取り込むために考案された比較的新しい民家形式とされている。斧や手斧で削った桂材を使い、窓などの開口部の少ない閉鎖的な古い造りを見せている。

🖙 そのほかの主な国宝 / 重要文化財一覧

	時代	種別	名称	保管・所有
1	縄文	考古資料	◎土偶／盛岡市手代森遺跡出土	岩手県立博物館
2	縄文	考古資料	◎時前遺跡出土品	岩手県立博物館
3	平安	彫刻	●金色堂堂内諸像及天蓋	中尊寺・金色院
4	平安	彫刻	◎木造毘沙門天立像	毘沙門堂
5	平安	彫刻	◎木造薬師如来坐像（本堂安置）	黒石寺
6	平安	工芸品	◎金銅釈迦如来像御正躰	中尊寺・円乗院
7	平安	工芸品	●螺鈿八角須弥壇	中尊寺・大長寿院
8	平安	考古資料	◎平泉遺跡群（柳之御所遺跡）出土品	岩手県立博物館
9	鎌倉	彫刻	◎木造一字金輪坐像	中尊寺
10	鎌倉	彫刻	◎能面延命冠者	中尊寺
11	鎌倉	工芸品	●孔雀文磬	中尊寺・地蔵院
12	南北朝	古文書	◎紙本墨書中尊寺建立供養願文（北畠顕家筆）	中尊寺・大長寿院
13	朝鮮／高麗	工芸品	◎銅鐘	もりおか歴史文化館
14	室町後期	寺院	◎毘沙門堂	毘沙門堂
15	江戸前期	寺院	◎天台寺	天台寺
16	江戸中期〜後期	寺院	◎正法寺	正法寺
17	江戸中期	民家	◎旧小原家住宅（花巻市東和町）	花巻市
18	江戸中期	民家	◎旧菅野家住宅（旧所在　北上市口内町）	北上市
19	江戸後期	民家	◎多聞院伊澤家住宅（北上市和賀町）	北上市　久那斗神社
20	江戸末期	民家	◎千葉家住宅（遠野市綾織町）	遠野市
21	江戸末期	民家	◎旧中村家住宅（旧所在　盛岡市南大通）	盛岡市
22	江戸末期	芸能	◎白山神社能舞台	白山神社
23	明治	学校	◎岩手大学農学部（旧盛岡高等農林学校）	岩手大学
24	明治	住居	◎旧高橋家住宅	奥州市
25	明治	商業	◎旧第九十銀行本店本館	盛岡市

04 宮城県

支倉常長像

地域の特性

東北地方中部の太平洋側に位置する。西側の山形県境に沿って奥羽山脈が南北に走り、東部北側には北から北上高地がのび、南側には阿武隈高地がある。東西の山地の中間に丘陵群と沖積平野からなる仙台平野が広がる。太平洋の影響を強く受けて、夏は高温多湿、冬は低温少雨の気候となり、平野部は古くから水田に適した地勢で、現在でも全国有数の穀倉地帯となっている。沖合は黒潮と親潮とが接する豊かな漁場として知られ、漁業も盛んである。自然の産物にめぐまれて平野部に人口が集中し、東北地方の中核都市に成長した。

古くは蝦夷の住む「みちのく（道の奥）」、陸奥国の南半分に相当した。大和王権が侵攻を重ね、律令制支配と蝦夷征討を目的に、724年に多賀城を設置した。中世には動乱が続き、室町時代に伊達氏が勢力を伸ばした。米沢城主だった伊達政宗が、戦国時代末期に南奥州つまり山形県から宮城県、福島県一帯を統一し、1600年から仙台に城を築いて、仙台藩が成立した。明治維新の廃藩置県で仙台県となり、翌年宮城県と改称された。

国宝／重要文化財の特色

美術工芸品の国宝は3件、重要文化財は36件である。考古資料には縄文時代の遺物と、古墳から出土した埴輪があり、縄文人の暮らし、北辺の古墳文化を示している。762年に建てられた多賀城碑や平安時代の仏像は、北辺に及んだ古代国家の影響を物語っている。国宝として平安時代の古書籍2件が東北大学附属図書館にあるが、これは近代になって思想家の狩野亨吉が収集したものである。1613年に伊達政宗の命によって支倉常長がスペイン、ローマに派遣され、その資料が国宝となっている。重要文化財として伊達氏の関連品、非常に高価だったと思われる仙台藩の天文観測器、藩校に伝えられた中国の古書籍などがある。建造物の国宝は3件、重要文

東北地方　59

化財は18件である。国宝の瑞巌寺、大崎八幡宮を含め、桃山時代から江戸時代前期の大型建造物は伊達政宗が建てた。有力な戦国大名だった伊達政宗の権勢を、国宝／重要文化財からうかがうことができる。そのほかに地域的な神社や農家などがある。

◎**多賀城碑** 多賀城市の多賀城政庁南大路跡前にある。奈良時代の古文書。数少ない奈良時代の金石文で、栃木県の那須国造碑、群馬県の多胡碑（特別史跡）とともに日本三古碑の一つといわれている。高さ約2mの砂岩の自然石の一面を平滑にして11行140文字を刻む。西を向いて建てられ、碑文の上部にも「西」の1文字がある。碑文の内容は二つに分かれ、前半は多賀城の位置を京（平城京）、蝦夷国界、常陸国界、下野国界、靺鞨（中国東北部）国界からの距離を示し、次に多賀城を724年（神亀元年）に大野東人が創建し、762年（天平宝字6年）に藤原恵美朝獦が修造したことを記して、末尾に建碑の日付がある。つまり多賀城の修造記念碑である。碑は1658年以前に発見され、歌枕の壷碑としても有名で、松尾芭蕉は1689年に旅の途中で碑と対面し、その時の感動を『奥の細道』に書き残している。

◎**五大明王像** 松島町の瑞巌寺の所蔵。平安時代前期の彫刻。秘仏で、瑞巌寺の門前から少し離れた小島にある五大堂の中に安置されている。五大堂は宝形造の小さな堂字で、1604年に伊達政宗によって再建された。瑞巌寺は平安時代に創建され、最初は天台宗に属する延福寺と称した。密教に関連する五大明王像はその頃につくられた仏像で、不動明王を中心に、降三世明王、軍荼利明王、大威徳明王、金剛夜叉明王（もしくは烏枢沙摩明王）の5像からなる。不動明王像は像高約60cmの坐像で、ほかの明王像は像高約90cm前後の立像、いずれもケヤキ材とみられる広葉樹の1材から彫り出されていた。不動明王は大日如来の使者・化身とされ、如来の命を受けて忿怒の相で密教修行者を守護し、魔衆を滅ぼして修行を成就させる尊像とされる。両目を大きく見開いて睨み、上歯で下唇を噛む。髪を総髪にして左にまとめ、弁髪を左肩に下す。右手に宝剣、左手に羂索（衆生を救いとる綱）を手にして、岩を表現した瑟瑟座に坐る。背後に火炎の光背がある。ほかの明王像には、それぞれ数量の異なる顔、眼、手足が付加されている。各像とも頬のふくらんだ丸顔で、肉厚の体部はやや小柄である。本来、五大明王は鎮護国家のためにあったが、次第に日常生活で起きる怪異な事象や触穢などの災難を回避す

る効験が求められるようになり、人々の間で信仰が高まった。

● **慶長遣欧使節関係資料** 仙台市の仙台市博物館で収蔵・展示。江戸時代前期の歴史資料。仙台藩主伊達政宗がスペイン、ローマへ派遣した慶長遣欧使節に関する資料で、ローマ市公民権証書、正使で家臣の支倉常長の肖像画、ローマ教皇パウロ5世の肖像画、聖画・聖具類、馬具・染織類など47点が国宝に指定された。宣教師の派遣と直接交易を求めて、一行は1613年に牡鹿半島月ノ浦（宮城県石巻市）を出港し、メキシコ、セビリア、マドリードを経てローマに入った。しかし教会内部の対立、徳川家康によるキリスト教禁令の報が現地に伝わっていたことなどから、成果もむなしく支倉常長は7年後の1620年に仙台に帰着した。

ローマ市公民権証書は、支倉常長に公民権を与えて貴族に列することを認めた証書で、白い羊皮紙に金泥でラテン語の本文が書かれている。上辺と左右を縁取るコ字型の色彩鮮やかな飾り枠には七つの紋章が配され、中央に異教徒に対するローマ支配を象徴する絵、右側にはローマ建国神話である雌狼の乳を吸うロムルスとレムス兄弟の絵、左側にはローマ市の紋章が描かれている。常長が旅の道中で入手した品々は、子孫の手から仙台藩切支丹改所へと移り、宮城県に継承された。明治政府の派遣した岩倉具視らの米欧回覧使節団が、1873年に訪問先のヴェネツィアで常長の書状を発見してから、慶長遣欧使節の存在が世に知られるようになった。

● **瑞巌寺本堂** 松島町の特別名勝松島の湾岸近くにある。桃山時代の寺院。瑞巌寺が創建されたのは平安時代で、当初天台宗に属して青竜山延福寺と称した。1259年に鎌倉幕府の執権北条時頼が禅宗の臨済宗円福寺に改め、開山に法身性西を迎えた。2代住職に鎌倉の建長寺開山を務めた蘭渓道隆が就任し、建長寺派の影響が強くなった。その後戦乱で寺は衰退し、戦国時代に臨済宗妙心寺派に転じた。伊達政宗が仙台に築城を開始すると領内の主要寺社も再興され、1604年に松島五大堂、1607年に鹽竈（塩釜）神社、大崎八幡宮、陸奥国分寺薬師堂が次々に造営された。瑞巌寺の建立は1604年に起工されて1609年に落成し、本堂は方丈として建てられた。寺号は青竜山瑞巌円福禅寺と改称され、瑞巌寺は略称である。

本堂は入母屋造の本瓦葺で、桁行13間、梁間は南側面9間、北側面8間の大規模な建造物である。仏法儀式を中心に、僧侶の居住空間、庇護者

の菩提所、賓客接遇の機能を兼ね備えていた。後方中央に仏壇を備えた仏間を置き、その前方に室中孔雀の間がある。床は板張りで周囲に畳1列をめぐらす。本堂の中核的部屋で装飾が多く、大虹梁と欄間に奏楽する天女の彩色彫刻が施され、周囲の襖には金地極彩色で花木と孔雀が描かれている。孔雀の間の向かって左側に文王の間、右側に鷹の間、菊の間、松の間があり、それぞれ伊達家の親戚、重臣、御典医、茶道衆たちの使った部屋で、極彩色の襖絵が描かれている。後方仏間の左側に藩主御成りの間である上段の間、さらにその奥に上々段の間がある。仏間右奥の墨絵の間は僧侶の部屋で、襖には水墨画が描かれ、ほかの部屋の絢爛豪華な雰囲気と異なり、静寂な空間を演出している。

●大崎八幡宮

仙台市にある。桃山時代の神社。平安時代に創建され、戦国時代に大崎氏によって奥州遠田郡に遷された。その後、伊達政宗に崇敬され岩出山を経て、1607年に仙台城下に造営された。社殿は本殿と拝殿とを石の間で連結した権現造で、やや古い形態を見せている。社殿の特色は美麗な装飾にある。外観は黒漆で塗られ、軒裏の垂木は丹朱、組物や内法長押には彩色文様、蟇股や木鼻には極彩色もしくは金色の彫刻、破風や高欄、懸魚などには金色の飾金具が取り付けられている。石の間の格天井には、金地に色とりどりの草花が細密に描かれている。しかしながら本殿内部の壁面には、絢爛な外部とは一転して、水墨画による森閑とした山水世界が描かれ、対照的な趣向を際立たせている。瑞巌寺本堂と同様に、桃山時代を代表する壮麗な建造物である。

◎松本家住宅

加美町にある。江戸時代中期の武家屋敷。松本氏は、伊達氏家臣奥山氏の家中で家老を務め、1757年に奥山氏の転封に伴い、黒川郡大和町吉岡から加美町小野田に移り住んだ。すでに建物はあり、前任者の古内氏の家中屋敷だったと伝えられる。寄棟造で茅葺の主屋の東側に、同じく寄棟造茅葺で、一段低く規模の小さい台所が連結する分棟型住宅である。柱などの使用材は太くなく、玄関や窓もとらない古い素朴な造りで、農業も行った在郷武士の質朴な生活がしのばれる。

☞そのほかの主な国宝／重要文化財一覧

	時　代	種　別	名　　称	保管・所有
1	縄　文	考古資料	◎里浜貝塚出土品	東北歴史博物館
2	縄　文	考古資料	◎岩版	東北歴史博物館
3	縄　文	考古資料	◎田柄貝塚出土品	東北歴史博物館
4	古　墳	考古資料	◎埴輪甲・埴輪家残闕・埴輪円筒	東北大学大学院文学研究科考古学研究室
5	平　安	彫　刻	◎木造薬師如来坐像（薬師堂安置）	双林寺
6	平　安	彫　刻	◎木造阿弥陀如来坐像	高蔵寺
7	平　安	典　籍	●類聚国史巻第廿五	東北大学附属図書館（狩野文庫）
8	平安～鎌倉	工芸品	◎熊野那智神社懸仏	熊野那智神社
9	鎌　倉	彫　刻	◎木造釈迦如来立像	竜宝寺
10	鎌　倉	古文書	◎奥州御島頼賢碑	瑞巌寺
11	室　町	典　籍	◎塵芥集	仙台市博物館
12	桃　山	工芸品	◎黒漆五枚胴具足（伊達政宗所用）	仙台市博物館
13	江　戸	絵　画	◎観瀾亭障壁画	松島町
14	江　戸	歴史資料	◎仙台藩天文学器機	仙台市天文台
15	中国／明	歴史資料	◎坤輿万国全図	宮城県図書館
16	平安後期	寺　院	◎高蔵寺阿弥陀堂	高蔵寺
17	桃　山	寺　院	◎陸奥国分寺薬師堂	陸奥国分寺
18	江戸前期	神　社	◎東照宮	東照宮
19	江戸前期	神　社	◎圓通院霊屋	圓通院
20	江戸中期	神　社	◎鹽竈神社	志波彦神社 鹽竈神社
21	江戸後期	民　家	◎我妻家住宅（刈田郡蔵王町）	―
22	江戸後期	民　家	◎旧佐藤家住宅（角田市高倉）	角田市
23	江戸後期	民　家	◎洞口家住宅（名取市大曲）	―
24	明　治	学　校	◎旧登米高等尋常小学校校舎	登米町
25	明　治	土　木	◎石井閘門	国土交通省東北地方整備局

北海道　東北地方　関東地方　北陸地方　甲信地方　東海地方　近畿地方　中国地方　四国地方　九州・沖縄

東 北 地 方

康楽館

地域の特性

東北地方の北西部に位置する。北側を白神山地、東側を奥羽山脈と出羽山地、南側を丁岳山地と鳥海山によって三方を囲まれている。山地から流出する米代川、雄物川、子吉川の流域に、それぞれ花輪・大館・鷹巣各盆地と能代平野、横手盆地と秋田平野、本荘平野が形成され、水稲を中心とする肥沃な耕作地帯が広がる。山間の多い県北部では、林業と鉱業が盛んだった。雄物川流域の県中央部と南部は早くから開発され、日本海に面した秋田平野は政治経済の中枢である。上流の横手盆地は古代から有数の稲作単作地帯として知られ、人口密度も高い。

古くは蝦夷が暮らしていたが、7世紀中頃に大和王権が侵攻し、県の古代地名である齶田・渟代が『日本書紀』に記録された。侵攻の拠点である出羽柵が設置され、8世紀中頃には秋田城と呼ばれた。平安時代には横手盆地で豪族清原氏が台頭し、後に岩手県平泉に本拠を移して奥州藤原氏となった。戦国時代末期に小野寺氏、秋田氏、戸沢氏、本堂氏、六郷氏の大名がいたが、国替えされ、常陸（茨城県）から佐竹氏が移って、秋田藩が成立した。明治維新の廃藩置県で、秋田（久保田）藩、秋田新田（岩崎）藩、本荘藩、矢島藩、亀田藩が統合され秋田県となった。

国宝／重要文化財の特色

美術工芸品の国宝は1件、重要文化財は13件である。縄文時代の考古資料は縄文人の暮らしを示している。唯一の国宝は、鏡面に千手観音像を線刻で描いた平安時代の鏡である。これは江戸時代に工事中に見つかり、土地の人たちが祠を建てて祀ったものである。北秋田市胡桃館遺跡で、平安時代の家屋が土石流に埋まった状態で発掘され、重要文化財となった。そのほかに、江戸時代に秋田藩で芽生えた蘭画（西洋風絵画）の作品などがある。建造物に国宝はなく、重要文化財が27件ある。中世から近世か

●**線刻千手観音等鏡像** 大仙市の水神社の所蔵。レプリカを大仙市中仙市民会館ドンパルで展示。平安時代後期の工芸品。八つの突起を持つ直径14cmの八稜鏡で、青銅に表面が錫鍍金されている。鏡面に蹴彫りで千手観音などを描き、裏側の鏡背に紐と、宝相華、胡蝶を鋳出している。蹴彫りとは彫金技法の一つで、鏨の刃先の一方を浮かせて蹴るようにして彫り、楔形を点線状に連ねて線刻文様を表現する方法である。鏡面の千手観音像は中央に大きく描かれ、ふくよかな顔と体部で、頭上に多数の小仏頭を付け、左右に40本の腕を出す。火炎付の頭光背と幅広い大形の身光背を背にして、蓮華座の上に立つ。向かって右下脇に婆藪仙人、左下脇に功徳天（吉祥天）が立つ。婆藪仙人は腰に蓑をまとうだけの半裸形で、杖を手にするやせ細った老爺、対する功徳天は豪華な衣装を身に着け、肉付きのよい若い女性として描かれている。そのほかに千手観音像の左右に4人ずつ、多聞天や水天など天部の像が配置される。狭い範囲に複雑な図像が細密に彫られ、高度な技巧がうかがえる。なお鏡背には奉納者と思われる銘が線刻されている。

この鏡は1677年に、仙北郡野中村で玉川から窪堰川までの用水路を開削工事中に発見され、住民たちが観世音御堂を建てて堰神として祀っていた。明治維新の廃仏毀釈で水神社に改められ、鏡は神体として祀られている。

◎**不忍池図** 横手市の秋田県立近代美術館の所蔵。江戸時代中期の絵画。小田野直武（1749～80年）が18世紀後半に描いた秋田蘭画を代表する絵画である。秋田蘭画とは秋田藩主8代佐竹曙山、角館城代佐竹義躬、藩士の小田野直武、田代忠国などの武家によって展開された洋風画で、なかでも小野田が主導的役割を果たした。秋田藩は阿仁銅山の開発を進めるなか、1773年に平賀源内を招聘し、源内が江戸に戻ると、小野田は藩命を受けて江戸に向かった。江戸に出た若き小野田は、1774年刊行の医書『解体新書』の図を担当した。小野田は源内のもとで活動したとみられ、蘭学や西洋画法を学び、また源内の知人で、中国に由来する写実的に花鳥を描く南蘋派の宋紫石からも影響を受けた。西洋と東洋の美術を結びつけた独特な画風が小野田によって生み出されたのである。けれども小野田や佐竹曙山の死後、秋田蘭画は途絶えてしまった。

東北地方

不忍池図は縦98.5cm、横132.5cmの大きな画面に、東京上野の不忍池を後景にして、前景の岸辺にシャクヤクの花鉢とキンセンカなどの花鉢を描いている。手前の色鮮やかなさまざまな花や葉茎はきわめて写実的で、細部には米粒大の蟻まで描き込まれている。広々とした空の下、画面中央やや下に弁財天を祀る中島があり、水面や弁天堂は銅版画風の緻密な筆線で表現されている。ここにも参拝する人物が微細に描かれていた。色彩豊かな草花と、透き通るような空と水面が静かに調和している。

◎菅江真澄遊覧記（すがえますみゆうらんき）

秋田市の辻氏の所有。レプリカを秋田県立博物館菅江真澄資料センターで展示。江戸時代後期の歴史資料。秋田藩校明徳館に献納された自筆原本89冊が重要文化財になっている。菅江真澄（1754～1829年）は三河国渥美郡牟呂村（愛知県豊橋市）に生まれ、若い頃に三河で国学、尾張（愛知県）で本草学の素養を身につけた。1783年の30歳から旅に出て、長野の飯田、松本を経て日本海側へ、そして東北各地を巡って北海道にも渡った。18年間遊歴して48歳の時に秋田に入り、以後死ぬまで30年近くを秋田で暮らし、出羽の地誌編纂などに取り組んだ。菅江真澄は植物、鉱物、温泉、土器、石器、石碑、寺社、仏像、民具、集落、習俗、年中行事などさまざまな事象を丹念に彩色で写生し、由来や特性、歴史的位置づけ、地域による違いについても考察した。そして晩年に日記や写生帳などを藩校明徳館に献納したのである。これが菅江真澄遊覧記のもととなった。明治維新の廃藩置県後、旧藩主佐竹氏の東京移住とともに遊覧記もそのまま移動し、1944年に佐竹氏から秋田市の辻氏に譲渡された。

◎天徳寺（てんとくじ）

秋田市にある。桃山時代から江戸時代後期の寺院。秋田藩主佐竹氏の菩提寺で曹洞宗に属し、本堂、書院、山門、総門、佐竹家霊屋（さたけけたまや）が重要文化財になっている。佐竹氏は平安時代後期に常陸国久慈郡佐竹郷（茨城県常陸太田市）に土着した豪族で、戦国時代末期に北関東で最有力の大名となった。関ヶ原の戦いで西軍についたため、戦いの後に秋田へ移封された。天徳寺（てんとくじ）は、15世紀に佐竹義人（さたけよしひと）が夫人を弔（とむら）うために常陸で創建され、佐竹氏の転封に伴い秋田に移された。当初は楢山（ならやま）に建てられたが、1624年に焼失し、翌年現在地へ移された。1676年に再び火災にあい、総門、山門、霊屋が残った。総門は1624年の火災で残ったものを移築し、境内で最も古い建造物である。山門は2階建の楼門で礎盤（そばん）、棕（しゅ）の柱、花頭窓（かとうまど）など禅宗様を示し、大きな蟇股（かえるまた）に彫刻が施されている。本

堂は1687年に建てられ、入母屋造の茅葺で規模が大きく、間取りは8室構成である。江戸時代前期に藩主が造営した大規模寺院の特徴を保っている。

◎康楽館

山間の小坂町にある。明治時代後期の文化施設。小坂鉱山を経営した合名会社藤田組が1910年に建てた芝居小屋である。江戸時代末期に小坂鉱山で銀鉱石が発見され、盛岡藩の経営で鉱山開発が始まった。近代になって小坂鉱山は政府の官営鉱山となったが、1884年に藤田伝三郎の率いる藤田組に払い下げられた。銀鉱石の枯渇が懸念されるなか、金・銀・銅・鉛・亜鉛などを含む黒鉱の精錬方法が開発されて、銀山ではなく銅山として小坂鉱山は復活し、1907年に鉱山生産額日本一の地位を獲得した。小坂の人口も、2,000人余りから1910年には18,000人余りへと急激にふくらみ、電気、上水道、鉄道、総合病院などインフラ整備が進んで、街並みが整えられた。山間の小村に突如出現した近代的市街に、鉱山従業員たちの厚生施設として康楽館が建てられたのである。小坂鉱山は1990年に閉山した。康楽館も1970年頃に一般興業が中止となった。しかし修復工事を終えて1986年から大衆演劇が常時上演され、また毎年恒例の歌舞伎公演が定着すると、多数の観客が康楽館を訪れるようになった。

康楽館の正面外観は2階建の白い擬洋風建築で、中央1階の切符売り場が弧状に前へ張り出し、左右両側で寄棟造の翼廊が突き出る。内部は伝統的な芝居小屋で舞台、座敷、向う座敷、花道、仮花道がある。舞台は回り舞台となっていて、舞台下の奈落で人力によって回転させる。花道に役者がせり上がって登場する切穴の装置も、ロープを使って人力で動かす。洋風の外観の内部に、昔ながらの芝居小屋が一体となって建てられている。

◎旧阿仁鉱山外国人官舎

北秋田市にある。明治時代前期の産業施設。明治政府が雇い入れたドイツ人鉱山技術者の官舎として1882年に建てられた。阿仁銅山は、江戸時代に別子銅山と並んで日本を代表する銅山で、主に秋田藩が直営した。1875年に明治政府の工部省の経営となった後、1885年に古河市兵衛に払い下げられた。1970年に閉山。外国人官舎はレンガ造の平屋で、切妻造の屋根である。半円形の上げ下げ窓と鎧戸が連続的に配置され、周囲を木製のベランダが囲むコロニアル様式である。

☞ そのほかの主な国宝／重要文化財一覧

	時　代	種　別	名　　称	保管・所有
1	縄　文	考古資料	◎人面付環状注口土器／潟上市大久保字狐森出土	秋田県立博物館
2	縄　文	考古資料	◎磨製石斧／雄勝郡東成瀬村田子内字上掵出土	秋田県立博物館
3	平　安	考古資料	◎胡桃館遺跡出土品	北秋田市
4	鎌　倉	絵　画	◎絹本著色当麻曼荼羅図	浄蓮寺
5	鎌　倉	彫　刻	◎銅造阿弥陀如来坐像	全良寺
6	鎌　倉	工芸品	◎銅錫杖頭	神明社
7	江　戸	絵　画	◎絹本著色松に唐鳥図（佐竹曙山筆）	秋田県立近代美術館
8	江　戸	絵　画	◎絹本著色唐太宗花鳥図（小田野直武筆）	秋田県立近代美術館
9	室町中期	神　社	◎波宇志別神社神楽殿	波宇志別神社
10	室町後期	神　社	◎赤神神社五社堂（中央堂）内厨子	赤神神社
11	室町後期	神　社	◎古四王神社本殿	古四王神社
12	室町後期〜江戸前期	神　社	◎三輪神社	三輪神社
13	江戸中期	神　社	◎赤神神社五社堂	赤神神社
14	江戸中期	神　社	◎佐竹家霊屋	天徳寺
15	江戸中期	神　社	◎神明社観音堂	神明社
16	江戸中期	民　家	◎旧黒澤家住宅（旧所在　秋田市中通三丁目）	秋田市
17	江戸中期	民　家	◎土田家住宅（由利本荘市矢島町）	―
18	江戸中期	民　家	◎鈴木家住宅（雄勝郡羽後町）	―
19	江戸後期	民　家	◎旧奈良家住宅（秋田市金足小泉）	秋田県
20	江戸末期	民　家	◎草彅家住宅（仙北市田沢湖生保内）	―
21	江戸時代末期〜明治	民　家	◎三浦家住宅（秋田市金足黒川）	久光エージェンシー株式会社
22	明　治	商　業	◎旧秋田銀行本店本館	秋田市
23	明　治	産　業	◎旧小坂鉱山事務所	小坂町
24	明　治	土　木	◎藤倉水源地水道施設	秋田市水道局
25	明治〜昭和	住　居	◎金家住宅	金靖志

楼閣人物埋漆箪笥

地域の特性

　東北地方の南西部に位置する。北側に鳥海山と丁岳山地、東側に奥羽山脈、南側に飯豊山地、南西側に朝日山地、そして中央に月山と葉山がそびえている。最上川が中央を貫流して日本海に流れ、上流から米沢、山形、新庄の各盆地が連なって、下流には広大な庄内平野が形成されている。日本海側気候に属し、内陸盆地では寒暑の差が激しい。平坦地の少ない山国で、気候や風土などの違いから、内陸盆地と日本海側平野部に分かれる。山形盆地は人口密度が高く、庄内平野は稲作で有名である。

　古くは蝦夷が暮らしていたが、7世紀後半から大和王権が侵攻し、709年に前線基地の出羽柵が設置され、712年に出羽国がおかれた。平安時代に仏教が盛んになり、荘園も発達した。室町時代に斯波氏が内陸部で勢力を拡大し、地名をとって最上氏となった。有力な戦国大名となった最上義光を藩主にして、江戸時代に山形藩が成立し、南側に上杉氏の米沢藩ができた。その後最上氏は改易となり、山形藩は複数の中小藩に解体された。明治維新の廃藩置県で、複雑に入り組んだ天領（幕府直轄領）や多数の藩が山形県として統合された。

国宝 / 重要文化財の特色

　美術工芸品の国宝は5件、重要文化財は65件である。米沢の上杉氏に関連する物品に国宝 / 重要文化財が多く含まれ、上杉謙信を祀った上杉神社と、米沢市上杉博物館に収蔵されている。上杉氏は鎌倉時代から続いた武家で、室町時代に関東管領に任ぜられた。戦国大名の上杉景勝は江戸時代に米沢藩藩主となり、近代に上杉氏は伯爵となった。建造物の国宝は1件、重要文化財は28件である。国宝は、羽黒山にある室町時代前期の五重塔である。羽黒山から月山と湯殿山が連なる出羽三山は中世から近世にかけて修験道の本拠だった。現在、出羽三山に古い仏像が少ないのは、明治維

新の廃仏毀釈で仏像が処分されたからであろう。そのほかに県内には、近代の洋風建築が多数残っている。

● 土偶　山形市の山形県立博物館で収蔵・展示。縄文時代中期の考古資料。県北部、舟形町の西ノ前遺跡から出土した。西ノ前遺跡は段丘上にあり、円弧上に住居跡が並んで内側に土坑が密集する集落遺跡だった。調査区南端で落ち込み遺構が見つかり、そこから大量の遺物が出土した。土偶の破片が多数出土し、なかでも頭部、胸部、腰部、左右の脚部、計5片からなる大型土偶の破片が際立っていた。復元された大きな土偶は像高45cmあり、「縄文の女神」と呼ばれている。斜め前に傾いた帽子のような頭部周囲に4個の小穴があり、顔面は平坦につくられて眼鼻口は表現されていない。胸部は両肩が左右に張り出し、逆三角形の乳房が下方に垂れる。腹部は臍にかけて前方にやや膨らみ、妊婦像を思わせる。腰部前面に沈線で五角形が描かれ、後ろに大きく湾曲させた臀部へ複雑な文様が施されている。裾の広がる脚部は角柱状の柱を2本つなぎ合わせた構造で、横方向の凹線文様が描かれている。直立して、張り出した肩から裾広がりの脚へ、流れるようなプロポーションは安定感に満ちた造形美である。

● 洛中洛外図　米沢市の米沢市上杉博物館で収蔵・展示。桃山時代の絵画。狩野永徳（1543〜90年）が描いた六曲一双の屏風で、1574年に織田信長が上杉謙信に贈ったと伝えられている。洛中洛外図は、京の都を一望して洛中（市中）と洛外（郊外）の四季の景色に、人々の生活や風俗を描き込んだもので、右隻と左隻からなる。右隻に下京、つまり東山方面を西側から俯瞰し、左隻に上京、つまり西山を東側から眺望するという構図で、向かって右から夏、春、冬、秋と季節を追っている。金雲に寺院や神社、邸宅が232か所、そして2,500人近くの人物が精密かつ色鮮やかに描かれている。例えば右隻には、清水寺で参詣者が落水で身を清め、坂を上って本堂の舞台で眺望を見渡す様子、夏の鴨川で網を手に魚を捕る人たち、祇園会の長刀鉾や船鉾などの山鉾巡行と神輿渡御、趣向をこらした衣装集団による風流踊り、相撲、髪結床、宮中紫宸殿の庭で雅楽を舞う元旦の節会など。左隻には、桜の咲く鞍馬、雪をかぶった金閣寺、正月の子供たちの遊び、美しい庭園のある細川殿、梅の咲く北野天満宮、大規模で賑やかな足利将軍の公方邸、猿使い、湯女、紅葉の枝を手に嵐山の渡月橋をわたる紅葉狩りの人たち、疫病を引き起す怨霊を鎮め

る御霊会などが細密に描写されている。金地に彩色の施された豊かな美術的価値だけでなく、当時の人たちの様子を生き生きと目の当たりにするようで、歴史民俗的資料価値も高い。

◎楼閣人物填漆箪笥

上山市の蟹仙洞で収蔵・展示。中国／明時代前期の工芸品。高さ36cmの基台の付いた方形のタンスである。前面の蓋を外すと、内部は上下4段あり、各段はそれぞれ上から4、3、2、1の区画に区切って、引出しが納められている。タンス全面に存星という技法が施されている。肉厚の朱漆地を彫って各種の色漆を充填し、平らに研ぎ出して文様を描き出す。そして輪郭や細部を沈金の線でくくるのである。各面とも中央に大きな菱花形を描き、その内側に楼閣を中心に雲、山、樹木、鳥獣が配され、前面と左右側面には男女の群像も加えられている。菱花形の外には牡丹唐草が描かれ、周縁には花唐草を内側にはさんだ二重線がめぐる。内部の引出しに円環が付く。基台裏面に大明宣徳年製という刻銘があり、15世紀前半の数少ない中国漆工芸の優品である。なお蟹仙洞は、上山で製糸業を営んだ長谷川謙三のコレクションからなっている。

●羽黒山五重塔

鶴岡市にある。室町時代前期の寺院。出羽三山神社社務所から随神門を通って山上へ向かう参道のそばにあり、祓川を渡って一の坂の手前、杉木立の中にひっそりと建っている。羽黒山にはかつて寂光寺を本坊として多くの寺院があったが、明治維新の廃仏毀釈でそのほとんどが失われた。五重塔はそのうちの一坊、滝水寺宝生院の塔で、周辺には多数の堂宇や池があったという。高さ29m余りの方3間の五重塔で、初重に縁をめぐらせる。純和風の手法を見せ、各重とも組物は三手先、中備は間斗束で、各重の屋根の大きさを下から上へ少しずつ微妙に小さく逓減させて、塔の形態を美しくしている。伝説によると承平年間（931～38年）に平将門の創建としているが、1369年に柱立、1377年に九輪を上げたとする棟札の記事、1372～73年の建立とする説などがあり、建築様式から見てもこの頃の建立と推定されている。1608年に山形藩主最上義光が、心柱の底部が腐っていたのでこれを切り取って初重の床で止め、また九輪、覆鉢、各重の軒先に下げる20個の風鐸などを新たに鋳造するなど、大がかりな保存工事を行った。現在、五重塔には大国主命が祀られているが、これは近代になってからで、以前は聖観音を本尊としていた。

東北地方　71

◎旧済生館本館

山形市の霞城公園内にある。明治時代前期の病院。ほかに類を見ない特異な外観と平面プランの擬洋風建築で、1878年に山形城の旧三の丸大手門跡（七日町口）に県立病院として建てられた。初代山形県令（知事）となった薩摩藩出身の三島通庸が、建築掛の筒井明俊に新しい病院の平面図を作成させ、原口祐之を大工棟梁にして建設が着工された。竣工した病院は済生館と名づけられた。三島は1880年9月に、オーストリア人医師アルブレヒト・フォン・ローレツを済生館の医学校教頭として招いたが、1882年に三島が福島県令に転任すると、ローレツも故国へ帰国した。済生館は経営困難となって1888年に私立の病院、1904年に山形市立病院となった。1961年に施設近代化のため建物の廃絶となったが、反対の声があがり、保存の陳情や要望が山形市に提出された。調査の結果保存となり、現在地に移築されて、1971年に山形市郷土館として開館した。

三重4階建の木造の楼建築で、1階は前半部を八角形にし、後半部にドーナツ状の棟が接続する。正面1階左右に2本ずつ円柱が立ち、中央にはステンドグラスのアーチ欄間付扉がある。2、3階にはバルコニーが張り出し、4階には手すり付きの回縁が設けられている。後半部は中庭を囲む14角形となっていて各辺に小室があり、中庭に面して1間の廊下が回る。奇抜な外観と複雑な平面プランは、近代化が始まった頃の洋風建築に対する見方を示している。

◎山形県旧県庁舎および県会議事堂

山形市にある。大正時代の官公庁舎。1876年に山形県が成立し、翌年の1877年に県庁舎、1883年に県会議事堂が建設された。しかし1911年5月の山形市北大火によって両棟とも焼失した。そこでイギリス人建築家コンドルの弟子である田原新之助によって、イギリス・ルネサンス様式を基調とする県庁舎と県会議事堂が設計され、1916年に竣工した。県庁舎は3階建レンガ造で、正面中央に玄関ポーチ、屋上に時計塔がそびえる。中庭をめぐって四周する長方形の近代的庁舎である。県会議事堂もレンガ造で一部2階建である。1923年の関東大震災以降、防災の観点からレンガ造建物の建造は激減した。旧県庁舎および県会議事堂は、残存する数少ないレンガ造公共建造物として貴重である。

☞ そのほかの主な国宝 / 重要文化財一覧

	時代	種別	名称	保管・所有
1	縄文	考古資料	◎彩漆土器／押出遺跡出土	うきたむ風土記の丘考古資料館
2	飛鳥	彫刻	◎銅造如来立像	湯殿山総本寺大網大日坊
3	平安	絵画	◎絹本著色毘沙門天像	上杉神社
4	平安	絵画	◎紫綾金泥両界曼荼羅図	上杉神社
5	平安	彫刻	◎木造阿弥陀如来坐像（阿弥陀堂安置）	本山慈恩寺
6	平安	彫刻	◎木造騎獅文殊菩薩及脇侍像	本山慈恩寺
7	平安	彫刻	◎木造慈覚大師頭部	立石寺
8	平安	古文書	◎紙本墨書東大寺庄園文書目録	慈光明院
9	鎌倉	彫刻	◎木造十二神将立像	本山慈恩寺
10	鎌倉	古文書	◎藤原定家筆消息	本間美術館
11	鎌倉～江戸	古文書	●上杉家文書	米沢市上杉博物館
12	室町	工芸品	◎能装束（紅地蜀江文黄緞狩衣）	黒川能上座
13	安土桃山	歴史資料	◎越後国頸城郡絵図	米沢市上杉博物館
14	桃山	絵画	◎紙本著色遊行上人絵（伝狩野宗秀筆）	光明寺
15	江戸	絵画	◎紙本淡彩奥の細道図（与謝蕪村筆）	山形美術博物館
16	中国／南宋	書跡	◎禅院額字（潮音堂）	致道博物館
17	朝鮮／高麗	絵画	◎絹本著色阿弥陀三尊像	上杉神社
18	室町中期	寺院	◎立石寺中堂	立石寺
19	室町後期	寺院	◎旧松應寺観音堂	若松寺
20	桃山	神社	◎金峯神社本殿	金峯神社
21	江戸前期	寺院	◎本山慈恩寺本堂	本山慈恩寺
22	江戸中期	民家	◎旧尾形家住宅（上山市下生居）	上山市
23	江戸後期	民家	◎旧矢作家住宅（旧所在　新庄市萩野）	新庄市
24	明治	学校	◎旧山形師範学校本館	山形県
25	明治	官公庁舎	◎旧西田川郡役所	致道博物館

東 北 地 方　73

01 福島県

さざえ堂

地域の特性

　東北地方の南部に位置する。南北に並列する三つの山地と三つの低地からなり、全体的に山地や丘陵地が多い。東側は阿武隈高地から太平洋に向かって丘陵、台地が連なり、沿岸に沖積地が広がり、浜通りという。中央は奥羽山脈と阿武隈高地にはさまれて、阿武隈川流域の郡山盆地、福島盆地の平地が連続してのび、中通りという。西側は、磐梯山、飯豊山、越後山脈、奥会津などの山地地域が広がり、北寄りに会津盆地、その東に猪苗代盆地があって、会津地方と呼ばれている。浜通りは山と海の資源に恵まれていたが、2011年の福島第1原子力発電所事故で大打撃を受けた。中通りは古来関東と東北を結ぶ街道筋として栄え、政治経済の中心である。会津地方は主要な交通網から外れるが、水田農業が発達している。

　4世紀後半に大型の前方後円墳が築造され、西方の大和王権と関連性を示す豪族がいた。古代律令制の時代には、大和王権による北方蝦夷の侵攻に、軍事的負担を強いられた。中世には争乱が続き、戦国時代には山形県の米沢にいた伊達氏と会津の蘆名氏が勢力を競った。江戸時代になると蒲生氏の会津藩、立花氏の棚倉藩、相馬氏の相馬中村藩、鳥居氏の磐梯平藩が置かれたが、その後改変されて中小11藩の乱立となった。明治維新の廃藩置県で、多数の藩が統合されて福島県ができた。

国宝／重要文化財の特色

　美術工芸品の国宝は2件、重要文化財は61件である。再葬墓という弥生時代に東日本で独特だった埋葬方法を示す考古資料が重要文化財になっている。会津地方の河沼郡湯川村勝常寺に、国宝／重要文化財になっている平安時代の仏像が多数ある。建造物の国宝は1件、重要文化財は34件である。古代から近世にかけて有力な地方統治者が定着しなかったからであろうか、勝常寺を除いて、文化的財宝や建造物の顕著な集中、蓄積を見い

だすのは困難である。

◎会津大塚山古墳出土品

会津若松市の福島県立博物館で収蔵・展示。古墳時代前期の考古資料。会津大塚山古墳は会津盆地の南東部、標高259mの独立丘陵に立地する長さ114mの前方後円墳で、4世紀中頃の築造と推定されている。1964年に調査され、後円部から2基の巨大な割竹形木棺の埋葬された跡が見つかった。南棺からは三角縁神獣鏡、変形神獣鏡、硬玉製勾玉、碧玉製管玉、ガラス製小玉、三葉環頭大刀、鉄剣、鉄鏃、銅鏃、直弧文漆塗り靫、鉄斧、鉇、砥石など、北棺からは捩文鏡、紡錘車形碧玉製品、碧玉製管玉、直刀、鉄剣、鉄鏃、銅鏃、靫などが出土した。これらの副葬品は、近畿地方で築造されていた前期古墳の副葬品の内容ときわめて近く、東北地方でも西日本と同様に古墳文化が開始していたことを示している。三角縁神獣鏡は、縁の断面が三角形をして神や獣の文様を描いた銅鏡である。同じ鋳型で製作された同笵鏡が各地の前期古墳で出土していることから、服属した各地の首長に、大和王権から服属の証として配布されたと考えられている。会津大塚山古墳の三角縁神獣鏡は東北地方で出土した唯一のもので、岡山県の鶴山丸山古墳と同笵関係にある。

●薬師如来及両脇侍像

湯川村の勝常寺の所蔵。平安時代前期の彫刻。中尊に薬師如来の坐像、向かって右側に日光菩薩、左側に月光菩薩の両脇侍の立像を配置した一般的な薬師三尊像である。3尊とも東北地方特有のハルニレ材を用いて、一材からほぼ全容を彫り出した一木造である。薬師如来は左手に薬壺をのせる。肩幅の広いがっしりとした体部で、衣文は襞が深くうねるような力強い翻波式衣文である。覆いかぶさるような螺髪、突き出した唇などは平安時代初期の作風である。両脇侍はそれぞれ対称的に腰をひねり、片腕を曲げて立つ姿で、腰高でのびやかな均整の取れた肢体に奈良時代風の様式がうかがえる。ほかにも勝常寺には平安時代の仏像が多数あり、十一面観音立像（観音堂安置）、聖観音立像、地蔵菩薩立像、四天王立像、地蔵菩薩立像（雨降り地蔵）、天部立像が重要文化財に指定されている。勝常寺は会津を代表する古刹で、創建当初の寺院名は不明だが、中世以降勝常寺と称している。9世紀初頭に法相宗僧の徳一が会津地方で、慧日寺（現恵日寺）を開いたことが知られていて、勝常寺も徳一による開基と伝えられているが、明らかでない。しかし徳一の布教活動と仏像造立に何らかの関連性が

予想されている。

◎東都名所図

須賀川市の須賀川市立博物館で収蔵・展示。江戸時代後期の絵画。司馬江漢に続いて活躍した洋風画家、亜欧堂田善（1748〜1822年）による19世紀初頭の銅版画である。亜欧堂田善の本名は永田善吉といい、須賀川で代々酒造業や農具商を営む商家に生まれた。洋風画の制作を始めたのは50歳頃で、その契機となったのは幕府老中職を辞した白河藩主松平定信と出会い、画才を認められて江戸に出府し、銅版画による世界地図の作成を命じられたからだという。田善の代表作は江戸名所を描いた風景銅版画であるが、日本最初の銅版画による医学書の解剖図「医範提綱内象銅版図」、世界地図の「新訂万国全図」などの学術的銅版画も手がけている。

東都名所図は縦10.6cm、横15.3cmの小判の銅版画25図からなり、上野池之端の大槌屋風雲堂が企画・刊行して、江戸の土産品になったようである。遠近法、陰影法を巧みに使い、江戸市井のさまざまな人物、風俗を風景の中に織り込んでいる。例えば品川月夜図は、行灯に照らされたすらりとした一人の婦人が、眼下に広がる満月の品川沖を見渡すという情緒に満ちた場面である。一方、日本橋魚郭図では、大勢の人でごった返す魚市場の活況が描かれ、遠景の日本橋の上にもたくさんの人が往来している。二州橋夏夜図は、隅田川の川開きで両国橋（二州橋）上空で炸裂する打ち上げ花火を、エッチングならではの技法で見事に表現している。

●阿弥陀堂

いわき市にある。平安時代後期の寺院。願成寺にあり、白水阿弥陀堂といわれている。藤原秀衡の妹徳尼が、夫である磐城の豪族岩城則通の冥福を祈って建立した無量寿院に始まると伝えられている。背後の経塚山の尾根が三方を囲み、阿弥陀堂前方から左右にかけて大きな苑池が広がる浄土庭園となっている。池の北岸中央の大中島に、南面して阿弥陀堂が建ち、前方に南北の橋を架け渡す。阿弥陀堂は方3間で、柱上の組物は出組、中備は間斗束である。屋根は宝形造で勾配がゆるく、軒先端の反り上がりは小さい。内部は四天柱内の後ろ寄りに高欄付黒漆塗り須弥壇を構え、本尊の阿弥陀三尊像と、持国天・多聞天立像を安置する。板壁内面、四天柱、内法長押、支輪、天井、来迎壁などに仏像や装飾文様が描かれていたが、現在は剥落してほとんど識別できない。12世紀後半に浄土信仰をもとに、奥州藤原氏の勢力圏内で造営された阿弥陀堂で、中尊寺金色堂との類似性が指摘されている。おそらく

創建当時は、極彩色で装飾された小さな阿弥陀堂を中心に、極楽浄土が表現されていたのだろう。

◎旧五十嵐家住宅

只見町にある。江戸時代中期の農家。1973年に現在地に移築されたが、移築修理の際に、1718年4月に滝口大作という人物が建てたことが墨書きによって判明した。直屋式の本百姓の民家で、桁行7間、梁間4間、向かって右側から中央に広い土間を持つ3間取りである。日本海側に多く見られる太い部材を使用した家屋で、力強い印象を与える。長い間にさまざまな改築が施され、座敷に天井や床の間が付されたり、畳敷きになったりした。以前居住していた五十嵐氏は1914年から住み始め、その際に馬屋を突き出した中門造に改造して、土間に床板を張った。移築工事で元来の姿に復元され、天井はなくなり、畳は敷かれていない。

◎旧正宗寺三匝堂

会津若松市にある。江戸時代後期の寺院。高さ16.5mの六角3層の堂内に昇降用の螺旋状スロープが設けられている。正面向拝の唐破風の入口から右回りに上って頂上の太鼓橋を越えると、左回りのスロープを下って背面出口に通じる。昇降によって堂内を3度回ることから三匝堂の名がある。匝は巡るという意味である。外観がサザエに似ていることから栄螺堂とも呼ばれる。1796年の造立とされている。6本の心柱と同数の隅柱（六角柱）を駆使して、二重螺旋のスロープをつくるというほかに類例のない特異な構造の仏堂である。スロープの内側に西国三十三観音像が祀られ、堂内を一巡すれば観音霊場を巡礼したのと同じ霊験が得られるようになっていた。明治維新の廃仏毀釈で観音像は取り外され、現在は皇朝二十四孝の額絵が掲げられている。

歴史的には、江戸の本所5丁目（江東区大島5丁目）にあった天恩寺五百大阿羅漢禅寺（通称羅漢寺）の栄螺堂が有名だった。1780年頃に建てられ、平面方形で外観二重、内部を3層につくり、西国、坂東、秩父の札所計100体の観音像を祀り、以後栄螺堂の手本になったとされる。この栄螺堂は明治維新の頃に取り壊され、仏像も処分されてしまった。処分の最中に、まだ修行中の身だった彫刻家高村光雲が駆けつけ、5体の仏像を救い出して、そのうち1体を守り本尊にして終生祀ったという逸話がある。

☞ そのほかの主な国宝 / 重要文化財一覧

	時代	種別	名称	保管・所有
1	弥生	考古資料	◎楢葉天神原遺跡出土品	楢葉町
2	奈良	彫刻	◎木心乾漆虚空蔵菩薩坐像	能満寺
3	平安	彫刻	◎木造聖観音立像	勝常寺
4	平安	彫刻	◎木造千手観音立像	大蔵寺
5	平安	典籍	●一字蓮台法華経	竜興寺
6	平安	考古資料	◎米山寺経塚出土品	須賀川市立博物館
7	鎌倉	絵画	◎絹本著色阿弥陀二十五菩薩来迎図	福島県立博物館
8	鎌倉	彫刻	◎木造阿弥陀如来及両脇侍坐像	願成寺(喜多方市)
9	鎌倉	彫刻	◎銅造十一面観音及脇侍立像	弘安寺
10	鎌倉	工芸品	◎刺繍阿弥陀名号掛幅	福島県立博物館
11	鎌倉〜室町	古文書	◎白河結城家文書	白河集古苑
12	南北朝	工芸品	◎厨子入金銅宝篋印舎利塔	いわき市立美術館
13	室町	工芸品	◎楷彫木彩漆笈	福島県立博物館
14	室町	工芸品	◎朱漆金銅装神輿	伊佐須美神社
15	江戸	絵画	◎紙本著色蒲生氏郷像	西光寺
16	平安後期	石塔	◎五輪塔	玉川村
17	鎌倉後期	寺院	◎恵隆寺観音堂	恵隆寺
18	鎌倉後期	寺院	◎法用寺本堂内厨子及仏壇	法用寺
19	室町後期	寺院	◎奥之院弁天堂	奥之院
20	桃山	神社	◎都々古別神社本殿	都々古別神社
21	江戸前期〜中期	神社	◎飯野八幡宮	飯野八幡宮
22	江戸中期	寺院	◎専称寺	専称寺
23	江戸中期	民家	◎旧馬場家住宅 (旧所在 南会津郡伊南村)	会津民俗館
24	明治	住居	◎天鏡閣	福島県
25	明治	官公庁舎	◎旧伊達郡役所	桑折町

08 茨城県

蘇言機

地域の特性

　関東地方の北東部に位置する。北側に阿武隈高地に属する八溝山地と多賀山地が南へのび、中央から南西側に関東平野北東部にあたる常陸台地、常総台地が広がる。南東側は太平洋に面して平滑な海岸線が続いて、湖沼の多い低地帯である。県北部は炭鉱開発と日立地区の近代工業が発展し、県央部の常陸台地では水田の拡張が困難なために、畑作による近郊農業や養豚業が盛んである。県南東部は湖沼や河川による水運の発達した水郷地帯で、農村風景が広がる。

　県南東部の霞ヶ浦周辺や太平洋沿岸の河川に古墳が築造され、水上交通の要衝に有力な豪族たちが存在していた。939年に平将門が常陸の国府を急襲し、続いて関東地方を制覇したが、征討された。平将門の乱は、古代律令制から武家社会への胎動であり、武家の権力が強化されていった。鎌倉時代に佐竹氏、八田氏、結城氏、大掾氏が有力だった。関ヶ原の戦い後、佐竹氏は秋田、結城氏は福井に移され、古い勢力が一掃されて、徳川御三家の一つである水戸藩と、多数の小藩が置かれた。明治維新の廃藩置県で、幕末にあった14の藩が統合されて茨城県となった。

国宝／重要文化財の特色

　美術工芸品の国宝は2件、重要文化財は40件である。水戸藩2代藩主の徳川光圀は、南朝の正統性を論じた『大日本史』の修史事業に着手して、彰考館を設けて全国から学者を招き、多くの古文書・書籍を集めた。また光圀は、栃木県の那須国造碑の保存や史跡侍塚の発掘保存を行う一方、廃仏毀釈を推進し、名刹名社を保護しつつ、その他大多数の寺院・仏像を処分した。水戸徳川氏の歴代収集品は、現在徳川ミュージアムにある。そのほかに、筑波研究学園都市の学術機関に近代産業の器機や観測器が収蔵されている。建造物に国宝はなく、重要文化財は32件である。9代

関東地方　79

藩主徳川斉昭の建てた藩校の弘道館、地域的な寺院・神社や農家などが重要文化財となっている。

◎服飾類

水戸市の徳川ミュージアムの所蔵。桃山時代の工芸品。徳川家康（1542～1616年）の遺品の一部である。家康から御三家へ遺産分与の内容は、尾張徳川氏と水戸徳川氏に伝来した受取目録である駿府御分物帳によって知られている。目録を見ると、陶磁器、服飾、能装束、反物、茶道具、文房具、薬種、刀剣、具足、金銀、骨董品、絵画、書籍など多種多様なものが莫大な数量で分与されたことがわかる。家康の第11子で水戸藩初代藩主徳川頼房に遺贈された物品の中で、服飾類には絞り染に筆で花鳥などを描く桃山時代に流行した辻が花染の衣服が多く含まれていた。例えば白地三ツ葵紋付檜草花文辻が花染胴服は、裾を薄い藍色の山形に染め分けて忍草、ナデシコ、紫陽花などを墨で描き、上部全体には檜の幹と葉を絞り染めにして墨で細部を描いている。そのほかに袴、軽衫（半ズボン）、具足下着、陣羽織、小袖、下着、布団などがまとまって残っている。これらの服飾類は、風俗画に登場する人たちの、華やかな衣装を連想させる。

◎鷹見泉石関係資料

古河市の古河歴史博物館で収蔵・展示。江戸時代後期の歴史資料。鷹見泉石（1785～1858年）は古河藩家老で、名は忠常、通称十郎左衛門といい、泉石は隠居後の号である。洋風画家渡辺崋山の描いた肖像画鷹見泉石像でよく知られている。鷹見泉石は古河藩士の家に生まれ、江戸詰となって藩主に近侍し、47歳で家老職に就いた。藩主の土井利厚、土井利位は譜代大名として寺社奉行、大坂城代、京都所司代、老中など幕府要職を歴任し、対外危機意識の高まる中、鷹見も海外事情の分析に活躍した。天文、暦数、地理、歴史、兵学など幅広く国内外の文献・資料の収集に努め、みずからも『新訳和蘭国全図』や『蝦夷地北蝦夷地図』などを著した。集められた膨大な資料は、散逸することなく鷹見氏の子孫によって伝えられ、2002年に13,033件が古河歴史博物館に寄贈され、そのうち3,157点が重要文化財に指定された。文書・記録類、絵図・地図類、書籍類、書状類、絵画・器物類に大別され、100冊を超える自筆日記、村絵図、城郭図、寺社境内図、日本全図、海外図など各種地図、語学、地理、歴史、地誌、測量、兵学の実用書、幕府役人、和蘭通詞（通訳）、唐通事、長崎奉行、蘭学者、文人からの手紙、測量・製図器具、鉛製兵隊人形、輸入皿、ガラス器等々、内容は多岐にわたる。

江戸時代後期の西洋に関する学術研究の実態を示している。

◎**蘇言機**　つくば市の国立科学博物館筑波地区理工第一資料棟で保管。レプリカを東京上野の国立科学博物館で展示。イギリス／19世紀の歴史資料。お雇い外国人として東京大学に赴任した地震学者ジェームス・ユーイングが製作したエジソン式の録音機器である。鉄棒の中央に金属製円筒を取り付けた本体部分と、録音・再生用のヘッド部分から成る。鉄棒は長さ約50cmで螺旋状のネジが切られていて、右側のハンドルを回すと、鉄棒と金属製円筒とが一体となって回転し、横軸方向に少しずつ移動する。録音・再生用のヘッド部分には、マイクロフォンおよびスピーカーの役割を果たす銅製振動板を張った太鼓状の小さい円筒があり、その前に金属の刃が取り付けられている。金属製円筒の表面に記録用の錫箔を巻き、それに接するようにヘッド部分の刃を固定し、振動板に向かって話しながらハンドルを回転させると、刃によって錫箔に溝が刻まれて音声の記録となる。円筒を元の位置に戻して同じように回転させると、今度は逆に錫箔に刻まれた溝によって刃が振動板を振るわせ、音が再生されるのである。ユーイングは1878年11月16日に、東京大学理学部実験室で蘇言機を使った日本最初の録音・再生の実験を行った。翌年の一般向けの実演で、東京日日新聞社社長の福地桜痴が「コンナ機械ガデキルト新聞屋ハ困ル」と吹き込み、再生したという逸話が残っている。錫箔の代わりに蝋を塗った蝋管式蓄音機が19世紀末に普及する以前の、先駆的な録音機器だった。

◎**佐竹寺本堂**　常陸太田市にある。室町時代後期の寺院。北関東で鎌倉時代から戦国時代にかけて有力だった佐竹氏代々の祈願所として発展した。985年の創建と伝えられ、現在地から西北西に約700m離れた鶴ヶ池の洞崎の峰に建てられて、観音寺と称した。佐竹氏初代昌義は1177年に300貫の寺領を寄進し、6代長義は衰えていた寺堂を再興した。1543年に兵火で焼失し、1546年に18代義昭によって現在地に再建された。その後佐竹氏の秋田転封に伴い、寺運はしだいに衰えていった。本堂は桁行5間、梁間5間の茅葺の寄棟造で、周囲に杮葺の裳階をめぐらし、正面に唐破風が設けられている。大きな茅葺の屋根は重厚感を感じさせる。母屋の正面1間分を後退させるという特殊な造りで、長くなった海老虹梁などの上部構造がよく見える。花頭窓や丸窓、象や獏などを彫刻した繰形のある木鼻など装飾性に富んでいる。

◎旧弘道館

水戸市にある。江戸時代末期の学校。徳川斉昭（1800〜60年）が1841年に水戸城三の丸に開設した藩校である。178,200m²の広大な敷地内に正門、正庁、至善堂、文館、武館、医学館、天文台、孔子廟、鹿島神社、八卦堂、調練場など多数の諸施設があった。1868年の兵火で文館、武館、医学館などを失い、太平洋戦争の戦災で鹿島神社、孔子廟、八卦堂を焼失した。残った正門、正庁、至善堂が重要文化財に指定された。正門は四脚門で、藩主の来館や諸儀式を行う時にのみ開門した。政庁は学校御殿ともいい、藩主が臨席して文武の試験などを行った。桁行12間、梁間5間半と大きく、南西奥の正席の大広間には床の間、違棚、付書院が設けられて書院造となっている。屋根は入母屋造で、丸瓦と平瓦を組み合わせた波形の桟瓦を葺いている。屋根頂部の大棟は大きく、半円形の輪違瓦を積み重ねて独特な幾何学文様を見せる。正面北寄りに方3間の玄関があり、軒下に裳階のような柿葺の下屋根が取り付けられている。至善堂は藩主のいた座所で、正庁の北西に位置し、長さ10間の畳廊下で連結している。江戸時代末期の大規模ながら簡素な書院造の建造物である。

◎シャトーカミヤ旧醸造場施設

牛久市にある。明治時代の産業施設。神谷伝兵衛が創設したワイン醸造施設で、シャトーとは、ブドウの栽培から瓶詰までを一貫生産するブドウ園を意味する。神谷は、1893年にブランデーをもとにした電気ブランというアルコール飲料を発売した。続いて1898年に約120haのブドウ栽培適地を購入して、ブドウ園の北寄り一角に牛久醸造場であるシャトーカミヤを1903年に建設した。レンガ造の事務室、醗酵室、貯蔵庫が残っている。事務室は2階建で、正面中央を少し前に突出させ、2階屋根を切妻破風にして、蜂とブドウの絵がある。1階中央に醗酵室へ向かう通路が通り、通路上にトスカナ式円柱に支えられた半円アーチがかかる。アーチには大きな文字でCHÂTEAU D.KAMIYAと記す。向かって右側に時計塔を立ち上げて、左右非対称にする。醗酵室も2階建で、2階は機械作業室、1階は醗酵室、地階は貯蔵倉庫となり、当時の設備構成と製造工程がうかがえる。

☞ そのほかの主な国宝 / 重要文化財一覧

	時代	種別	名称	保管・所有
1	古墳	考古資料	◎武者塚古墳出土品	上高津貝塚ふるさと歴史の広場
2	平安	彫刻	◎木造観世音菩薩立像（寺伝延命観音像）	楽法寺
3	平安	彫刻	◎木造不動明王及二童子立像	不動院
4	平安	考古資料	◎銅印（印文「静神宮印」）	静神社
5	鎌倉	絵画	◎絹本著色法然上人像	常福寺
6	鎌倉	絵画	◎絹本著色十六羅漢像	金竜寺
7	鎌倉	絵画	◎紙本著色聖徳太子絵伝	上宮寺
8	鎌倉	彫刻	◎木造千手観音立像	楞厳寺
9	鎌倉	彫刻	◎木造聖徳太子立像（太子堂安置）	善重寺
10	鎌倉	書跡	◎大日本国師墨跡	徳川ミュージアム
11	室町	工芸品	◎朱漆足付盥	六地蔵寺
12	中国／元	絵画	◎絹本著色復庵和尚像	法雲寺
13	フランス／19世紀	歴史資料	◎メートル条約並度量衡法関係原器	産業技術総合研究所計量標準総合センター
14	鎌倉後期	銅塔	◎西蓮寺相輪樘	西蓮寺
15	室町中期	寺院	◎小山寺三重塔	小山寺
16	室町後期	寺院	◎来迎院多宝塔	来迎院
17	室町後期	寺院	◎善光寺楼門	善光寺
18	桃山	寺院	◎佛性寺本堂	佛性寺
19	桃山	神社	◎八幡宮本殿	八幡宮
20	江戸前期	神社	◎鹿島神宮	鹿島神宮
21	江戸中期	民家	◎山本家住宅（神栖市奥野谷）	―
22	江戸中期〜後期	民家	◎坂野家住宅（水海道市大生郷町）	水海道市
23	江戸末期	神社	◎笠間稲荷神社本殿	笠間稲荷神社
24	明治	学校	◎旧茨城県立土浦中学校本館	茨城県
25	明治〜大正	産業	◎石岡第1発電所施設	東京発電株式会社

関東地方 83

眠り猫（東照宮）

地域の特性

　関東地方北部の内陸に位置する。東側に八溝山地が南北にのび、北西側に帝釈山地、南西側に足尾山地があって、三方を山と丘陵に囲まれている。中央北西から南に向かって那須扇状地、塩那丘陵の緩傾斜地が続き、南側には関東平野の一部である下野平野が広がっている。県北部は那須野原の稲作を中心とする農業地帯で、北西にある日光一帯は国際的観光地としてにぎわっている。県央部は農作物の主要生産地であるとともに、各種の伝統産業も発達し、宇都宮は城下町、街道の宿場町として中心的な機能を果たしている。県南部は東京の影響を受けて工業化と都市化が進み、人口の集積が著しい。

　古墳が平野部の河川流域に多く分布している。古代には東北地方へ向かう東山道が通り、那須地方には仏教文化をもたらした渡来人がいたと考えられている。下野薬師寺が建てられて戒壇院が開かれ、東国の仏教中心地となった。中世には宇都宮氏、小山氏、那須氏が有力な豪族だった。室町時代に小山氏、戦国時代末期に那須氏と宇都宮氏が姿を消して、江戸時代には約10の中小藩が分立した。明治維新の廃藩置県で、中小藩と多数の天領、旗本領、寺社領が統合されて栃木県ができた。

国宝／重要文化財の特色

　美術工芸品の国宝は10件、重要文化財は114件である。建造物の国宝は7件、重要文化財は27件である。輪王寺、東照宮、二荒山神社のある日光と、鑁阿寺と足利学校のあった足利の2か所に国宝／重要文化財が集中している。日光は、奈良時代末期に男体山を中心に修験僧勝道によって開かれた山岳仏教の聖地で、江戸時代に徳川家康を祀る日光東照宮が造営されて栄えた。鑁阿寺は1196年に創建された足利氏の菩提寺で、尊氏以降は足利将軍や鎌倉公方の保護のもとで栄えた。寺域内に漢学の学塾であっ

た足利学校が室町時代に設置され、収集された多数の貴重な漢籍が現在に伝わっている。そのほかに縄文時代の遺跡から出土した考古資料、地域的農家、那須野原の開拓を示す近代化遺産などがある。

● **那須国造碑**　大田原市の笠石神社の所蔵。飛鳥時代の古文書。笠石神社の神体で本殿に安置されている石碑である。宮城県の多賀城碑、群馬県の多胡碑（特別史跡）とともに日本三古碑の一つとされる。徳川光圀が1687年に調査し、保存のために周囲を買い上げて堂をつくり、管理人の僧（別当）を置いた。高さ148cmの花崗岩の角柱で、上に帽子のような笠石を置く。碑文は8行で、1行に19字ずつ計152字が整然と陰刻され、文字は中国の六朝時代の書風である。碑は、那須国造であった那須直韋提が689年に評督（那須郡衙の長官）に任じられ、700年に死去したので、その遺徳をしのんで建てられた。難解な文章で、さまざまな解釈が提案された。碑文によると韋提は広氏の尊胤（子孫）とされ、広階連（中国系）、広津連（百済系）、広来津公（日本系）などの姓があげられている。永昌という唐時代の年号が使われ、また中国風の墓誌形式であることから、渡来人によって建てられた可能性が指摘されている。近くに位置する7世紀後半の浄法寺廃寺（那須郡小川町）から新羅系の古瓦が出土して、古代の郡衙造立と仏教文化の導入に、渡来人の果たした役割が高かったと考えられる。

◎ **大谷磨崖仏**　宇都宮市の大谷寺の所蔵。平安時代から鎌倉時代の仏像。凝灰岩（大谷石）の岩陰内壁に肉彫された10体の磨崖仏で、特別史跡にもなっている。第1区から第4区まで分けられ、それぞれに千手観音像、釈迦三尊像、薬師三尊像、阿弥陀三尊像が配されている。荒彫した像に粘土をかぶせ、彩色仕上げした石心塑像という技法で造られた。しかし1811年の火災で粘土は剥落してしまった。千手観音像は本尊で、像高約4mある。彫刻面に朱を塗って粘土で化粧し、さらに漆を塗って表面には金箔が押されていた。釈迦三尊像は像高3.3mの釈迦坐像に文珠と普賢の2菩薩像、薬師三尊像はやや小さく、像高約1.2mの薬師坐像に日光と月光の2菩薩像からなる。阿弥陀三尊像は像高約3mの阿弥陀坐像に観音と勢至の2菩薩像からなり、上部に小さい化仏がめぐらされている。千手観音像と薬師三尊像は平安時代初期、釈迦三尊像は平安時代後期、阿弥陀三尊像は鎌倉時代初期の作品とされている。岩屋の粗面に施された磨崖仏として優秀な制作で、大分県の臼杵磨崖仏に比肩される。

●宋版尚書正義

足利市の足利学校遺跡図書館の収蔵。中国／南宋時代の典籍。版木を彫って印刷した版本という書物である。足利学校は中世に漢学の研究と教育の施設だった。創立者を平安時代前期の小野篁、あるいは鎌倉時代前期の足利義兼とする説があるが、不明である。関東管領上杉憲実（1411〜66年）が書物を寄進し、鎌倉円覚寺の僧快元を初代庠主（校長）に迎えて、1439年に足利学校を再興した。乱世を生き抜く武将たちの要求に応えて、特に易学（占い）が盛んとなり、16世紀後半に最盛期を迎えて、全国から約3,000人の学生が集まったといわれている。江戸時代には衰退した。明治維新の時に荒廃し、足利藩、栃木県を経て足利町の所有となり、1903年に足利学校遺跡図書館が開館した。

足利学校遺跡図書館には国宝の版本が4件ある。宋版尚書正義、宋版礼記正義、宋版周易注疏、宋刊本文選で、いずれも南宋時代に刊行された古い漢籍で合計77冊である。尚書正義とは五経の一つである書経の注釈本、礼記正義は礼制の注釈本、周易注疏は易経の注釈本、文選は詩賦文章を集めたものである。このうち尚書正義と礼記正義を上杉憲実が寄進した。憲実はほかにも毛詩註疏、（新）唐書などの版本を寄進している。周易注疏は憲実の子である上杉憲忠が寄進し、文選は神奈川県の金沢文庫にあったものを、1560年に北条氏政が僧九華に与え、足利学校に贈られた。足利文庫の蔵書は、中世に収集された書物がそのまま現在に伝わっている稀有なコレクションである。

●鑁阿寺本堂

足利市にある。鎌倉時代後期の寺院。源義家の孫である足利義兼（1154〜99年）が、足利荘居館内に持仏堂を建て、1196年に伊豆国走湯山理真上人朗安を開山に迎えて氏寺とした。寺号は義兼の法名にちなんで鑁阿寺と称した。寺の周囲には土塁と濠がめぐり、境内は足利氏の居館跡と伝えられて史跡となっている。本堂が国宝、鐘楼と経蔵が重要文化財である。本尊は密教の中心仏である大日如来である。1234年に上棟された大殿が1287年に雷火で損傷し、1299年に再建されたのが現在の本堂である。その後も数回にわたって改修が行われた。桁行5間、梁間5間で入母屋造の本瓦葺で、正面に軒唐破風付の3間向拝、背面に1間向拝がある。粽の柱、尾垂木、二手先組物の詰組など禅宗様の建築様式が見られるが、連子窓、板敷の床など和様の様式も含まれている。鎌倉時代に中国から導入された禅宗様を、いち早く取り入れた中

世の密教本堂である。

●**東照宮** 日光市にある。江戸時代前期の神社。徳川家康を死後に東照大権現として祀った日光山の霊廟である。伝承によると奈良時代末期に勝道上人が日光に四本龍寺を建て、平安時代に満願寺と寺号を改めたという。平安時代末期に天台宗の影響下で、密教の常行三昧の修行を行う常行堂が建てられた。鎌倉時代には鎌倉勝長寿院別当が日光山の別当を兼ね、しばしば天台座主にも就任したので、延暦寺に次ぐ寺格と権勢を手にした。戦国時代末期に日光山は小田原北条氏に与したため、豊臣秀吉の関東攻略で寺領を失い衰退した。1613年に徳川家康の命で天海が貫主となり、東照大権現を祀る聖地として日光山を再興させ、本社、拝殿、本地堂が建てられた。現在の東照宮の社殿は、徳川家光が建て替え1636年に完成した。1645年に宮号が宣下され、毎年朝廷から日光例幣使が派遣された。1655年に日光山貫主と天台座主を兼ねる守澄法親王に輪王寺宮の号が与えられ、以後、輪王寺宮門跡が江戸寛永寺で日光山以下天台宗を統括することになった。日光山は神仏習合の大きな霊場だったが、明治維新の廃仏毀釈で輪王寺、東照宮、二荒山神社に分割されてしまった。

東照宮の社殿は、本殿と拝殿を石の間でつなぐ権現造で、四囲に透塀、正面に唐門、その手前に陽明門と回廊がある。朱色と黒色の漆塗り、金箔、胡粉の白色や極彩色で彩られ、豪華絢爛な彫刻で装飾されている。

◎**那須疏水旧取水施設** 那須塩原市にある。明治時代の土木施設。栃木県北部の広大な原野だった那須野原で、政府高官たちの大農場による開拓が1880年から始まり、灌漑用大水路として那須疎水が1885年に開削された。那須塩原市西岩崎の那珂川右岸から取水し、約16kmの本幹水路、4本の分水路、支線水路を通って約10,000haに及ぶ開拓地をうるおした。最初の取水口である東水門は那珂川の絶壁を掘ってつくられ、その後200m離れた上流に取水口が移された。那須野が原博物館で、取水口の模型や、掘立小屋のような開拓民の簡素な家が復元展示されている。一方、青木周蔵の旧青木家那須別邸など、政府高官たちの豪華な別邸もいくつか残っている。

☞ そのほかの主な国宝／重要文化財一覧

	時代	種別	名称	保管・所有
1	縄文	考古資料	◎深鉢形土器／那須塩原市槻沢遺跡出土	那須塩原市
2	平安〜鎌倉〜室町	彫刻	◎木造阿弥陀如来及四菩薩坐像（常行堂安置）	輪王寺
3	平安	典籍	●大般涅槃経集解	輪王寺
4	平安〜鎌倉	考古資料	◎男体山頂出土品	二荒山神社
5	鎌倉	絵画	◎板絵著色役行者八大童子像	輪王寺
6	鎌倉	彫刻	◎厨子入木造大日如来坐像	光得寺
7	鎌倉	工芸品	◎刺繍種子阿弥陀三尊掛幅	輪王寺
8	鎌倉〜室町	古文書	◎鑁阿寺文書	鑁阿寺
9	南北朝	工芸品	◎瑞花孔雀鏡	輪王寺
10	南北朝	工芸品	◎金銅装神輿	二荒山神社
11	江戸	絵画	◎紙本著色東照宮縁起（画狩野探幽筆）	東照宮
12	江戸	絵画	◎絹本著色菜蟲譜（伊藤若冲筆）	佐野市立吉澤記念美術館
13	江戸	彫刻	◎木造天海坐像康音作	輪王寺
14	江戸	工芸品	◎行事壇皆具	輪王寺
15	室町中期	寺院	◎西明寺本堂内厨子	西明寺
16	室町中期	神社	◎綱神社本殿	綱神社
17	江戸前期〜中期	寺院	◎輪王寺	輪王寺
18	江戸前期〜中期	神社	●輪王寺大猷院霊廟	輪王寺
19	江戸前期〜後期	神社	◎二荒山神社	二荒山神社
20	江戸中期	寺院	◎専修寺	専修寺
21	江戸中期	民家	◎旧羽石家住宅（芳賀郡茂木町）	茂木町
22	江戸後期	民家	◎岡本家住宅（宇都宮市下岡本町）	—
23	明治〜大正	住居	◎旧日光田母澤御用邸	栃木県
24	明治	住居	◎旧青木家那須別邸	栃木県
25	明治	産業	◎旧下野煉化製造会社煉瓦窯	野木町

88

承台付銅鋺

地域の特性

　関東地方北西部の内陸に位置する。東側に足尾山地と白根山の火山、北側に三国山脈、中央から南西側に赤城山、榛名山、浅間山などの火山斜面が広がり、三方が高い山地で囲まれている。南東側は関東平野の北西端にあたる平地である。県央部の前橋と高崎は利根川をはさんで隣接し、行政と交通の中核で、県南東部とともに工業化と人口増加が進んでいる。県西部には古く西の長野県から東山道（江戸時代からは中山道）が東西に通り、養蚕業が盛んで近代産業の主要地だった。県北部の大部分は山地で、高原野菜や酪農などを除いて、一般に農牧林業は不振で過疎が進んでいる。

　古墳が多く分布し、西方の大和王権との関連性も深かったと考えられている。古代には絹と馬が特産だった。1069年に浅間山が大噴火し、律令制の弱体化とともに荘園制が進んだ。鎌倉時代に新田荘を地盤とする新田氏が有力だったが、室町時代には争乱が続いた。江戸時代には中小の藩が設置され、藩主の交代や藩の改廃が続いて9藩となった。明治維新の廃藩置県で中小9藩と天領、そして400を超える旗本領が統合されて群馬県ができた。

国宝／重要文化財の特色

　美術工芸品に国宝はなく、重要文化財が36件ある。建造物の国宝は1件、重要文化財は22件である。縄文時代の耳飾りや、古墳の出土品など考古資料が重要文化財となっている。新田荘の世良田義季によって鎌倉時代に創建された長楽寺と歴史の古い貫前神社に重要文化財が比較的集中している。新田荘は、江戸時代初期に徳川家康の父祖の地とされ、長楽寺境内に東照宮が建てられた。貫前神社の創建は不明であるが、歴代武将から崇敬を受け、江戸時代には3代将軍徳川家光が、楼門、拝殿、本殿を再建した。そのほかに近代化遺産として、世界遺産となった旧富岡製糸場や鉄道施

設がある。なお上野三碑といわれる多胡碑、山ノ上碑、金井沢碑は特別史跡となっていて、国宝ではない。

◎観音塚古墳出土品

高崎市の観音塚考古資料館で収蔵・展示。古墳時代後期の考古資料。観音塚古墳の出土品は、太平洋戦争末期の1945年3月に防空壕の開削中に偶然発見され、30種300余点ある。観音塚古墳は信濃地方から峠を越えて平野部に入る地点、高崎市西端の烏川と碓氷川にはさまれた台地上に位置する。全長97mの前方後円墳で前方部を西に向け、後円部は東にある。後円部中央に全長15.3mの横穴式石室が南に向かって開口する。横穴式石室は墓室の玄室と通路の羨道からなり、玄室から副葬品が出土した。副葬品は、大刀、鉄鉾、鉄鏃、挂甲（鎧）などの武器・武具類、馬を飾った杏葉、鏡板などの馬具類、耳環などの装身具、銅鏡、銅鋺、須恵器など多種類に及んだ。なかでも宝珠形の紐（つまみ）のある蓋、脚の付いた丸い鋺、平らな受皿の3点セットからなる承台付銅鋺は仏具に通じ、朝鮮半島から導入された仏教文化の影響がうかがえる。そのほかニワトリのトサカのような柄頭の付いた銀装鶏冠頭大刀、仏像の光背に似た金銅製心葉形透彫杏葉なども類例の少ない優品とされる。これらの副葬品は6世紀後半から7世紀初頭に製作されたと推定されている。単に装飾性に富んでいるだけでなく、古墳と仏教の接点を示す歴史的意義も高い。

◎長楽寺文書

太田市の長楽寺の所蔵。レプリカを新田荘歴史資料館と群馬県立歴史博物館で展示。鎌倉時代から室町時代の古文書。新田氏の支族世良田義季が、1221年に栄西の弟子栄朝を開山として長楽寺を開創した。最も初期の禅宗寺院の一つで、密教と禅宗を兼修する道場だった。室町時代には五山に次ぐ十刹の七位に列せられた。近世初頭に寺勢が衰えたが、世良田氏の末裔を名乗る徳川家康が復興し、天海が入寺して天台宗に改宗した。長楽寺文書は5巻計115通からなる。長楽寺は鎌倉時代末期の正和年間（1312〜17年）に焼失し、大谷道海と二人の娘の協力によって再建された。その際に新田荘内外の土地を集積して、長楽寺に寄進し再建の財源としたのだが、集積された土地の証文である手継文書が長楽寺文書の主要部分となっている。この文書を1705年に新井白石が見て5巻にまとめ、徳川家宣への進講時に上覧となった。長楽寺にはほかにも、頂相、肖像画、禅宗絵画、密教絵画、密教法具などさまざまな文化財があり、中世東国の仏教文化を伝えている。

◎泰西王侯図

藤岡市の満福寺の所蔵。レプリカを道の駅上州おにしで展示。桃山時代の絵画。ヨーロッパ王侯の肖像を描いた2幅の洋風画で、それぞれ縦134cm、横57.7cmあり、屏風の一部であった可能性がある。イエズス会のザビエルが1549年に日本に来てキリスト教を布教し始めると、布教のために神を描いた聖画の需要が急速に高まり、日本でも洋風画が描かれるようになった。また布教の便宜を得るため、権力者への贈与品として、世界図、都市図、王侯図などを描いた大型の屏風などが製作されたと考えられている。満福寺の洋風画は、炎上する都市を遠景に、兜をかぶって右手に槍をかかえ前方を見ながら歩む武人の図と、王冠を付け、羽織を着て洋風建物の前に立つ王侯を正面から描いた図の2幅である。1612年に禁教令が発令される前の頃、16世紀末ないし17世紀初頭の作品である。

◎妙義神社

富岡市にある。江戸時代後期の神社。妙義山は白雲山、金洞山、金鶏山からなり、白雲山東麓に妙義神社がある。もともと神仏習合だったが、明治維新の廃仏毀釈で神社となった。中世に妙義大権現を祀る山岳修験道として栄え、白雲山岩窟にある奥之院には大日如来が祀られていた。別当寺の白雲山高顕院石塔寺が建立され、1636年から上野寛永寺の座主、輪王寺宮の隠居所となると、修験道の行場的性格は薄らいだ。かつて仁王門と呼ばれた現在の総門から入ると、境内北側に輪王寺宮来山のために建てられた晨光閣（旧宮様御殿）と庫裡（現社務所）があり、西側の銅鳥居を抜けて長い石段を上ると唐門、そして本殿・幣殿・拝殿がある。総門は1773年に建てられ、切妻造の八脚門、高さ13mを越える高い門で屋根も大きい。寺であった頃の高顕院の扁額がまだ掲げられている。唐門は1756年に建てられ、平唐門と呼ばれる側面に唐破風のある門である。正面桟唐戸と側面に大きな鳳凰の浮彫、天井に竜の墨絵、柱頂部に菊花の籠彫、そして柱上の組物には極彩色の文様が施されている。本殿・幣殿・拝殿は唐門と同時に建てられ、入母屋造の本殿と拝殿との間に幣殿のある権現造である。拝殿正面の屋根に千鳥破風があり、軒唐破風付1間向拝が前面にある。彫刻、彩色、金具による装飾が多いが、本殿は一段と華美で、柱に金箔を押し、花頭窓に金色を多用して、壁には波と扇の彩色浮彫がはめ込まれている。日光東照宮の霊廟建築を継承した装飾に満ちた神社である。

●旧富岡製糸場

富岡市にある。明治時代前期の産業施設。殖産興業を推進するため、明治政府によって築造・運営された繭から生糸をつくる製糸工場である。江戸時代末期に、開港による海外需要の急増に応えて、手で回して生糸を巻き取る座繰製糸が盛んになったが、生産性と品質の向上を目的に、明治政府は西洋式の動力機械による器械製糸を導入することにした。フランス人技術者ポール・ブリュナを傭聘して工場を設立させ、全国から工女を募集して1872年10月から操業を開始した。横須賀造船所のフランス人技術者バスティアンが工場を設計し、桁行約104mの東西2棟の置繭所と約140mの繰糸所をコ字型に配置し、その内側に蒸気釜所、外側にフランス人技術者用の3棟の洋館と工女寄宿舎を建てた。繰糸所と置繭所、3棟の洋館は、主構造の柱と梁を木材で、壁をレンガでつくる木骨レンガ造である。繰糸所と置繭所の屋根には、従来の日本建築にはなかったトラス構造という西洋式骨組が採用された。部材を三角形に結合させて、引張りか圧縮の軸方向の力しか受けないようにして安定させる構造で、繰糸所では柱のない広い作業空間が得られた。富岡製糸場の経営は当初から赤字が続き、1893年に三井組に払い下げられ、1902年からは原合名会社、1939～87年は片倉工業の経営となった。繰糸所には、操業停止になるまで使用されていた日産HR型自動繰糸機10台がそのまま残されている。

◎碓氷峠鉄道施設

安中市にある。明治時代から大正時代の交通施設。群馬県横川～長野県軽井沢間の碓氷峠を越える旧碓氷線の鉄道施設で、5基の橋と10本の隧道(トンネル)、変電所2棟が重要文化財になっている。当初東西の幹線鉄道として中山道線が想定されたが、東海道線に取って代わった。その後日本海側と関東とを結ぶ重要路線の建設が進められ、1885年に高崎～横川間が開通し、さらに急勾配を走行するアプト式を採用した横川～軽井沢間の碓氷線が1893年に開通して、高崎～直江津間の運行が始まった。長野新幹線開業により、1997年に碓氷線は廃止された。鉄道施設のうち、高さ31.39mのめがね橋と呼ばれるレンガ造アーチ橋の碓氷第3橋梁が有名で、埼玉県の日本煉瓦製造株式会社旧煉瓦製造施設で製造された200万個以上のレンガが使用された。

☞ そのほかの主な国宝／重要文化財一覧

	時 代	種 別	名 称	保管・所有
1	縄 文	考古資料	◎茅野遺跡出土品	榛東村耳飾り館
2	縄 文	考古資料	◎千網谷戸遺跡出土品	桐生市
3	古 墳	考古資料	◎保渡田薬師塚古墳出土品	西光寺
4	古 墳	考古資料	◎塚廻り古墳群出土埴輪	群馬県立歴史博物館
5	奈 良	考古資料	◎山王廃寺塔心柱根巻石	日枝神社
6	平 安	考古資料	◎緑釉水注、緑釉塊、緑釉皿、銅鋺	群馬県立歴史博物館
7	鎌 倉	彫 刻	◎鉄造阿弥陀如来坐像	善勝寺
8	南北朝	絵 画	◎絹本墨画出山釈迦図	長楽寺
9	南北朝	絵 画	◎紙本著色地蔵菩薩霊験記	妙義神社
10	室 町	絵 画	◎紙本墨画山水図	群馬県立近代美術館
11	明治〜昭和	歴史資料	◎群馬県行政文書	群馬県立文書館
12	中国／唐	工芸品	◎白銅月宮鑑	貫前神社
13	中国／南宋	絵 画	◎絹本著色羅漢像（金大受筆）	群馬県立近代美術館
14	平安前期	石 塔	◎塔婆	新里村
15	室町前期	石 塔	◎笠卒塔婆	―
16	室町後期	神 社	◎雷電神社末社八幡宮稲荷神社社殿	雷電神社
17	桃 山	寺 院	◎薬師堂	宗本寺
18	江戸前期	神 社	◎貫前神社	貫前神社
19	江戸前期〜中期	民 家	◎彦部家住宅（桐生市広沢町）	―
20	江戸中期	民 家	◎旧生方家住宅（旧所在 沼田市上之町）	沼田市
21	江戸中期〜末期	神 社	◎榛名神社	榛名神社
22	江戸後期	民 家	◎富沢家住宅（吾妻郡中之条町）	中之条町
23	江戸末期	民 家	◎旧黒澤家住宅（多野郡上野村）	上野村
24	明 治	官公庁舎	◎旧群馬県衛生所	桐生市
25	明 治	産 業	◎旧新町紡績所	クラシエフーズ株式会社

埼玉県

板碑

地域の特性

　関東地方中央部の内陸に位置する。西側に秩父山地、中央に丘陵・台地、東側に低地が広がり、西高東低の地形である。県南東部は東京に近く、大宮、浦和、川口の一帯に人口が高度に密集している。かつて農業地帯であったが、高度経済成長期に宅地化と工業化が急速に進んだ。県北部には田園が広がり、県内の農業生産の中心である。県南西部の奥武蔵には平坦地が少なく、農業生産は不振で都市化も遅れていたが、1960年代後半から宅地化が進んだ。県西部は秩父盆地を秩父山地の山々が囲み、東側の平地の多い地域と様相が異なる。絹織物の銘仙とセメントの地場産業があり、都心に近い風光明媚な山間観光地としても有名である。

　利根川流域には縄文時代の遺跡や古墳が多く分布している。埼玉古墳群の稲荷山古墳から、大和王権とのつながりを示す鉄剣が出土した。奈良時代の716年に高麗人を集団移住させて高麗郡、758年に新羅人を移して新羅郡（後の新座郡）が設けられた。中世には争乱が続き、江戸時代には四つの中小藩と、多数の天領や旗本領が置かれて、寺社領も散在していた。明治維新の廃藩置県で複雑に入り組んだ領地が統合され、周辺諸県との併合・移管を繰り返して、1876年にほぼ現在の埼玉県ができた。

国宝/重要文化財の特色

　美術工芸品の国宝は3件、重要文化財は54件である。建造物の国宝は1件、重要文化財は23件である。国宝/重要文化財は慈光寺、喜多院、遠山記念館、日本大学総合学術情報センターの4か所に多く集中している。慈光寺は都幾山にある天台密教の山岳道場として栄えた古刹で、国宝の仏典が3件もある。喜多院は中世に関東天台宗の中心道場となり、徳川家康の帰依を受けて復興した。江戸時代初期の建造物や絵画、毛利輝元が家康に献上し、家康が喜多院に寄進した宋版一切経などがある。遠山記念館

94

は、日興證券の創業者だった遠山元一が収集したコレクションを収蔵している。日本大学総合学術情報センターには多数の貴重な古書籍があり、そのうち日本文学の歌集などが重要文化財に指定されている。

●埼玉稲荷山古墳出土品

行田市のさきたま史跡の博物館で収蔵・展示。稲荷山古墳は長さ120mの前方後円墳で、5世紀後半に築造され、埼玉古墳群の中で最も古い古墳である。後円部の頂上部地下から埋葬施設が2基発見され、一つは素掘りの竪穴に粘土を敷いて棺を納めた粘土槨、もう一つは竪穴に川原石を並べた礫槨だった。礫槨は盗掘されていなかったため、金錯銘鉄剣、馬具、勾玉、鏡、帯金具、挂甲などの副葬品が、埋葬されたままの状態で出土した。金錯銘鉄剣には、剣の身両面に、溝を彫って金を埋め込んだ金象嵌の文字が115字刻まれていた。文の内容は、辛亥の年に乎獲居（ヲワケ）という人物が、先祖代々大王に仕えて獲加多支鹵（ワカタケル）大王の時に、刀を製作して記録したとしている。辛亥の年とは干支の暦年で西暦に換算すると471年、そしてワカタケル大王を雄略天皇とする説が多い。銘文の刻まれた古墳時代の刀剣類はいくつかあるが、稲荷山古墳の鉄剣には、年代と人名が具体的に記述されていたので、古代王権の成立過程を物語る金石文としてきわめて貴重である。同時に出土した画文帯環状乳神獣鏡、龍文透彫帯金具などの副葬品も、一括して国宝に指定された。

●法華経一品経

ときがわ町の慈光寺の所蔵。鎌倉時代前期の典籍。見返しや料紙を絵画、文様で美しく装飾した写経で、慈光寺経と呼ばれる。33巻ある。法華経は妙法蓮華経といい8巻からなる。さらに28品（巻）に分割して法華経一品経と呼ばれるようになった。慈光寺経は勧発品を2巻に分けて29巻とし、開経の無量義経、結経の観普賢経、および阿弥陀経、般若心経を加えて合計33巻にしている。紺紙に金字で経文を書いた紺紙金字経、あるいは多色の料紙に墨書の経文など経巻ごとに趣向を凝らしている。例えば信解品第4の料紙は、上段を丁子染で薄茶色、中段を銀粉蒔、下段を黄色に染め、界線上部を銀の二重線、下部を金の二重線にして、経文を墨で書く。上下欄外には蓮華を描き、花弁の脈を金銀で筆書きしている。授記品第6は紺紙金字経で、銀の界線の上下欄外に金箔の蓮華、銀箔の蓮の葉を描き、砂子、野毛、切箔で水面や霞のような表現が付けられている。製作の目的は、後鳥羽上皇と中宮宜秋門院藤原任子、その父（藤原）九条兼実など九条氏一族が、急逝した

九条良経を供養するためだったとされる。慈光寺は東国における天台宗の有力な拠点で、源頼朝も深く帰依した。鎌倉4代将軍藤原頼経は九条氏出身で、また慈光寺のある比企郡一帯を本拠とした比企氏も鎌倉将軍と深い関係にあったので、豪華な装飾経が慈光寺に伝来したのだろうと推測されている。

◎板碑

入間市の円照寺の所蔵。レプリカを埼玉県立歴史と民俗の博物館で展示。南北朝時代の考古資料。板碑とは石造の塔婆で、板石塔婆ともいう。鎌倉時代中期から戦国時代末期にかけて造立され、関東に集中している。特に埼玉県の板碑は質・量とも全国一といわれ、27,000基余りが確認されている。素材は荒川上流の長瀞や槻川流域で産出される緑泥片岩である。板碑の形は頂部を山形にし、その下に2段の切込みを入れて頭部とし、中央の身部で本尊を種子（梵字）で示し、その下に蓮台（蓮華座）、経文や詩文を書いた偈、造立した年月日と続く。円照寺の板碑は典型的な形をしていて、身部の本尊に胎蔵界大日如来の種子を断面V字型に彫り込む薬研彫で刻み、その下に蓮台、蓮台の下右に阿閦如来、下左に阿弥陀如来の種子を刻む。下方中央に縦に元弘三年五月二十二日の日付、その下に道峯禅門という法名を小さく記す。そして日付の左右に宋僧無学祖元の臨剣頌という詩文が刻まれている。元弘三年は1333年で、5月22日は新田義貞軍が鎌倉幕府を滅ぼした日である。道峯禅門は、幕府側に従って討死にした加治家貞の法名で、武蔵七党の丹党（丹治氏）に属した加治左衛門家貞入道道峯と推定される。この板碑はその供養塔で、加治氏の菩提寺であった円照寺に、戦死した武将の板碑が供養されたのである。なお円照寺には、そのほかに5基の板碑があり、丹治氏の銘を刻んだものも含まれている。

◎1号機関車

さいたま市の鉄道博物館で収蔵・展示。イギリス／19世紀の歴史資料。1872年10月14日に新橋と横浜を結ぶ鉄道が開業し、日本初の鉄道で使用された機関車10両のうちの1両である。1871年初頭にイギリスのバルカン・ファンドリー社で製造され、最初に検査を受けたため1号機関車となった。全長6.7m、動輪直径1.32m、重量23.5tである。燃料の石炭や水を機関車本体に搭載するタンク式で、軸配置は先輪1軸、動輪2軸の1B型である。その後新型機関車の登場で1880年に関西に転籍し、ボイラーの位置を高くし、蒸気ドームを大きくして煙突側に移設するなど大改造が施された。1911年に長崎の島原鉄道に払い

下げられた。国鉄の鉄道博物館で保存展示するため、1930年に島原鉄道から国鉄に移され、国鉄からJRへと引き継がれた。現在の展示は大改造後の1897年頃の仕様で、車体色も開業当時と異なる。新橋〜横浜間は18マイル（29km）、途中駅は品川、川崎、鶴見、神奈川の4駅で所要時間は53分、1日9往復だった。運賃は上等1円12銭5厘、中等75銭、下等37銭5厘で、当時の労働者の賃金が1日約20銭だったから、鉄道はかなり高額な乗物だったといえるだろう。開業時の旅客列車は上等車（定員18人）1両、中等車（定員24人）2両、下等車（定員44人）5両の8両編成で定員は286人、乗車効率は60〜75%以上だったと考えられている。

◉喜多院　川越市にある。江戸時代前期の寺院。喜多院には多数の建造物があり、そのうち客殿、書院、庫裡、山門、慈眼堂、鐘楼門が重要文化財である。伝承によると喜多院は830年に無量寿寺という天台宗寺院として開創された。13世紀初頭に兵火で断絶し、13世紀末に尊海が再興して中院、北院、南院を建て、関東天台という天台宗の関東総本山の寺格が与えられた。1537年に再び兵火により焼失した。徳川家康のもとで1612年に天海が再興し、寺名を北院から喜多院へ変え、山号を東の比叡山を意味する東叡山とした。天海は、江戸上野に1624年に建てられた寛永寺に居住するようになり、翌年に東叡山の山号が寛永寺に移されると、喜多院はもとの星野山の山号に戻った。1638年の川越大火によってほぼ全焼し、徳川家光によって復興された。現存する喜多院の大部分の建造物はこの大火後に建てられたもので、客殿、庫裡は江戸城紅葉山より移築されたと伝えられる。客殿は入母屋造の柿葺、南北に長く桁行9間、梁間6間で、間取りは南北2列、それぞれの列を3室に区画して計6室ある。主室は北西端にある上段の間で、書院造を特徴づける床と違棚が設けられているが、付書院や帳台構はない。天井は方形の格子で仕上げた格天井で、格縁を黒漆塗りにして徳川氏の定紋である三葉葵の鍍金金具を打つ。方形の格間には極彩色の綺麗な草花を描いている。極彩色の天井とは対照的に、壁および襖は墨絵である。徳川氏ゆかりの大名屋敷と考えられ、落ち着いた雰囲気をかもし出している。

◉歓喜院聖天堂　熊谷市にある。江戸時代中期の神社。妻沼にある歓喜院は山号を聖天山といい、1179年に斉藤実盛が大聖歓喜天を祀った聖天宮に始まるといわれている。1197年に聖天堂が修復され、別当坊歓喜院も建てられた。1604年に徳川家康が聖天堂の造

関東地方　97

営を命じたが、1670年の妻沼大火によって聖天堂は焼失した。1735年から聖天堂の再建が着手され、1779年に屋根が完成するまで長い年月がかかった。本尊の歓喜天を祀る聖天堂は、入母屋造の奥殿と拝殿との間に中殿のある権現造で、拝殿正面の屋根に千鳥破風、そして軒唐破風付3間向拝が付いている。奥殿は両側面に軒唐破風、そして背面にも千鳥破風と軒唐破風が付き、正面を除く外側すべての面に唐破風が付くという珍しい外観である。社殿の内外はきわめて多くの彫刻、漆塗り、彩色、絵画、金具で装飾され、とりわけ奥殿は豪華で、外壁に七福神と唐子の戯れる様子が大きく色鮮やかに表現されている。日光東照宮と比べて規模は小さいが、装飾の技巧をさらに発展させた華麗な霊廟建築といえるだろう。家康を神格化する日光東照宮の装飾は権威に満ちた近寄りがたい厳粛さを感じさせるが、庶民の浄財で建てられた聖天堂の彫刻からは、親しみやすい遊楽と慈愛の念があふれ出ている。

◎旧煉瓦製造施設

深谷市にある。明治時代の産業施設。日本煉瓦製造株式会社のレンガ製造工場に、1907年に建てられたホフマン式輪窯6号窯である。ホフマン式輪窯とは、ドイツ人フリードリッヒ・ホフマンが考案した円形の窯で、内部をいくつかの部屋に分割して、レンガ焼成工程の乾燥・予熱、焼成、冷却を順繰りに行いながら、円形場内をぐるぐる回り続けるという構造になっている。同じホフマン窯である栃木県の旧下野煉化製造会社煉瓦窯は直径32.6mのドーナツ型だが、日本煉瓦製造株式会社のものは陸上競技のトラック状で、縦20m、横52.6mである。1872年の東京築地・銀座の大火の後、銀座をレンガ街にして復興させるため、大量のレンガが必要となった。そこで、渋沢栄一らが1887年に日本煉瓦製造株式会社を設立し、古くから瓦生産が盛んで上質な粘土の堆積している深谷に、機械式レンガ工場をつくって、6基の窯でレンガを大量生産した。この工場で製造されたレンガを使用した建造物として、東京都の旧東宮御所、東京駅丸ノ内本屋、日本銀行本店、群馬県の碓氷峠鉄道第3橋梁などがある。

☞ そのほかの主な国宝 / 重要文化財一覧

	時代	種別	名　称	保管・所有
1	縄　文	考古資料	◎後谷遺跡出土品	桶川市歴史民俗資料館
2	古　墳	考古資料	◎熊野神社境内古墳出土品	埼玉県立歴史と民俗の博物館
3	平　安	彫　刻	◎木造軍荼利明王立像	常楽院
4	平　安	考古資料	◎瓦塔、瓦堂／美里町東山遺跡出土	美里町考古資料常設展示室
5	鎌　倉	絵　画	◎紙本著色三十六歌仙切（頼基）	遠山記念館
6	鎌　倉	彫　刻	◎木造阿弥陀如来及両脇侍像	保寧寺
7	鎌　倉	古文書	◎明月記（藤原定家自筆本）	日本大学総合学術情報センター
8	鎌　倉	典　籍	◎六百番歌合	日本大学総合学術情報センター
9	鎌　倉	工芸品	◎金銅密教法具	慈光寺
10	鎌　倉	工芸品	◎秋野蒔絵手箱	遠山記念館
11	南北朝	考古資料	◎石造法華経供養塔	大聖寺
12	江　戸	絵　画	◎紙本著色職人尽絵	喜多院
13	江　戸	絵　画	◎絹本著色春露起鴉図（岡田半江筆）	遠山記念館
14	明治〜昭和	歴史資料	◎埼玉県行政文書	埼玉県立文書館
15	中国・日本／南宋・元・江戸	典　籍	◎宋版一切経	喜多院
16	朝鮮／高麗	絵　画	◎絹本著色釈迦三尊及阿難迦葉像	報恩寺
17	鎌倉後期	石　塔	◎光福寺宝篋印塔	光福寺
18	室町前期	寺　院	◎高倉寺観音堂	高倉寺
19	室町後期	寺　院	◎金鑚神社多宝塔	金鑚神社
20	江戸前期〜中期	神　社	◎東照宮	仙波東照宮
21	江戸中期	民　家	◎吉田家住宅（比企郡小川町）	―
22	江戸中期	民　家	◎旧新井家住宅（旧所在　秩父郡野上町）	長瀞町
23	江戸後期	民　家	◎大沢家住宅（川越市元町）	―
24	江戸後期	民　家	◎内田家住宅（秩父市蒔田）	―
25	大　正	文化施設	◎誠之堂	深谷市

象限儀

地域の特性

　関東地方南東部の房総半島に位置する。東側は太平洋、西側は東京湾と浦賀水道に面し、北側に利根川、北西側に江戸川が流れている。半島北部は水利に乏しく、畑作や馬牧の多い下総台地が広がる。半島南部は低山と岩石海岸からなる房総丘陵で、首都圏の観光地となっている。県北西部は東京に近く、高度経済成長期から宅地化と工業化が急速に進み、人口密度も高い。県東部はサツマイモ、ラッカセイ、野菜などの近郊農業が盛んで、太平洋岸の九十九里平野では水利が改良されて水田が広がった。県南部は温暖な気候でビワや花卉の園芸農業、沖合漁業が盛んであるが、過疎が進んでいる。

　海に囲まれた半島で、縄文時代の貝塚が多い。近代に陸上交通が整備されるまで、川や海を利用した水上交通が発達していた。古代の東海道は海を伝って、西の三浦半島から東京湾をわたり上総の富津付近に上陸し、北東へと進んだ。平安時代末期に千葉氏が源頼朝を助け、後に千葉氏一族は有力な武士団となった。戦国時代末期、小田原の後北条氏に味方した武将が多く、豊臣秀吉に敗れてほとんどが滅亡した。江戸時代には多数の中小藩が置かれ、さらに天領、旗本領、寺社領が複雑に入り組んでいた。明治維新の廃藩置県で、周辺諸県との併合・移管を繰り返して1875年にほぼ現在の千葉県ができた。

国宝／重要文化財の特色

　美術工芸品の国宝は4件、重要文化財は43件である。1981年に佐倉に創設された国立歴史民俗博物館に国宝／重要文化財が多数ある。そのうち日本文学や歴史に関する古文書・古書籍、歴史資料、中国の漢籍など文字資料が多く、考古資料や絵画、彫刻も少量ある。建造物に国宝はなく、重要文化財は29件である。日蓮と縁の深い日蓮宗大本山法華経寺や、戦国

武将の安房里見氏から庇護を受けた石堂寺などに国宝／重要文化財が多い。中世に争乱が続き、近世の中小藩も頻繁に交代があったため、有力な地方統治者による長期にわたる文化的財宝の集積が進まなかったと思われる。

◎金鈴塚古墳出土品

木更津市の郷土博物館金のすずで収蔵・展示。古墳時代後期の考古資料。金玲塚古墳は、富津岬北側で東京湾に流入する小櫃川流域に位置し、海岸から約1.8km離れた微高地上にある。長さ約90mの前方後円墳で、後円部に長さ約9.3mの横穴式石室が開口し、石室内から石棺と大量の副葬品が出土した。1950年に調査が行われ、小さな金製の鈴が見つかったことから古墳は金鈴塚と命名された。出土した副葬品は、柄頭がこぶし状の金銅装頭椎大刀、環状の柄頭の内部に2頭の竜を図案した金銅装双龍環頭大刀、柄頭がニワトリのトサカのような形をした銀装鶏冠頭大刀などの多数の刀剣類、鉄冑や挂甲と呼ばれる武具、銅馬鐸、鏡版、鞍などの馬具、仏教に関連する承台付銅蓋鋺、銅鏡、ガラス玉、瑪瑙勾玉、水晶切子玉などの玉類、金銅製透彫金具、金糸、須恵器、土師器など多種多様な内容であった。古墳の年代は6世紀末とされている。かつて東海道は三浦半島から浦賀水道を海路で越え、富津岬周辺へと通じていた。富津岬北側の平野を流れる小櫃川と小糸川流域には、内裏塚古墳をはじめ巨大な古墳が多数分布し、有力な勢力が古墳時代に存在したと推測されている。金鈴塚古墳に埋葬された首長は西日本と深い交流を結んでいたと思われ、豪華な副葬品は、群馬県の観音塚古墳出土品と類似している。

●伊能忠敬関係資料

香取市の伊能忠敬記念館で収蔵・展示。江戸時代の歴史資料。伊能忠敬（1745〜1818年）は佐原の商人であったが、51歳で家業を引退してから天文暦学や測量学を学び、さらに全国を周って測量し、日本地図を完成させた。残された遺品が子孫によって大切に保存されて伝わり、そのうちの2,345点が国宝となった。その内容は、伊能図と呼ばれるさまざまな大きさの彩色地図、その元となった測量下図、測量経路の風景を描いた麁絵図などの地図・絵図類、測量中の日記、測量の目標となった山島方位記、天体観測の記録、測量御用日記、辞令や先触などの文書・記録類、直筆の書状、師の高橋至時や友人たちとの往復書状などの書状類、中小の象限儀、距離を測る量程車、振子時計である垂揺球儀などの器具類、暦に関する書物であるラランデ暦書管見、暦象考成後編などの典籍類からなっている。これらの資料は、

江戸時代に全国を縦断した測量の実情だけでなく、伊能忠敬の人間性をも伝える貴重な学術資料となっている。

● **宋版史記**　佐倉市の国立歴史民俗博物館で所蔵・展示。中国／南宋時代の典籍。前漢時代に司馬遷が著した歴史書『史記』を、南宋の慶元年間（1195～1200年）に建安（福建省）の黄善夫が中心となって印刷した漢籍である。しっかりとした字体で、鮮明な印刷である。集解・索隠・正義という3種類の注釈書も一緒に印刷され、全90冊すべてがそろっている現存最古の刊本で、世界的にも貴重な資料である。中国の官吏登用試験である科挙のためのテキストで、同館所蔵の宋版漢書、宋版後漢書と同時に印刷され、3部の漢籍が1セットだったと考えられている。この書物には、五山派の禅僧である月舟寿桂（1460～1533年）とその門人たちによる書き込みが多数ある。室町時代に五山派の禅僧の間で『史記』や『漢書』の研究が盛んになり、この書物は月舟の所蔵本だった。その後月舟から妙心寺の禅僧南化玄興へと移り、さらに米沢上杉氏の家老直江兼続の蔵書となって、米沢藩の藩校興譲館に継承された。学問好きの直江兼続は南化と知遇を得ると、本を借りて書写したり、多数の漢籍を入手した。米沢転封後には禅林寺（現法泉寺）を開いて禅林文庫を設け、米沢藩の学問的基礎を築いた。

◎ **笠森寺観音堂**　長南町にある。桃山時代の寺院。山頂の巨岩上に建てられた四方懸造という特異な構造で、1597年に建てられた。懸造とは崖などの傾斜面に長短の柱を立て、人工の基盤を設けて上方の建物を支える建築様式である。平安時代末期以降、山岳信仰、観音信仰と結びついて全国に広まった。笠森寺観音堂は傾斜地に寄り懸るのではなく、巨岩を覆って、独立してそそり立つように建っている。桁行5間、梁間4間の寄棟造で銅板葺の屋根である。側面に付けられた木造階段を上っていくと、床下を支える多数の林立する太い柱が見え、構造的力強さを示している。内部は前側正面3間と側面2間を外陣、後方を内陣とし、四天柱を後退させている。

◎ **飯高寺**　匝瑳市にある。江戸時代前期の寺院。総門、講堂、鼓楼、鐘楼が重要文化財になっている。飯高寺は1580年に開創された日蓮宗の檀林（学問所）で、土地の豪族であった平山刑部少輔常時が、飯高城の中に寺をつくったのが始まりと伝えられる。日蓮宗の宗門根本檀林として徳川氏より保護を受け、各地から集まった修行僧でにぎわった。

1650年に焼失し、現在の建物は翌年に再建されたものといわれている。大きな講堂の前方左右に、鼓楼と鐘楼が建ち、総門は離れた位置にある。講堂は桁行9間、梁間7間で、屋根が高い。入母屋造で厚い板を重ねて葺いた栩葺である。鼓楼は1720年に建てられ、方2間で、入母屋造の素朴な茅葺屋根の下に複雑な三手先組物と支輪があり、重厚感を感じさせる。総門は1680年に建てられ、太い部材を使用した大きくて簡素な高麗門である。高麗門とは、切妻屋根が本柱にあり、本柱の背面（内側）左右に控柱を立てて小さな切妻屋根をのせた門である。明治維新の頃、1872年に廃壇となり、多数の建物が処分された。その機能は東京に移されて、後に立正大学へと発展した。

◎新勝寺

成田市にある。江戸時代中期から末期の寺院。不動明王を祀る成田山として有名で、歌舞伎役者の初代市川団十郎をはじめ、江戸時代に庶民の間で成田不動の信仰が広まった。広い境内に多数の建造物があり、そのうち光明堂、三重塔、仁王門、釈迦堂、額堂が重要文化財である。現在の本堂が建造される以前に、歴代本堂として1655年に薬師堂、1701年に光明堂、1858年に釈迦堂が順に建立され、本堂の変遷をたどることができる。光明堂は桁行5間、梁間5間で、丸瓦と平瓦を一体化させた波状の桟瓦を葺いた桟瓦葺の入母屋造である。安政年間の移築の際に回縁と、外陣部分の床を撤去して土間としたため、珍しい構造となっている。内法長押から上の小壁に彫刻がある。釈迦堂も桁行5間、梁間5間であるが、光明堂よりも規模が大きく、装飾性が増している。入母屋造の屋根に千鳥破風、軒唐破風付1間向拝が正面にあり、周囲の外壁に五百羅漢、扉に二十四孝の彫刻がめぐらされている。三重塔は1712年に建立され、高さ約25mである。外壁に十六羅漢の彫刻、尾垂木の先端に金色の竜の彫刻、また各重の屋根の軒裏は垂木を見せない板軒にして、極彩色の浮彫で雲の文様が施されている。極彩色と彫刻に満ちた過剰装飾の建造物である。仁王門は1830年に建てられ、中心となる4本柱の前後に8本の控柱を立てた八脚門である。入母屋造の正面の屋根に千鳥破風と軒唐破風、背面にも軒唐破風が付く。上部の小壁には竹林の七賢人や司馬温公瓶割りなどの彫刻が施されている。新勝寺の建物群から江戸時代の建造物の推移がうかがえる。

☞ そのほかの主な国宝／重要文化財一覧

	時　代	種　別	名　　　称	保管・所有
1	縄　文	考古資料	◎幸田貝塚出土品	松戸市立博物館
2	飛　鳥	彫　刻	◎銅造薬師如来坐像	竜角寺
3	平　安	彫　刻	◎木造十一面観音立像	荘厳寺
4	平　安	彫　刻	◎木造大日如来坐像（本堂安置）	妙楽寺
5	平　安	古文書	◎中右記部類巻第七	国立歴史民俗博物館
6	平　安	考古資料	◎銅印（印文「山邊郡印」）	国立歴史民俗博物館
7	鎌　倉	絵　画	◎絹本著色愛染明王像	長徳寺
8	鎌　倉	絵　画	◎絹本著色日蓮上人像	浄光院
9	鎌　倉	絵　画	◎紙本著色前九年合戦絵詞	国立歴史民俗博物館
10	鎌　倉	彫　刻	◎木造金剛力士立像	万満寺
11	鎌　倉	彫　刻	◎銅造千手観音立像	那古寺
12	鎌　倉	工芸品	◎銅造十一面観音坐像	観福寺
13	鎌　倉	典　籍	◎伊勢物語（伝藤原為氏筆本）	国立歴史民俗博物館
14	鎌　倉	典　籍	●立正安国論（日蓮筆）	法華経寺
15	南北朝	絵　画	◎紙本著色親鸞上人絵伝	照願寺
16	室町～桃山	絵　画	◎紙本金地著色洛中洛外図	国立歴史民俗博物館
17	江　戸	歴史資料	◎大原幽学関係資料	大原幽学記念館
18	室町中期	神　社	◎飯香岡八幡宮本殿	飯香岡八幡宮
19	室町後期	寺　院	◎法華経寺法華堂	法華経寺
20	室町後期	寺　院	◎西願寺阿弥陀堂	西願寺
21	室町後期	寺　院	◎石堂寺	石堂寺
22	江戸中期	神　社	◎香取神宮	香取神宮
23	江戸中期	民　家	◎旧尾形家住宅（南房総市丸山町）	丸山町
24	江戸末期	民　家	◎旧吉田家住宅（柏市花野井）	柏市
25	明　治	住　居	◎旧徳川家松戸戸定邸	松戸市

13 東京都

摩耶夫人像

地域の特性

　関東地方の南西部に位置し、東西に長い陸地部と、太平洋上の伊豆諸島、小笠原諸島の島嶼部からなっている。陸地部は西側に関東山地、東側に武蔵野台地が広がり、東端は東京湾の海岸線となり、西から東へ向かって階段状に低くなる。都東部の都心には高層ビルが立ち並び、日本の政治・経済・文化の中心として最も人口が多く、人口密度も高い。隣接する都心周辺では市街化が全域に及んでいる。都央部の武蔵野台地でも高度経済成長期に宅地化が進み、広大なニュータウンが造成された。都西部の山地地帯は交通の便に恵まれず、農村風景をとどめて都市近郊の観光地となっている。

　東京湾周辺には貝塚が多く分布し、なかでもアメリカ人のモースが1877年に発掘した大森貝塚は有名である。古代の都からの道は、中部高地を抜けて北側から南下してきた東山道が利用されていたが、771年から海沿いの東海道が使用されるようになった。平安時代末期から武蔵七党の武士団が勢力を伸ばした。1456年に太田道灌が江戸城を築いたが、その後小田原の後北条氏の勢力下となった。後北条氏が豊臣秀吉に敗北すると、徳川家康が江戸城に入り、江戸幕府が置かれた。幕府開府とともに江戸の町づくりが進められ、江戸市中統治のため江戸町奉行が置かれた。明治維新の廃藩置県で、江戸市街地と周辺農村部とを合わせて東京府ができた。1878年に静岡県から伊豆七島、1893年に神奈川県から多摩地方が編入され、さらに1943年に東京府から東京都となった。

国宝／重要文化財の特色

　美術工芸品の国宝は278件、重要文化財は2,426件あり、全国の都道府県の中で最も数量が多い。東京都のなかでも東京国立博物館に最も多く文化財が収蔵されている。収蔵品の総数は約11万6,000件で、国宝／重要文

関東地方　105

化財は寄託品も合わせると約1,000件にもなる。2番目に国宝／重要文化財が多いのは旧加賀藩主前田氏の尊経閣文庫で、その数量は98件だから、東京国立博物館の収蔵数は突出している。そのほかの国宝／重要文化財の多い施設は、大藩の歴代旧藩主が蓄蔵したコレクションか、近代実業家たちのコレクションからなっている。旧藩主のコレクションを除いて、東京都にあるコレクションは、すべて近代になってから形成された。近代国家による文化財の保存と、実業家たちの財力によって、多数の古美術の逸品が東京に集中したのである。

建造物の国宝は2件、重要文化財は80件である。たび重なる江戸の大火や東京大空襲でも焼失せず、さらに戦後の都市開発でも取り壊されずに残った建造物の中から、国宝／重要文化財が選ばれた。

◎摩耶夫人及天人像

台東区上野公園の東京国立博物館で収蔵・展示。飛鳥時代の彫刻。明治維新後に衰退した法隆寺から1878年に宮内省へ宝物が献納されて、1万円の報酬金が寺に下付された。献納された宝物には飛鳥時代の小金銅仏、伎楽面などが含まれていた。小金銅仏は像高15～30cmで49件57体あり、通称48体仏という。その中に、麻耶夫人像と3人の天人像からなる摩耶夫人及天人像が含まれている。像高11～17cmと小さい。麻耶夫人とは釈迦を産んだ母親である。摩耶夫人像は右足を出して立ち、右手を振り上げ、左手は裾をつかんで斜め下へ向けている。振り上げた右手の裾口から、合掌する小さな釈迦の上半身が出ている。天人像は両膝あるいは片膝をつき、天衣、袖、裳が後方になびいて飛行の様子を見せている。摩耶夫人は出産のために故郷に帰る途中、花園で樹に咲く花を手折ろうとして手を伸ばした時に、右脇から釈迦を産んだと伝えられている。小像は、この釈迦生誕の様子を表現しているのであり、小さいながらも、生き生きとした動作がうかがえる。これらの小金銅仏は蝋型で鋳造されてから鍍金が施された。

●蔵王権現像

足立区の西新井大師總持寺の所蔵。台東区上野公園の東京国立博物館で展示。平安時代中期の工芸品。大型の鋳銅板表面に蔵王権現像とその眷属（従者）を線刻した御正体である。三葉光背形で縦67cm、横76.3cm、左端と下部が欠損する。奈良県金峯山の出土と伝えられる。御正体とは、鏡の表面に神像・仏像・梵字などを線刻し、寺社に奉納、礼拝したもので、本地垂迹説によって本地仏や種子が描かれた。金峯山の場合、本地仏は蔵王権現で垂迹は金精大明神である。

中央に大きく描かれた蔵王権現は、三つ目で忿怒の表情、右手で三鈷杵を高くかかげ、左手を腰にあて、右足を曲げて立っている。取り囲む眷属像は弓矢や刀鉾を手にして、右に19体、左に13体ある。欠損した部分と合わせて本来38体あって、金峯山の38所権現を表現したと推定されている。細い描線ながらも明瞭な線刻で、眷属たちのさまざまな表情や姿が巧みに描き出され、また重なる群像の空間構成も上手にまとめられている。裏面には胎蔵界大日、阿弥陀、阿閦、弥勒、釈迦の種子が刻まれ、長保3年（1001年）の刻銘もある。

● **餓鬼草紙**　台東区上野公園の東京国立博物館で収蔵。鎌倉時代前期の絵画。もと岡山市の河本氏に伝来した絵巻物である。人間は死後に地獄、餓鬼、畜生、修羅、人間、天上の六つの世界に転生するとし、これを六道輪廻という。六道から逃れて、極楽に往生することを人々は願った。この考え方は、平安時代中期の985年に恵心僧都源信が著した『往生要集』によって広く流布した。六道を描いたのが六道絵で、特に苦しみの多い三悪道のうち、餓鬼道を表現したのが餓鬼草子である。類似の六道絵である地獄草紙、病草紙とともに、後白河院の周辺で製作された絵巻物とみられている。この餓鬼草紙は正法念処経巻第16の説によって描かれ、詞書がなく、10図の絵からなっている。例えば、最初の食人精気餓鬼の図では、公家邸の酒宴で琵琶、横笛、箏を奏で興じる太った公卿たちの様子が描かれている。しかしよく見ると、肩や胸、膝の上に黒くて小さい餓鬼が取りついている。この餓鬼たちは、華やかに着飾った美男美女が淫楽にふけり、遊宴に明け暮れる場所に忍び寄るのだが、小さいので人間の目には見えないという。以下、出産直後の嬰児をねらう食小児餓鬼、布施をせずに僧侶に不浄なものを与えたため人間の糞を食いあさるようになった食糞餓鬼、病人の食を横取りした僧侶が生まれ変わり墓場を荒らす疾行餓鬼など、さまざまな餓鬼が描かれている。登場人物が生き生きと表現され、当時の世相が十分うかがえる。それに対して餓鬼たちは不気味で醜悪だが、どことなくユーモラスな感じを受ける。

● **舟橋蒔絵硯箱**　台東区上野公園の東京国立博物館で収蔵。桃山時代の工芸品。本阿弥光悦の制作した1辺約23cmの方形の蒔絵硯箱である。角が丸く、蓋甲が山形に高く盛り上がる。全体に、漆塗りの上に金粉を蒔いて研ぎ出した沃懸地が施されている。蓋表から四方側面にかけて4艘の小舟と、小舟の間にゆるやかな川波、そして右側中

段から左側下方にかけて、黒い橋が鉛板でくっきりと描かれている。並べた舟に板を渡して橋にした様子が表現されている。そして蓋全面に、後撰和歌集巻第10の源 等朝臣の和歌「東路の佐野の舟橋かけてのみ思渡るをしる人のなさ」が、散らし書き風に厚めの銀文字で配される。こんもりと盛り上がった斬新な形態、大胆な構図、書の美しさが十分に発揮され、個性あふれる作品である。

◎饕餮文方盃

港区の根津美術館で収蔵・展示。中国／殷時代の考古資料。古代中国の青銅器である。殷は紀元前17世紀から紀元前1050年頃まで続いた中国最古の王朝で、商とも呼ばれる。初期の都城は河南省偃師県、中期は河南省鄭州市二里岡に造営され、後期に都は河南省安陽市に遷されて、現在殷墟という遺跡名で保存されている。20世紀初頭に殷墟の研究が始まり、1928年から日中戦争が勃発する1937年まで発掘調査が継続された。安陽市小屯村で大規模な建物の基壇群が確認され、宮殿あるいは宗廟と考えられた。1933年からは近隣の後岡や侯家荘西北岡で大規模な王墓が次々に調査され、青銅器、土器類、石彫類、石製容器類、武器類、玉石類、骨角器など大量の副葬品が出土した。

饕餮文方盃は3点あり、高さ約70cmである。盃とは酒などを温めて注ぐ容器で、方形をして頭部に円筒形の注口、下部に4本の脚が付いている。饕餮文とは怪獣の顔面を表現し、特に巨大な眼と角が目立ち、大きく広げた口は牙や歯をむき出しにしている。古代中国では、悪霊から飲食物を守護する呪術的力が饕餮文にあると信じられていた。3点のそれぞれに左、中、右の配列を示す銘がある。大きさと風格から殷王の所有品と考えられ、侯家荘西北岡第1001号墓から出土したと伝えられている。

根津美術館は実業家根津嘉一郎の収集したコレクションを土台にしている。根津はこの青銅器を1933年3月に購入したのだが、当時中国では文化財の国外流出が大きな社会問題となっていた。違法輸出や遺跡盗掘を防止するため、中国では1930年に文化財保護の法律が公布され、1933年6月に施行された。

●古文尚書

文京区の東洋文庫で収蔵。中国／唐時代の典籍。尚書は書経の別名である。中国最古の歴史書で、儒教で重視される五経（易経・書経・詩経・礼記・春秋）に含まれる。この古文尚書は中国で7世紀に隷古定という古い書体で書写された。元九条家の旧蔵本で、現在宮内庁書陵部にある御物、東京国立博物館所蔵の古文尚書とともに

一連をなす。唐の玄宗皇帝は古い書体を好まず、天宝年間（742〜55年）に当時通用していた今文体の楷書に改めさせた。そのため古い書体の旧本は中国で失われてしまった。ところが20世紀になって敦煌の石室から古い書体の残本が発見されると、日本で明経道の学問を代々引き継いだ博士家に伝わった旧本が注目されるようになった。九条家旧蔵の古文尚書は最古の伝本と考えられている。伝来した旧本によって現行の尚書の誤りが正されただけでなく、漢文を訓読する際に付された乎古止点は、日本語研究の重要な資料となっている。

◎エンボッシング・モールス電信機

墨田区の郵政博物館で収蔵・展示。アメリカ／19世紀の歴史資料。日米和親条約締結のため1854年に来航したペリー提督が、アメリカ大統領から徳川将軍への贈品として持参したモールス電信機である。電気と磁気を応用した電磁式電信機は19世紀になって発展した。開発当初は複数の針で文字を示す仕組みだったが、改良が重ねられ、1840年には円形の文字盤ダイヤルの上を、1本の針が回って文字を示す指字電信機が考案された。モールスは、時計仕掛けのモーターで紙テープを回し、電磁石を利用して電流で上下する針で紙テープに点あるいは線の印を付ける装置を発明した。送信側の電鍵（キー）でモールス符号を打つと、受信側の紙テープにエンボス（凸凹模様を付ける）が記録されて通信となる。モースルは1844年に、ワシントン〜ボルティモア間60kmの通信業務を開始した。ペリー提督が持ってきた電信機は、アメリカのJ・W・ノートン社製の特注品で、キーに象牙を使用し、基盤に装飾が施されている。横浜で900m間の通信実験を行い、詳しい記録が残っている。しかしながらモールス電信機の操作習得は困難だったようで、1870年に日本で公衆電信事業が開始された時には、文字盤ダイヤルを応用した指字電信機が採用された。東京〜横浜間32kmで、同館所蔵のフランス製ブレゲ指字電信機を使って電信事業が始まった。1873年に東京〜長崎間、翌年に東京〜青森間、そのまた翌年に青森〜函館間の電信線が建設され、列島縦断のルートが完成した。1877年の西南戦争の時、九州の戦況が刻々と東京に打電されて、電信の効果と威力に人々が驚いたという。通信網が発達すると、送信速度が速く、遠距離通信に適したモールス電信機に置き換えられていった。

関東地方　109

●旧東宮御所

　港区にある。明治時代の住居。国家的大事業として1899年から10年をかけて、嘉仁親王（後の大正天皇）の東宮御所が建造された。結局嘉仁親王は住まず、昭和天皇や今上天皇が一時的に暮らしただけだった。戦後、東宮御所は皇室から衆議院に移管された。1967年には外国の賓客を接遇する迎賓館とすることに決まって改修され、現在は迎賓館赤坂離宮となっている。設計したのは宮内省内匠寮の技師片山東熊（1854～1917年）である。彼は工部大学校（現東京大学）造家学科の第1期生で、イギリス人建築家コンドルの教えを受けた。卒業後宮内省に入って宮廷建築家となり、帝国奈良博物館、帝国京都博物館、表慶館などを建てた。

　旧東宮御所は石造および鉄骨レンガ造の2階建の洋風宮殿建築で、外観はネオ・バロック様式である。広大な前庭に北を向いて建ち、東西に伸びた前棟と後棟を、南北方向の中央棟と東西棟の3棟で連結させた左右対称の平面である。前棟の両端が前に突出し、玄関から湾曲した廊下でつながっている。正面1階はアーチ窓が配され、2階は装飾性を増して、イオニア式片蓋柱で整然と区画された中を、アーチ窓や角窓、上部に三角形のペディメントを付けた角窓が並ぶ。内部各階は機能的に分けられ、2階は公式の引見・接遇、1階は居住空間で東半分を皇太子用、西半分を皇太子妃用、地階は厨房・設備・倉庫となっていた。

　内部は、中央玄関を入って壮麗な大階段を上ると、正面に朝日の間、後方に彩鸞の間がある。朝日の間は、朝日を背にして馬車を走らせる女神像が天井に描かれ、周囲の壁に16本の円柱（ピラスター）が並ぶ。この部屋で表敬訪問や首脳会談などが行われている。彩鸞の間には、左右の大きな鏡の上と、大理石の暖炉の両脇に、架空の鳥である鸞をデザインした金色の浮彫がある。階段をはさんで東棟に花鳥の間、西棟に羽衣の間がある。花鳥の間は、天井や欄間に張られたゴブラン織風綴織（タペストリー）、壁面に飾られた楕円形七宝に花鳥が描かれていて、公式晩餐会が催される大食堂である。羽衣の間は、謡曲の羽衣の場面が天井に描かれ、壁に楽器や楽譜の浮彫がある。室内正面の中2階にオーケストラボックスがあり、かつて舞踏会場として設計されたといわれている。朝日の間、彩鸞の間、花鳥の間、羽衣の間の4室は東宮御所で最も主要な部屋だった。

　洋風建築であるが、所々に和風の彫刻・装飾が見られる。正面中央部の軒上両端に鎧兜を身に着けた武者像の青銅製彫刻が立ち、屋根のペディ

メントには菊花章の左右に日本の鎧と兜が埋め込まれている。賓客に対面する朝日の間や彩鸞の間にも、軍刀、鎧兜など日本の武具が描かれている。天皇と武士・武具の関係は、富国強兵の軍国日本を誇示するためだった。

◎明治丸(めいじまる)　江東区にある。明治時代前期の交通機関。殖産興業を積極的に推進した工部省が、灯台視察船として1873年にイギリスに発注し、翌年完成した帆付汽船である。鉄製で長さ68.6m、幅9.1m、総トン数は1,027.6tだった。蒸気機関2基とスクリュープロペラ2基を備え、平均速力は11.5ノット、2本マストで、乗員は77名だったという。灯台視察船とはいえ、特別室やサロンを備えた豪華な客船仕様で、ロイヤルシップの役目も兼ねていた。1876年の東北巡幸の際、明治天皇が帰路青森から乗船し、函館経由で7月20日に横浜に着いた。この日を記念して海の記念日が制定され、1996年には祝日海の日となった。1896年に商船学校(現東京海洋大学)に譲渡され、帆装が2本から3本に改装されて係留練習船となった。1964年からは陸上に定置されて保存された。この船は、木船が鋼船へ移行する過渡期の鉄船で、造船技術を知る上で貴重である。また近代初期に活躍した豪華船としての歴史的意義もある。

◎築地本願寺本堂(つきじほんがんじほんどう)　中央区にある。昭和時代の寺院。浄土真宗本願寺派(西本願寺)の関東拠点寺院の本堂で、伊東忠太(ちゅうた)(1867～1954年)が設計した。近世初期に本願寺が浅草に建立されたが、1657年の明暦大火後に築地に移転した。その後たびたび焼失し、1923年の関東大震災の時にも焼失したので、新しい本堂が1934年に竣工した。本堂は鉄筋コンクリート造一部鉄骨鉄筋コンクリート造で2階建、正面に大階段とインド石窟寺院(せっくつじいんぷう)風の向拝を付け、両翼上部にはストゥーパ形の塔屋が立つ。中央上部にかまぼこ形のヴォールト屋根があり、破風を蓮華文様で飾る。インド古代寺院の外観を基調に、細部にも多様な工夫を凝らしたきわめて特異な建造物である。

☞ そのほかの主な国宝／重要文化財一覧

	時代	種別	名　　称	保管・所有
1	旧石器	考古資料	◎岩宿遺跡出土品	明治大学
2	縄文	考古資料	◎大森貝塚出土品	東京大学総合研究博物館
3	弥生	考古資料	◎本郷弥生町出土壺形土器	東京大学総合研究博物館
4	弥生	考古資料	●袈裟襷文銅鐸（伝讃岐国出土）	東京国立博物館
5	古墳	考古資料	●江田船山古墳出土品	東京国立博物館
6	古墳	考古資料	●人物画象鏡	東京国立博物館
7	飛鳥	典籍	●金剛場陀羅尼経	東京国立博物館文化庁分室
8	奈良	絵画	●紙本著色絵因果経	東京芸術大学
9	奈良	典籍	●根本百一羯磨	根津美術館
10	奈良	古文書	●法隆寺献物帳	東京国立博物館
11	奈良	考古資料	●銅製船氏王後墓誌	三井記念美術館
12	平安	絵画	●絹本著色孔雀明王像	東京国立博物館
13	平安	絵画	●紙本著色伴大納言絵詞	出光美術館
14	平安	彫刻	●木造普賢菩薩騎象像	大倉文化財団
15	平安	典籍	●類聚国史	前田育徳会
16	鎌倉	絵画	●絹本著色那智滝図	根津美術館
17	鎌倉	絵画	●紙本著色平治物語絵詞（六波羅行幸巻）	東京国立博物館
18	鎌倉	工芸品	●円文螺鈿鏡鞍	御嶽神社
19	鎌倉	典籍	●栄花物語	東京国立博物館
20	鎌倉	典籍	●土佐日記（藤原定家筆）	前田育徳会
21	室町	絵画	●紙本著色観楓図（狩野秀頼筆）	東京国立博物館
22	桃山	絵画	●紙本著色花下遊楽図（狩野長信筆）	東京国立博物館
23	桃山	絵画	●紙本墨画松林図（長谷川等伯筆）	東京国立博物館
24	桃山	工芸品	●志野茶碗（銘卯花墻）	三井記念美術館
25	江戸	絵画	●紙本金地著色燕子花図（尾形光琳筆）	根津美術館
26	江戸	絵画	●紙本金地著色楼閣山水図（池野大雅筆）	東京国立博物館

(続き)

	時代	種別	名　称	保管・所有
27	江戸	絵画	●絹本淡彩鷹見泉石像（渡辺崋山筆）	東京国立博物館
28	江戸	工芸品	●八橋蒔絵螺鈿硯箱（尾形光琳作）	東京国立博物館
29	明治	絵画	◎花魁（高橋由一筆）	東京芸術大学
30	明治	絵画	◎絹本著色悲母観音像（狩野芳崖筆）	東京芸術大学
31	近代	彫刻	◎女（荻原守衛作）	東京国立博物館
32	中国／北宋	書跡	●圜悟克勤墨蹟（印可状）	東京国立博物館
33	中国／南宋	絵画	●紙本墨画煙寺晩鐘図（伝牧谿筆）	畠山記念館
34	朝鮮／三国	考古資料	◎金銅透彫宝冠	東京国立博物館
35	イタリア／16世紀	典籍	◎天正遺欧使節記（伊太利レツジオ刊）	東京国立博物館
36	オランダ／16世紀	彫刻	◎木造エラスムス立像	東京国立博物館
37	室町前期	寺院	◎金剛寺不動堂	金剛寺
38	室町中期	寺院	●正福寺地蔵堂	正福寺
39	室町後期	寺院	◎観音寺本堂	観音寺
40	桃山	住宅	◎護国寺月光殿（旧日光院客殿）	護国寺
41	江戸前期	寺院	◎寛永寺清水堂	寛永寺
42	江戸前期	神社	◎東照宮社殿	東照宮
43	江戸中期	神社	◎根津神社	根津神社
44	江戸中期	民家	◎小林家住宅（西多摩郡檜原村）	—
45	江戸後期	住宅	◎旧加賀屋敷御守殿門（赤門）	東京大学
46	江戸後期	民家	◎大場家住宅（世田谷区世田谷）	大場代官屋敷保存会
47	明治	住居	◎旧岩崎家住宅（台東区池之端一丁目）	国（文部科学省）
48	大正	学校	◎自由学園明日館	自由学園 婦人之友社
49	大正	交通	◎東京駅丸ノ内本屋	東日本旅客鉄道株式会社
50	昭和	交通	◎勝鬨橋	東京都

北海道　東北地方　関東地方　北陸地方　甲信地方　東海地方　近畿地方　中国地方　四国地方　九州・沖縄

関 東 地 方　113

14 神奈川県

鎌倉大仏

地域の特性

　関東地方の南西部に位置する。北西側に丹沢山地、南西側に箱根山があり、東側には多摩川以南の多摩丘陵が南へのびて、三浦半島となっている。中央には相模川をはさんで台地と低地があり、南側には相模湾の砂丘地が広がっている。県北東部の横浜と川崎は、東京と関係の深い地域で人口密度も高く、政治・経済・文化の中心である。県南部の相模湾岸一帯は、中国の景勝地の地名にちなんで湘南と呼ばれている。保養地から発展して観光地となり、住宅地も広がった。県央部の相模原の台地にはアメリカ軍基地があり、工業開発や宅地化が進んでいる。県西部の丹沢山地や箱根山では、沢登りの登山者や温泉客でにぎわっている。

　源頼朝が鎌倉に幕府を開き武家政治を確立した。戦国時代には後北条氏が小田原を本拠に関東地方を制覇し、また江戸時代末期には横浜が開港場となって文明開化の先進地になった。このように神奈川県は、歴史の流れに先駆的役割を担った。京都・奈良の王朝文化に対抗して、武家たちの間で新しく流行した禅宗、あるいは後世の学術に大きな影響を与えた金沢文庫など、文化的にも特色を示している。江戸時代には少数の中小藩と、数多くの旗本領、天領に細分された。明治維新の廃藩置県で神奈川県と足柄県が置かれたが、その後足柄県が廃止され、1893年に多摩地方が東京府に編入されて、現在の神奈川県ができた。

国宝／重要文化財の特色

　美術工芸品の国宝は18件、重要文化財は276件である。建造物の国宝は1件、重要文化財は53件である。鎌倉に幕府が開かれて政治文化の中心となったため、有力者の庇護を受けた建長寺や円覚寺などの鎌倉五山、金沢文庫（称名寺）、鶴岡八幡宮に文化的財宝の集積が見られる。ただし戦乱や災害によって、鎌倉時代の建造物はほとんど残っていない。近代にな

って生糸貿易で富豪となった原富太郎が、膨大な古美術品と多数の古建築物を集めた。彼の古美術品コレクションは四散したが、邸宅の庭園だった三溪園（さんけいえん）では、今でも移築された建造物を見ることができる。関東大震災後に、寺社や個人所有の文化財を保護するため鎌倉国宝館が建てられ、国宝／重要文化財が多数収蔵されている。また川崎にある日本民家園には全国から民家が集められ、重要文化財や県市の指定文化財となった民家が多く残されている。

● 阿弥陀如来坐像（あみだにょらいざぞう）

鎌倉市の高徳院（こうとくいん）所蔵。鎌倉時代の彫刻。由比ヶ浜（ゆいがはま）の海岸から約1km北に位置する。鎌倉大仏（かまくらだいぶつ）の名称で親しまれている銅造の巨大な仏像である。1252年から製作が始まり、約10年かけて完成したといわれている。像高11.3m、重量121tである。やや猫背気味の上体、面長な顔、切れ長の目は宋代仏画の影響を示している。鋳型でつくられたいくつもの部品が、鋳繰り（いからくり）という技法で接合された。表面に継目の痕跡が水平状に薄く見て取れる。胎内に入って裏側を拝観すると接合の様子がよくわかる。

元来大きな仏像を納める仏殿があったが、1495年の津波で仏殿が倒壊し、以来露仏になったという。高徳院に伝わる文書によると、1703年の元禄地震で台座前方が崩れて前向きに傾いたが、正徳年間（1711～16年）に祐天上人（ゆうてんしょうにん）によって修復された。1923年の関東大震災の時にも約45cm前面にせり出し、後ろ側が約10cm、前側が約35cm地中にめり込んだ。関東大震災は鎌倉のほかの諸寺院にも、建造物の倒壊や仏像の破損など甚大な被害を与えた。1924年から文部省の国庫補助事業で寺院・仏像の修復作業が開始され、鎌倉大仏は同年11月から翌年5月まで修復工事が行われた。奈良の大仏をはじめ巨大な仏像の多くが当初の姿を失っているなか、鎌倉大仏は幾たびもの災害を乗り越え、創建時の姿を見事にとどめている。

なお大仏の後方に、観月堂という朝鮮の建造物がある。元ソウルの朝鮮王室の宮殿に建っていたという。山一合資会社（後の山一證券）社長杉野喜精（きせい）の東京・目黒の私邸に移築されてから、1924年に高徳院へ寄贈された。韓国へ戻すことに合意したと2010年に報じられたが、実現していない。

◎ 弥勒菩薩立像（みろくぼさつりゅうぞう）

横浜市の称名寺（しょうみょうじ）の所蔵。隣接する金沢文庫でレプリカを展示。鎌倉時代中期の彫刻。北条実時（ほうじょうさねとき）（1224～76年）が造立（ぞうりゅう）を発願した称名寺金堂の本尊で、像高約194cmの木造の仏像である。彼の死後に完成して、追善供養された。安置されている須弥（しゅみ）

関東地方　115

壇の板壁（来迎壁）表には、聖衆を従えて兜率天浄土から降りてくる弥勒菩薩を描いた弥勒来迎図、裏には兜率天で修行に励む弥勒浄土図が描かれている。境内は弥勒の浄土を表す浄土庭園となっていて、広大な苑池の周辺にかつて多数の堂塔が建っていた。浄土信仰では、主に阿弥陀如来や極楽浄土からの阿弥陀来迎図が描かれたため、弥勒菩薩を中心にして表現するのは珍しい。弥勒菩薩は釈迦についで56億7,000万年後に如来になると確約された尊格で、北方の兜率天浄土を住処とする。鎌倉時代になると、阿弥陀信仰に対抗して釈迦如来に回帰する復興気運が南都（奈良）で強まった。その延長線上で、入滅した釈迦が弥勒となってこの世に現れるのを待つという釈迦・弥勒信仰が、奈良県西大寺の叡尊、鎌倉極楽寺の忍性ら真言律宗の僧侶たちによって推進された。殺生禁断の励行を説く叡尊に帰依した北条実時は真言律宗に改宗し、称名寺も弥勒信仰を特色とするようになった。

　北条実時の創設した金沢文庫は、歴代北条氏によって多数の書籍が収集されたことで有名である。鎌倉幕府滅亡とともに北条氏も途絶え、文庫の経営は称名寺に移された。寺が衰微すると、上杉憲実、北条氏康、豊臣秀次、徳川家康、前田綱紀など権力者たちが次々に蔵書を持ち出し、散逸が進んだ。近代になって1897年に、伊藤博文の助力で称名寺境内に金沢文庫が再建されたが、関東大震災で破壊された。実業家大橋新太郎の寄付で1930年に県立金沢文庫が復興された。現在、称名寺・金沢文庫には北条実時、顕時、貞顕、貞将の歴代肖像画である四将図、平安時代の写本である文選集注、金沢文庫文書、称名寺聖教、青磁壺、銅鐘など多数の国宝／重要文化財がある。

● **籬菊螺鈿蒔絵硯箱**　鎌倉市の鶴岡八幡宮の所蔵。鎌倉国宝館で展示。鎌倉時代の工芸品。蒔絵工芸の硯箱で縦29cm、横24cm、蓋と身からなる。全面に金粉を蒔つめた沃懸地で、蓋の表面には、夜光貝や鮑貝の貝殻を嵌入する螺鈿の技法で、竹や柴を編んで作った籬や、多数の大きな菊を描く。空には鳥、地には岩や下草を配している。平安時代の絵画的情景を継承し、硯箱として数少ない古例である。鶴岡八幡宮には、類似の蒔絵工芸品として北条政子の手箱が伝来していたが、1873年のウィーン万国博覧会出品後、帰途に輸送船が静岡県伊豆沖で沈没し、失われてしまった。

　もともと鶴岡八幡宮は神仏習合で、八幡大権現を祀り、12院の僧侶が

いた。明治維新の廃仏毀釈で多数の堂塔と宝物が、きわめて短期間に処分され、僧侶たちは復飾（還俗）して、総神主となって八幡宮にとどまった。僧侶とは別に旧来から大伴氏という神主がいたのだが、復飾した元僧侶たちは神主の上に総神主の役職を新たに設けて、従来の権力をそのまま維持した。しかし元僧侶たちは零落し、豆腐売り、車夫、あるいは小学校教員になった。宮司として残った元僧侶の筥崎博尹は、過激に進められた廃仏毀釈を悔やんで散逸した宝物を再び買い集め、優れた蒔絵工芸品などを多数所有していた。

◉清拙正澄墨跡

常盤山文庫の所蔵。鎌倉国宝館などで展示。南北朝時代の書跡。中国の高僧、清拙正澄（1274～1339年）が臨終に際して書いた遺偈である。偈とは仏徳を賛嘆して教理を述べたり、仏教の真理を詩の形で表現した文である。清拙正澄は1326年、53歳の時に北条高時の招きで渡来した。建長寺、円覚寺、建仁寺、南禅寺に歴住し、66歳で示寂（死去）した。この墨跡は、棺割の墨跡とも呼ばれ、臨終に間に合わなかった弟子の前典厩藤公が棺の前で泣いていると、正澄が眼を開き、法を授けたという逸話が伝わっている。文の内容は、稲妻の光る荒れた天地で、皆に別れを告げるというもので、崇高な辞世の心境が、気魄のこもった筆致で書かれている。

常盤山文庫は、鎌倉の開発にも関与した実業家菅原通済の集めたコレクションを所蔵している。墨跡以外に、室町時代の水墨画を主軸とした絵画、中国陶磁器などの名品がある。展示施設がないため、収蔵品は国内外の展覧会で展示され、鎌倉国宝館では毎年定例のように常盤山文庫の展覧会が開催されている。

◎建長寺仏殿

鎌倉市にある。江戸時代前期の寺院。建長寺は、宋の禅僧である蘭渓道隆（1213～78年）を開山として、北条時頼が1249年に創建した禅宗寺院である。鎌倉五山の第1位の寺格を与えられた。宋代の禅宗寺院の伽藍形式に基づいて、一直線につながるように主要伽藍が配置された。地震や火災で再建が繰り返され、現存する堂宇は移築されたものが多い。仏殿は、東京都の芝増上寺にあった2代将軍徳川秀忠夫人（家光の母）の崇源院の霊を祀った霊屋を、1647年に移築したものである。方3間の裳階付寄棟造で、裳階の正面に軒唐破風が付く。柱上に組物をびっしりと並べた詰組、花頭窓、柱の下の礎盤など、全体に禅宗様の建築様式を示している。しかし天女や鳳凰など華麗な彫刻が

あり、霊廟建築の特徴も見られる。

◎臨春閣

横浜市にある。江戸時代前期の住宅。数寄屋風書院で、横浜の実業家原富太郎が造営した三渓園にある。原富太郎はこの建物を、豊臣秀吉の建てた聚楽第の北殿で桃山城に移したものだと思い、1906年に購入して横浜へ移築した。しかし紀州藩初代藩主徳川頼宣が1649年に和歌山市の紀ノ川沿いに建てた別邸の巌出御殿で、その後大阪市此花区春日出新田に移された建物という説が一般的となった。さらに近年、もともと新田開発のために建てられた春日出新田会所の建物だったとする説が出されている。臨春閣は第1屋から第3屋までの3棟で構成され、第3屋のみ2階建で、ほかは平屋である。池に接して南東から北西へ弧状に建てられ、各部屋から園内の景色を巧みに観賞できるように棟が配置された。各部屋には狩野探幽、狩野常信、狩野山楽、狩野永徳ら狩野派の障壁画があり、欄間には波形の彫刻や浪華和歌色紙などがあって、趣向の凝らされた室内装飾となっている。また大阪から移築する際に、重厚感のある本瓦葺の屋根を檜皮葺と柿葺に替えて、軽快な姿にした。原富太郎は自らの美意識に基づいて、精密に計算して臨春閣を再建したのである。

　三渓園は外苑と、原氏の私的居住空間だった内苑に分かれている。1906年に外苑が無料で開放され、内苑は1958年に一般公開された。外苑には京都から移築された旧燈明寺三重塔と旧燈明寺本堂、鎌倉から移築された旧東慶寺仏殿、内苑には臨春閣、京都から移築された聴秋閣、旧天瑞寺寿塔覆堂、月華殿など多数の古建築がある。広大な庭園の中で、四季折々の草花とともに日本的風景が形成されている。

◎旧北村家住宅

川崎市の日本民家園にある。江戸時代中期の民家。1687年に丹沢山塊の麓に建てられた農家で、墨書で年代が判明した珍しい例である。平面は広間型3間取りで、中央にヒロマ、向かって右側に土間のダイドコロ、左側奥に寝室のヘヤ、左側手前に座敷のオクがある。ヒロマは竹簀子床で奥の炊事場が板間になっている。オクに床の間が付く。ヘヤは畳敷で押入があるなどの特徴を備え、家屋の内外に竹材が多く利用されている。

🏯 そのほかの主な国宝／重要文化財一覧

	時代	種別	名称	保管・所有
1	奈良	典籍	◎注大般涅槃経	西方寺
2	平安	彫刻	◎木造薬師如来両脇士像	宝城坊
3	平安	彫刻	◎木造神像（男神坐像、女神坐像）	箱根神社
4	平安	典籍	●文選集注	称名寺
5	鎌倉	絵画	●紙本著色当麻曼荼羅縁起	光明寺
6	鎌倉	絵画	●絹本淡彩蘭溪道隆像	建長寺
7	鎌倉	絵画	●絹本著色北条実時像	称名寺
8	鎌倉	絵画	●絹本著色一遍上人絵伝（法眼円伊筆）	清浄光寺
9	鎌倉	彫刻	◎木造退耕禅師坐像	浄妙寺
10	鎌倉	彫刻	◎元箱根磨崖仏	箱根町
11	鎌倉	工芸品	●梵鐘	建長寺
12	南北朝	絵画	◎紙本著色箱根権現縁起	箱根神社
13	江戸	絵画	●紙本淡彩十便図（池大雅筆）、紙本淡彩十宣図（与謝蕪村筆）	川端康成記念会
14	中国・日本／南宋・鎌倉	書跡	●大覚禅師墨跡（法語規則）	建長寺
15	中国／元	書跡	●馮子振墨跡（画跋）	常盤山文庫
16	鎌倉前期	石塔	◎五輪塔	東昌寺
17	鎌倉後期	石塔	◎建長寺大覚禅師塔	建長寺
18	室町前期	寺院	◎宝城坊旧本堂内厨子	宝城坊
19	室町中期	寺院	●円覚寺舎利殿	円覚寺
20	江戸前期	寺院	◎英勝寺	英勝寺
21	江戸前期〜末期	民家	◎関家住宅（横浜市都筑区勝田町）	—
22	明治	商業	◎旧横浜正金銀行本店本館	神奈川県
23	明治	産業	◎旧横浜船渠株式会社第1号船渠（ドック）	横浜市
24	明治	観光	◎福住旅館	湯本福住
25	大正	文化施設	◎横浜市開港記念会館	横浜市

関東地方

火焰型土器

地域の特性

　北陸地方の北東部に位置する。東側に朝日山地、飯豊山地、越後山脈が連続し、中央から西側へ東頸城丘陵がのび、南西側に妙高高原、飛騨山脈が連なる。中央の日本海に信濃川と阿賀野川が流入して、扇状地と三角州からなる広大な越後平野が形成されている。日本海には佐渡島と粟島がある。日本海側気候に属し、北西季節風の吹きつける県境山地や丘陵、盆地では冬季に豪雪地帯となる。越後平野と佐渡島では比較的雪が少なく、ササニシキの作付けをはじめ日本一の稲作地帯である。県央部から県南部の山麓では繊維工業、金属工業、電子産業が盛んである。金鉱山のあった佐渡島では観光地化が進み、近年、トキ生息地として脚光を浴びている。

　古く大和王権が北方の蝦夷を侵攻する際に、淳足柵（新潟市沼垂付近）と磐舟柵（村上市岩船付近）をつくった。平安時代末期に荘園の私有化が進み、鎌倉時代には関東の御家人たちが地頭職となって支配した。室町時代に上杉氏が、関東管領や越後・相模・武蔵などの守護職となって勢力を伸ばしたのだが、戦国時代に家臣の長尾景虎に上杉氏の姓と関東管領の職を譲った。長尾景虎は上杉謙信と名前を改め、戦国大名となった。上杉氏は豊臣秀吉に服属して会津若松に移封され、また関ヶ原の戦いで西軍に属したので、山形の米沢へ移された。江戸時代には中小藩が分立した。明治維新の廃藩置県で、11の藩、天領、旗本領などが統合されて新潟県が置かれ、さらに1886年に東蒲原郡が福島県から編入された。

国宝／重要文化財の特色

　美術工芸品の国宝は1件、重要文化財は48件である。建造物に国宝はなく、重要文化財は34件である。燃えさかる炎を表現したような火焔型土器と呼ばれる縄文土器が国宝となっている。刈羽郡で大庄屋を務めた村山氏が、江戸時代中期から後期にかけて、代々引き継いでつくった貞観園と

いう日本庭園がある。この庭園は国の名勝に指定された。貞観園には村山氏の収集したコレクションがあり、そのいくつかが重要文化財に指定されている。

● **笹山遺跡出土深鉢形土器**　十日町市の十日町市博物館で収蔵・展示。縄文時代中期の考古資料。笹山遺跡は、信濃川右岸の標高170〜180ｍの河岸段丘上に位置する。市営野球場・陸上競技場などの建設に伴い、1980年から発掘調査が実施され、縄文時代中期・後期と中世の集落跡が発見された。炉跡（竪穴住居跡）112基、配石遺構1基、土坑5基、埋設土器（埋甕）36基が直径100ｍ以上の馬蹄形に分布し、典型的な環状集落を形成していた。大量の遺物が出土し、その中から特徴的な火焰型土器を含む57点の土器が国宝に指定された。火焰型土器は縄文時代中期につくられた。口縁部と頸部が胴部よりも広がる深鉢形で、高さは15〜25cmある。指定番号1の土器は高さ46.5cmで、大型のものである。縄文をころがした文様はなく、隆起線による渦巻文、Ｓ字状文、逆Ｕ字状文が施される。口縁上端にギザギザの鋸歯状突起がめぐらされ、さらにニワトリのトサカのような鶏頭冠突起が、口縁端部に向かい合って4か所付けられている。これを基準に文様が4単位に分かれて全周し、頸部にＳ字状文や渦巻文、胴部に逆Ｕ字状文が施される。無骨ながらも強い躍動感を与える造形美は、ほかの時代に類例がない。

◎ **愛染明王坐像**　小千谷市の妙高寺の所蔵。鎌倉時代後期の彫刻。像高119cmの木造の坐像で、髪を逆立てて三つの眼でにらみつけ、口を開いて忿怒の表情を示す。6本の臂（手）には五鈷杵、五鈷鈴、金剛矢、金剛弓、蓮華の法具を携え、残る1本の手は拳を握っている。頭に獅子冠を戴き、背後に日輪を背負う。全身赤色で、火炎付の頭光背と身光背、および紅蓮華座も綺麗に彩色されている。寺伝によると、静岡県の伊豆田中荘に安置され、源頼朝が信仰した。その後新田氏の一族で魚沼郡内ヶ巻城主であった田中大炊介源義房が、1265年に妙高寺を創建して像を移したとされている。

愛染明王は空海が請来したが、当初信仰されなかった。平安時代中期に真言密教の僧侶仁海が愛染明王を重視してから、愛染明王への信仰が広まり、絵画や彫刻による造像も盛んになった。愛染明王を説いた瑜祇経は秘密にすべき密教経典だったため、秘密裏に相伝され、秘仏となっていることが多い。とはいえ、愛染明王の功徳にはさまざまなものがあり、多

くの信仰を集めた。

◎**蓮華峰寺骨堂**　佐渡市にある。室町時代前期の寺院。桁行1間、梁間1間の宝形造、茅葺の小さな仏堂である。太い柱を使用して、和様を基本としているが、上端を細めた粽の柱、柱頭の頭貫木鼻、柱の上部にある台輪、組物を並べた詰組など禅宗様の建築様式も見られる。頭貫の下方にある飛貫から貞和4年（1348年）の落書が見つかり、骨堂の建立がそれ以前にさかのぼると考えられている。禅宗様の手法を取り入れた建物としては、きわめて古い。1983年に修理工事が行われ、地下調査も実施された。建物の中央部に埋納穴が掘ってあり、中に古銭、骨蔵器、五輪塔などが埋められていた。これらの資料から、この建物は当初から骨堂だったのではなく、江戸時代初期に骨堂へ変わったと推定された。骨堂になる前の建物の性格は不明である。蓮華峰寺は比叡山延暦寺を模して山号を小比叡山とし、広大な境内には金堂、弘法堂をはじめ、多数の堂宇が建っている。金堂の近くにある小比叡神社は蓮華峰寺の鎮守で、山王大権現と称していたが、明治維新の廃仏毀釈で小比叡神社に改称した。

◎**妙宣寺五重塔**　佐渡市にある。江戸時代後期の寺院。妙宣寺は、佐渡で最初に日蓮に帰依した日得（遠藤為盛）が、1278年に金井新保の居宅を阿仏坊という寺に改めたのが起源とされ、1327年に竹田へ、1589年に現在地へ移された。寺には日蓮直筆の日蓮聖人筆書状が収蔵されている。五重塔は、地元佐渡の相川の長坂茂三右衛門と金蔵の親子2代を棟梁にして、1825年に建立された。高さ24.1ｍで、下から上へ屋根の大きさを少しずつ減少させる逓減率は低い。波状の桟瓦を葺いた桟瓦葺である。基本的に和様の建築様式で、所々に彫刻が施されている。組物に和様と禅宗様の肘木を混用したり、最上階の五重の屋根だけ、軒裏の垂木の配列を禅宗様の扇垂木にするなど、意匠を変化させている。

◎**佐藤家住宅**　魚沼市にある。江戸時代中期の農家。中越地方に分布する中門造の農家である。中門造とは、主屋の棟方向（長辺）に対して中門と称する棟を鉤形（直角）に取り付けた家で、中門の内部には通路、馬屋、便所などがある。家屋が雪で埋まるほどの豪雪地帯なので、冬季に屋外に出なくても、馬の飼育ができるように主屋に馬屋を連結させたと推測されている。岩手県や青森県の南部地方に分布する曲屋は、外観上は中門造と類似しているが、その発生や機能は中門造と

異なり、別系統とみなされている。佐藤家住宅の平面は広間型3間取りで、向かって右側に土間のニワ、中央に土座のチャノマ、左側手前に座敷のデイ、奥にヘヤがあり、右側の土間の前面に中門が取り付けられている。中門は入母屋造で妻側が正面入口となり、中に入ると左側に主屋につながる通路、右側手前に便所、右側奥に馬屋がある。柱の墨書から1738年に建てられたことが判明した。柱が太く、簡潔で規則的な架構は、豪雪に耐え得るように堅固につくられている。

◎旧佐渡鉱山採鉱施設

佐渡市にある。昭和時代の産業施設。今から約2,000万年前に激しい火山活動がおきて、火山岩層からなる佐渡の山地が形成された。佐渡の金銀鉱床の多くは、この時地下深くしみ込んだ雨水や海水が、マグマの熱で加熱され石英を中心とする金銀を含む熱水となって、断層や岩石の割れ目に沈殿して形成された。佐渡には14の金銀鉱床があり、なかでも最大の鉱床は、相川金銀山の母体となった佐渡鉱床である。相川金銀山は戦国時代末期に発見され、1989年に休山となるまで約400年間操業が続いた。鉱石の総産出量は1,530万t、金78t、銀2,330tを産出し、相川は日本最大の金銀鉱山だった。長期間にわたった採鉱活動について、露天掘跡の道遊の割戸、坑道の宗大夫間歩、佐渡奉行所跡、南沢疎水道など、主に江戸時代の鉱山関係のものが佐渡金銀山遺跡として史跡に、選鉱・製錬・小判製造の行われた佐渡奉行所跡から出土した遺物が重要文化財に、そして近代以降に展開された鉱業施設が産業遺産として重要文化財に指定されたのである。

　1869年に明治政府は佐渡鉱山を官営化すると、お雇い外国人を派遣して、設備の機械化を推進した。1885年には大島高任が佐渡鉱山局長に任じられ、最先端の技術が投入されて拡張が続いた。1889年に皇室財産となって宮内省御料局に移管されたが、1896年には173万円で三菱合資会社に払い下げられた。その後、日中戦争が続くなか、1938年の重要鉱物増産法に基づいて、新設あるいは既存の施設の整備拡充が行われた。重要文化財となったのはこの戦時期の施設で、高さ13.9mの鉄製の大立竪坑櫓、竪坑の上下運搬用捲揚機を格納した大立竪坑捲揚機室、原鉱を破砕した高任粗砕場、ベルトコンベアヤード、電車車庫などが保存されている。

☞ そのほかの主な国宝 / 重要文化財一覧

	時代	種別	名称	保管・所有
1	縄文	考古資料	◎室谷洞窟遺跡出土品	長岡市立科学博物館
2	弥生	考古資料	◎村尻遺跡出土品	新潟県立歴史博物館
3	弥生	考古資料	◎新穂遺跡出土品	佐渡市新穂歴史民俗資料館
4	飛鳥	彫刻	◎銅造如来坐像	醫王寺
5	奈良	彫刻	◎金銅聖観音立像	竜吟寺
6	平安	彫刻	◎木造薬師如来坐像	国分寺
7	平安	典籍	◎悉曇集記（淳祐筆）	無為信寺
8	鎌倉	絵画	◎絹本著色不動明王二童子像	法光院
9	鎌倉	彫刻	◎木造親鸞聖人坐像	西照寺
10	鎌倉	古文書	◎日蓮聖人筆書状	妙宣寺
11	南北朝	彫刻	◎木造一鎮倚像	称念寺
12	江戸	考古資料	◎佐渡奉行所跡出土品	相川郷土博物館
13	大正	工芸品	◎彩磁禽果文花瓶（板谷波山作）	敦井美術館
14	中国／元	書跡	◎紙本墨書一山一寧墨跡	貞観園保存会
15	室町後期	寺院	◎平等寺薬師堂	平等寺
16	室町後期	神社	◎多多神社本殿	多多神社
17	桃山	寺院	◎大泉寺観音堂	大泉寺
18	江戸前期	寺院	◎乙宝寺三重塔	乙宝寺
19	江戸中期	寺院	◎浄興寺本堂	浄興寺
20	江戸後期	寺院	◎浄念寺本堂	浄念寺
21	江戸後期	民家	◎旧笹川家住宅（新潟市南区味方）	味方村
22	江戸後期〜末期	民家	◎渡辺家住宅（岩船郡関川村）	重要文化財渡辺家保存会
23	江戸末期	民家	◎旧新発田藩足軽長屋	北方文化博物館
24	明治	官公庁舎	◎新潟県議会旧議事堂	新潟県
25	昭和	交通	◎萬代橋	国（国土交通省）

村上家住宅

地域の特性

 北陸地方の中央東部に位置する。東西にのびるほぼ長方形で、北側は緩い曲線を描く海岸線である。東側は飛驒山脈、西側は能登半島基部にある宝達丘陵、南側は飛驒高地の北縁部である。中央に富山平野が広がり、南西から北東にのびる呉羽丘陵を境にして、東に常願寺川、神通川の流れる呉東平野、西に庄川、小矢部川の流れる呉西平野がある。呉西平野では古くから開発が進み、江戸時代には穀倉地帯だった。呉東平野では戦後に農地改良が進み、飛躍的に生産性が向上した。高岡市の鋳物・銅器生産、富山市の置薬製造販売などの伝統産業と、伏木富山港を中心とする先端技術産業が展開している。

 古代に万葉歌人の大伴家持が国司として赴任し、自然風物とともに、山岳信仰の盛んだった立山を歌に詠んだ。その後立山は、密教の渡来によって修験道の道場となった。平安時代に荘園が発達して武家勢力が勃興し、鎌倉時代から室町時代にかけて争乱が続いた。室町時代中期から一向宗の勢力が強くなったが、戦国時代に佐々成政によって制圧された。江戸時代には前田氏の加賀藩と、その支藩の富山藩によって分割統治された。明治維新の廃藩置県以降、石川県に吸収合併されて消滅したが、1883年に新しく富山県が設置された。

国宝／重要文化財の特色

 美術工芸品に国宝はなく、重要文化財は30件である。建造物の国宝は1件、重要文化財は19件である。加賀藩3代藩主前田利常が高岡市に建てた巨利瑞龍寺が国宝となっている。一向宗の拠点だった瑞泉寺や勝興寺に文化財が多く残り、その一部が重要文化財となっている。明治維新の時に廃仏毀釈が吹き荒れ、寺院とともに多数の仏像・仏具が処分された。立山にある雄山神社の前立社壇と祈願殿は、かつて立山権現を祀る岩峅寺・

芦峅寺という密教の山岳道場として栄えていた。多数の宿坊があったが、廃仏毀釈でほとんど姿を消した。

◎**大岩日石寺磨崖仏**　上市町の日石寺にある。平安時代から鎌倉時代の彫刻。凝灰岩の岩壁に彫られた大きな磨崖仏である。大岩山は立山連峰の裾野にあり、真言密教の修験道場として繁栄していた。高さ約6m、幅約10ｍの浅い龕を彫り、中央に像高3.1ｍの巨大な不動明王坐像、向かって右側に矜羯羅童子の立像、左側に制吒迦童子の立像、そして三尊の間に阿弥陀如来坐像、僧形坐像がある。不動像は半肉彫りで彫られ、右手に剣、左手に羂索を持つ。大きめの頭部に大ぶりの眼、上体を幅広くして、膝の張りを控える。迫力ある忿怒の形相を下から仰ぎ見るように、やや前傾の岩面に彫られている。両側の2童子像は不動明王像よりも低く、立体感のある高肉彫りとなっている。不動明王像と童子像の三尊像は彫法が似ていて、11世紀末から12世紀初頭の製作と推定された。阿弥陀像と僧形像は、大きさも彫法も三尊像と異なることから、平安時代末期から鎌倉時代に追刻されたと考えられている。立山と修験山伏、不動明王信仰との結びつきが指摘されていて、阿弥陀像を立山大権現の本地仏、僧形像を立山の開山慈興とする説もある。

◎**綽如上人勧進状**　南砺市の瑞泉寺の所蔵。南北朝時代の古文書。瑞泉寺は真宗大谷派（東本願寺）の寺院で、宗祖親鸞の5代目綽如によって開創された。開創に当たって1390年に、綽如が沙門尭雲の名前で勧進状を認めた。金銀の切り箔が料紙に散らされた豪華な文書であるが、摩滅が激しく判読困難な文字もある。内容は、北陸井波の山深く、里から遠い地で、霊水のある瑞泉寺を建立するので、助成に預かりたいと格調高い漢文で書かれている。応仁の乱から戦国時代にかけての激動の時代に、瑞泉寺は、高岡の勝興寺とともに一向一揆の拠点となった。寺院周辺には寺内町という信仰と経済の街が形成され、境内周囲には堀や土塁がめぐらされて要害化された。1580年に織田氏の勢力が加賀へと進攻し、翌年には織田氏配下の佐々成政が富山に兵を進めて瑞泉寺を焼き払った。その後瑞泉寺が再興されたのは、江戸時代初期の1613年だった。綽如上人勧進状は、真宗の強力な拠点を構築する第一歩を示している。

◎**日蓮像**　高岡市の大法寺の所蔵。室町時代の絵画。長谷川等伯（1539～1610年）が20歳代に描いた若い頃の作品である。長谷川

等伯は、京都府智積院の障壁画桜楓図、東京国立博物館所蔵の松林図などで有名な桃山時代を代表する画家だった。彼は能登国（石川県）七尾に生まれ、名は又四郎、帯刀といい、信春と号した。等伯と名乗るのは45歳を過ぎてからである。1571年の32歳の時に、能登を去って京都へ移住した。移る前に描かれた仏画や肖像画が、北陸の日蓮宗寺院に残されている。当時北陸では一向一揆の勢力が強かったが、長谷川等伯は真宗門徒ではなく、町衆に信者を持つ日蓮宗徒だった。能登の寺院の8割が真宗、残る2割が浄土宗、日蓮宗、禅宗だったので、絵仏師としての活躍の場が限られ、京都への憧憬は強かったのだろう。大法寺も日蓮宗の寺院で、長谷川等伯が1564～66年に描いた一塔両尊像、日蓮像、鬼子母神十羅刹女像、三十番神像の4幅を所蔵している。日蓮像は重厚に描かれた肖像画で、七条袈裟、法服、横被を着て、それぞれに異なる装飾が金泥で細かく描かれている。高座机に10巻本法華経、柄香炉などが置かれ、前机には竜の文様を織り込んだ金襴の卓布が敷かれて、香炉や花瓶が置かれている。長谷川等伯が描いた肖像画の中で、最も美麗かつ細密といわれている。

● **瑞龍寺** 高岡市にある。江戸時代の寺院。加賀藩3代藩主前田利常が、兄の2代藩主利長の菩提を弔うために建立した寺院である。中国の寺院建築を模して総門、山門、仏殿、法堂を一直線に並べ、向かって左側に禅堂、右側に大庫裏を配置し、四周を回廊で結んで、江戸時代初期の禅宗伽藍の威容をとどめている。山門、仏殿、法堂が国宝、総門、禅堂、大庫裏、回廊、大茶堂が重要文化財に指定された。造営は正保年間（1645～48年）に始まり、前田利長の50回忌にあたる1663年までに伽藍は完成していた。1746年の火災で山門が焼失し、1818年に再建された。山門は2階建の二重門で柿葺の入母屋造、屋根の軒裏に尾垂木の伸びた複雑な三手先詰組が見える。仏殿は方3間の母屋に裳階の付いた入母屋造で、鉛瓦の本瓦葺はきわめて珍しい。礎盤の上に粽の柱を立て、組物を並べた詰組とする禅宗様の建築様式である。内部に入って見上げると、四天柱を建てる代わりに前列2本の柱を抜き、後列の来迎柱より正面側柱に2本の大虹梁を渡して、その上に束柱を2本立てる。周囲は二重海老虹梁に大瓶束を立て、全体に重厚感に満ちた空間を見せている。法堂は桁行11間、梁間9間と大きく、正面に向拝が付く。方丈形式の書院風建物で、前後に3室ずつ並んで計6室ある。中央に室中、その奥を仏間として位牌壇が設

けられている。左手は上間で、上間奥室には上段、付書院、床、違棚が備えられ賓客用である。中央の室中と仏間の天井は格天井で、方形の格間に狩野安信による草花が描かれている。

◎村上家住宅
南砺市にある。江戸時代後期の民家。庄川上流の五箇山地方にある18世紀前半に建てられた合掌造の農家で、切妻造の茅葺である。妻入りで、庇が付く。内部は棟通りで左右2列に分かれ、前面を土間、後方を部屋とし、向かって右列は土間のニワに続いて床上部のオエ、チョウダ、ヒカエノマが1列に並ぶ。左列は土間のマヤ、マヤネドコ、床上部のデエ、ナカノデエ、オクノデエが配され、整型6間取りである。当初は後方の2室がなく、4間取りだった。大きな屋根の小屋組には3層に分けて床が張られ、養蚕に使用された。採光のため右側屋根に窓が1か所設けられている。近くにある同じ合掌造の羽馬家住宅は17世紀末、岩瀬家住宅は19世紀中頃の年代である。

◎白岩堰堤砂防施設
富山市にある。昭和時代の土木施設。立山黒部アルペンルート南側にある立山カルデラから流出する土砂を抑える砂防ダムである。立山カルデラは東西約6.5km、南北約4.5kmの巨大な窪地で、常願寺川の侵食によって形成された侵食カルデラである。常願寺川は立山連峰に源を発し、富山平野東部を流れて富山湾に注ぐ。急流で上流に崩壊地が多いことから頻繁に氾濫し、暴れ川として有名だった。なかでも1858年の飛越地震では、立山カルデラの南稜線にそびえていた大鳶山と小鳶山が崩れ、大量の崩壊土砂が堆積して天然ダムができた。地震の2週間後と2か月後に天然ダムが決壊して大土石流が下流域を襲い、大災害となった。山の崩落により約4.1億m^{3}もの土砂ができ、そのうち2億m^{3}が流出して、まだ2億m^{3}の土砂がカルデラ内に残存すると推定されている。20世紀になって富山県が立山の砂防工事を開始した。その後、内務省の土木技師赤木正雄が白岩ダムを設計し、1929年から工事に着手して1939年に完成した。高さ63m、長さ75mの本堰堤の下に7基の副堰堤が続き、総落差は108mである。本堰堤の管理橋から見下ろすと、落下する水流が長大な滝のように見える。大規模構造物からなる複合的砂防施設であり、技術的到達点の一つとされている。

☞ そのほかの主な国宝 / 重要文化財一覧

	時代	種別	名　称	保管・所有
1	縄　文	考古資料	◎境Ａ遺跡出土品	富山県埋蔵文化財センター
2	平　安	彫　刻	◎木造聖観音立像	安居寺
3	平　安	彫　刻	◎木造十一面観音立像（観音堂安置）	常楽寺
4	平　安	彫　刻	◎木造男神坐像	射水神社
5	平　安	工芸品	◎銅錫杖頭	富山県立山博物館
6	鎌　倉	絵　画	◎絹本著色法華経曼荼羅図	本法寺
7	鎌　倉	彫　刻	◎木造慈興上人坐像	雄山神社
8	鎌　倉	典　籍	◎仏祖正伝菩薩戒教授文（瑩山紹瑾筆）	海岸寺
9	南北朝	彫　刻	◎木造千手観音坐像（観音堂安置）	總持寺
10	桃　山	絵　画	◎紙本金地著色洛中洛外図	勝興寺
11	江　戸	歴史資料	◎石黒信由関係資料	射水市新湊博物館
12	室町後期	神　社	◎白山宮本殿	白山宮
13	室町後期	神　社	◎気多神社本殿	気多神社
14	室町後期	神　社	◎雄山神社前立社壇本殿	雄山神社
15	桃山〜江戸前期	神　社	◎護国八幡宮	護国八幡宮
16	江戸中期〜末期	寺　院	◎勝興寺	勝興寺
17	江戸中期	民　家	◎羽馬家住宅（南砺市上梨）	―
18	江戸後期	民　家	◎岩瀬家住宅（南砺市西赤尾町）	―
19	江戸後期	民　家	◎旧嶋家住宅（旧所在　婦負郡細入村）	富山県
20	江戸後期	民　家	◎佐伯家住宅（高岡市福岡町蓑島）	―
21	江戸後期〜末期	民　家	◎浮田家住宅（富山市太田南町）	富山市
22	江戸後期	民　家	◎武田家住宅（高岡市太田）	高岡市
23	明　治	学　校	◎旧富山県立農学校本館（富山県立福野高等学校巌浄閣）	富山県
24	明　治	住　居	◎菅野家住宅（高岡市木舟町）	―
25	明　治	住　居	◎旧森家住宅（富山市東岩瀬大町）	富山市

石川県

雉香炉

地域の特性

　北陸地方の中央西部、屈曲する部分に位置する。能登半島が日本海に突出し、東西に狭く南北に長い回廊のような形をしている。北側に能登半島、中央から南東側に白山火山のある両白山地、西側に金沢平野が日本海沿岸に沿って細長く広がっている。日本海側気候に属し、白山北西麓は豪雪地帯である。金沢平野では稲作とともに陶器、漆器、織物など各種の伝統産業が発達し、交通の便もよく、人口密度が高い。能登半島は丘陵からなり、千枚田のような階段状耕地が見られる。漆器などの伝統産業があるが、半島先端部にいくほど人口は希薄となる。

　古代に能登は、中国東北地方にあった渤海国との交流に重要な役割を果たした。また白山信仰が盛んで、古くから修験道場として栄えていた。平安時代末期から武士団が現れ、室町時代になると富樫氏と吉見氏が台頭した。しかし一向一揆が急速に勢力を伸ばし、宗教勢力による地方統治が約100年間続いた。戦国時代に前田利家が金沢城に移り、江戸時代に大藩の加賀藩が成立した。明治維新の廃藩置県で、加賀藩と支藩の大聖寺藩が合併され、さらに周辺の県との統廃合が続いた。1883年に富山県が分離されて、現在の石川県となった。

国宝／重要文化財の特色

　美術工芸品の国宝は2件、重要文化財は86件である。白山信仰で栄えた白山比咩神社に多数の国宝／重要文化財がある。この神社は、もともと神仏習合の天台系の白山寺だったが、明治維新の廃仏毀釈によって神社となった。各種伝統工芸が盛んで、国宝／重要文化財の陶磁器や漆器などの工芸品も多い。5代藩主前田綱紀の収集した和漢の稀覯本をもとに、尊経閣文庫がつくられた。この文庫には国宝／重要文化財が多数含まれているが、東京で前田育徳会によって管理されている。蔵品のうち、美術工芸品

は石川県立美術館の専用展示室で展示されている。建造物に国宝はなく、重要文化財は45件である。争乱によって古い建造物はほとんど残っていない。重要文化財の建造物には、加賀藩100万石の財力を誇るかのように、前田氏の関与した建物が多い。

◎真脇遺跡出土品

能登町の真脇遺跡縄文館で収蔵・展示。縄文時代の考古資料。真脇遺跡は能登半島の突端に近い富山湾に面した海岸近くに位置し、東・北・西の三方を丘陵に囲まれ、南側へ緩やかに傾斜する標高4〜12mの沖積低地にある。海岸の入り込んだ入江奥で、周囲の丘陵から小さな河川によって土砂が平地に流入し続けた。農地改良を目的とする圃場整備事業に伴い、遺跡の発掘調査が1982〜83年に実施された。狭い範囲の調査だったが、厚い層となった堆積土から縄文人の生活痕跡が大量に発見され、遺跡の重要性が認識されて、遺跡は史跡に、出土遺物の一部が重要文化財に指定された。真脇遺跡は、約6,000年前の縄文時代前期初頭から約2,000年前の晩期終末まで、4,000年間にわたって営まれた集落跡だった。床に粘土を貼った平地式の住居跡、底に板を敷いた土坑墓、巨大なクリ材を半分に割った柱を円形に並べた環状木柱列などの遺構が見つかった。遺物は3,000点以上あり、そのうち219点が重要文化財となった。圧倒的に多かったのはイルカの骨で、第一頸椎をもとに頭数を数えると286頭分もあった。真脇の村では江戸時代から1955年頃まで、イルカの追込み漁が盛んに行われていたという。そのほかに土器・石器類、土製・石製・骨角製の装身具、土偶・岩偶・石棒などが出土した。途絶えることなく長期間にわたって、縄文時代の生活変遷をたどれる貴重な資料となっている。

◎白山三社神像

白山市の白山比咩神社の所蔵。鎌倉時代末期の絵画。白山信仰は手取川、九頭竜川、長良川の流域で芽生え、修験道の拠点として、それぞれ加賀馬場、越前馬場、美濃馬場が形成された。加賀馬場の中心は白山本宮で、平安時代中期以降は白山寺が実権を握って比叡山延暦寺の末寺となった。この寺が白山比咩神社となり、全国の白山神社の本社として仰がれるようになったのは、近代になってからである。白山三社神像は加賀馬場にある白山七社のうち、本宮・金劔宮・三宮の神格を三尊形式で描いた垂迹画で、白山の神格を描いた優品としては最古とされる。画面全体を社殿正面に見立て、中央上段に宝冠をいだいて唐装で唐扇を持つ白山本宮の女神（白山妙理権現）、下段向か

北陸地方 131

って右側に衣冠を身に着け弓箭を携える金劔宮の男神（劔明神）、下段左側に宝冠をいただいて唐装で唐扇を持つ女神（三宮姫）が坐る。上方に緑色すだれの翠簾がかけられ、その上部には、本地仏として中央に十一面観音、右に大日如来、左に千手観音の種字が配されている。細密な彩色文様が多く描かれ、描線も細かく繊細な表現がうかがえる。

●色絵雉香炉

金沢市の石川県立美術館で収蔵・展示。江戸時代前期の工芸品。京焼陶工の野々村仁清が、雄雉子をかたどって制作した高さ18cm、長さ47.6cmの香炉で、足を折り曲げて地に伏せ、尾を後方へ長く伸ばした姿である。腹部を香炉の身にし、蓋の背の部分に羽毛形の孔を四つ透かして煙出しにしている。ふくらみのあるなだらかな曲線で優美に成形され、赤、緑、黒、群青、紫の釉彩を使って、絵画のように彩色されている。黒色と緑色で描かれた羽毛は、細い金の線描で輪郭が施され、写実的かつ鮮やかな表現となっている。野々村仁清は正保年間（1644〜48年）に京都の仁和寺門前に御室窯を開き、茶人金森宗和の指導を受けた。華麗な絵付による京焼色絵陶器の大成者として評価され、後水尾院、仁和寺宮などの公家、加賀藩主前田氏、丸亀藩主京極氏などの大名に好まれた。色絵雉香炉は、江戸時代には前田氏に伝来した。なお横に並んで、同類の作品である色絵雌雉香炉が展示されている。これは前田氏の家老横山氏に伝えられたという。

◎那谷寺本堂

小松市にある。桃山時代の寺院。那谷寺は白山を登拝した泰澄によって創建されたと伝えられ、加賀馬場の中宮三箇寺の一つであった。南北朝時代に中宮八院が南朝に属する一方、那谷寺は足利尊氏に味方して、没落した中宮八院を支配下に置いた。また白山本宮の天台宗から離れ、真言宗へと改宗した。1555年に朝倉景隆が侵攻して那谷寺も焼失し、近世になって加賀藩3代藩主前田利常によって再興された。再建された本堂、三重塔、護摩堂、鐘楼、書院および庫裏が重要文化財となっている。境内には大きな岩山があり岩面には無数の洞が口を開く。特異な景色は奇岩遊仙境あるいは観音浄土の補陀落山とも見なされ、松尾芭蕉の俳句にも詠まれて、現在では名勝に指定されている。那谷寺本堂はその地形の中に造作され、岩窟内にある屋根のない本殿、岩崖に設けられた懸造の拝殿、拝殿と本殿との間にある唐門の、3棟からなる。本尊は白山妙理権現に関連する十一面観音菩薩である。拝殿は檜皮葺の入母屋造で、正面に千鳥破風と軒唐破風が付き、四方の欄間に鹿、鳳凰、鶴、

松、竹、梅、橘、紅葉などの彫刻がある。奇岩風景の中に、白山信仰の観音堂が絶妙に取り入れられている。

◎**成巽閣**　金沢市の兼六園にある。江戸時代末期の住宅。加賀藩13代藩主前田斉泰が母眞龍院（隆子、夙姫）の隠居所として、1863年に兼六園内の竹沢御殿跡の一隅に建てた書院風の奥方御殿である。金沢城から見て南東方、巽（辰巳）の方角にあるため、当初は巽新殿と呼ばれた。1874年に兼六園が一般公開された時に、成巽閣と改称された。江戸時代末期に参勤交代が廃止となり、江戸在住の藩主夫人たちは各藩へ下って、隠居所が必要となった。竹沢御殿は12代藩主前田斉広によって1822年に隠居所として建てられ、部屋数約200室、門35か所も設けられた豪壮な御殿だった。同時に古く蓮池庭といわれた庭園も拡張されて兼六園と名づけられた。1824年に前田斉広が急逝して竹沢御殿も次第に取り払われた。成巽閣は柿葺の寄棟造、2階建である。1階に公的対面所としての謁見の間、寝所の亀の間、居間の蝶の間がある。謁見の間は、正面に床の間と違棚、左に付書院、右に帳台構のある書院造だが、豪奢な障壁画などはなく、落ち着いた雰囲気である。2階には鮮やかな群青色を用いた群青の間、紫色の群青書見の間、天井が杉柾の網代となっている網代の間などがあり、色彩や材質に趣向を凝らした数寄屋風書院造となっている。大名によって建造された江戸時代末期の優雅な邸宅である。

◎**尾山神社神門**　金沢市にある。明治時代の宗教施設。加賀藩の藩祖前田利家を祀る神社として1873年に尾山神社が創建され、1875年に擬洋風建築の神門が建造された。和風の本殿の完成後、しばらくして訪れる者が減少したので、参拝者の増加を目論んで、伝統にとらわれない奇抜な神門が建てられたのである。石造・木造の混構造による3層の楼閣門で、1階は外装石積みの3連のアーチとなり、2階・3階は木造漆喰塗りに端部を銅板でおおう。最上階は壁に色ガラスのはめ込まれた小室で、中でランプを点けて灯台のようだったという。階を上るごとに小さくなり、各階の肩が丸くカーブして中国南方の寺院の門、または竜宮城のようにも見える。和風と洋風、さらには中国風の入り混じった奇抜な建築デザインとなった。

☞ そのほかの主な国宝 / 重要文化財一覧

	時　代	種　別	名　　称	保管・所有
1	弥　生	考古資料	◎八日市地方遺跡出土品	小松市埋蔵文化財センター
2	古　墳	考古資料	◎雨の宮1号墳出土品	ふるさと創修館
3	飛　鳥	彫　刻	◎銅造如来及両脇侍像	薬師寺
4	平　安	絵　画	◎絹本著色阿弥陀三尊来迎図	心蓮社
5	平　安	彫　刻	◎木造馬頭観音立像（般若堂安置）	豊財院
6	平　安	古文書	◎加賀郡牓示札（加茂遺跡出土）	石川県埋蔵文化財センター
7	鎌　倉	絵　画	◎絹本著色観音経絵	本土寺
8	鎌　倉	工芸品	◎刺繍阿弥陀三尊像	西念寺
9	鎌　倉	典　籍	◎羅漢供養講式稿本断簡（道元筆）	大乗寺
10	室　町	絵　画	◎紙本墨画西湖図	石川県立美術館
11	室　町	工芸品	◎花鳥沈金硯箱	小松天満宮
12	江　戸	絵　画	◎紙本著色四季耕作図（久隅守景筆）	石川県立美術館
13	西洋／16世紀	工芸品	◎アエネアス物語図毛綴壁掛	石川県立美術館
14	室町中期	神　社	◎藤津比古神社本殿	藤津比古神社
15	室町後期	神　社	◎松尾神社本殿	松尾神社
16	室町後期〜江戸後期	神　社	◎気多神社	気多大社
17	桃　山	寺　院	◎妙成寺本堂	妙成寺
18	江戸前期	民　家	◎黒丸家住宅（珠洲市若山町）	―
19	江戸中期	寺　院	◎大乗寺仏殿	大乗寺
20	江戸中期	民　家	◎時国家住宅（輪島市町野町）	―
21	江戸後期	民　家	◎志摩（金沢市東山）	―
22	江戸後期〜末期	民　家	◎上時国家住宅（輪島市町野町）	―
23	江戸末期	民　家	◎旧小倉家住宅（白山市白峰）	白峰村
24	明　治	学　校	◎旧第四高等中学校本館	国（文部科学省）
25	明治〜大正	軍　事	◎旧金澤陸軍兵器支廠（石川県立歴史博物館）	石川県

朝鮮鐘

地域の特性

　北陸地方の南西部に位置する。県南西部は若狭湾に面して細長く東西にのび、山地が多くて平野が狭小で、小地域に分断されている。県東部には高原性の両白山地が広がり、九頭竜川流域に大野盆地がある。県西部は丹生山地が日本海にせまり、両白山地との間に福井平野が広がっている。福井平野は古くから開発が進み、近代では機業の発展で経済的中心となった。県南西部は幹線交通路からはずれ、人口密度も低く、中核になるような都市も発展しなかった。主軸となる経済基盤が希薄なまま、海岸に沿って多数の原子力発電所が建造された。
　6世紀前半の継体天皇は、県北部の三国で育ち、20年後にやっと大和（奈良県）に入った。不自然な継体天皇の王位継承をめぐって、大和王権の王朝交代説もある。古代に東大寺などの荘園が多く展開し、武士団が形成された。鎌倉時代に道元が曹洞宗総本山の永平寺を創建し、その一方で室町時代には一向一揆の勢力が急速に増大した。朝倉氏が戦国大名となったが、滅亡し、その後もさまざまな武将が入れ替わった。江戸時代には結城氏の福井藩、酒井氏の小浜藩など7藩があった。明治維新の廃藩置県以降に、周辺の県と統廃合が進んで、1881年に現在の福井県が設置された。

国宝／重要文化財の特色

　美術工芸品の国宝は4件、重要文化財は77件である。建造物の国宝は2件、重要文化財は27件である。若狭湾沿岸の小浜市に古い寺社や仏像が多く分布し、「海のある奈良」とも呼ばれている。国宝／重要文化財に指定されている文化財も少なくない。古くから日本海沿岸と内陸の都とを結ぶ街道ができて、小浜は、沿岸の物資と旅人たちにとっての要港、中国や朝鮮、さらには西洋を向いた外港的役割も果たした。戦乱や廃仏毀釈などで失われずに伝来した文化財から、中世仏教の興隆と海上交通の繁栄が

うかがえる。

● **梵鐘** 越前町の劔神社の所有。越前町織田文化歴史館で展示。奈良時代の工芸品。高さ109.9cm、重さ529kgの梵鐘で神護景雲4年（770年）の記年銘がある。やや小型だが、鐘身の高さに比べて口径が大きく、どっしりとした安定感がうかがえる。荒い鋳造により表面は粗く、乳や、撞木のあたる撞座の蓮華文、頂部の竜頭などは簡素なつくりで、素朴ながらも豪放さを感じさせる。飛鳥・奈良時代の梵鐘は10件以上確認されていて、そのうち記年銘のある梵鐘は、京都府妙心寺の梵鐘（698年）、奈良県興福寺の梵鐘（727年）、福井県劔神社の梵鐘（770年）、千葉県成田市出土の梵鐘（774年）の4件だけである。銘文に「劔御子寺鐘」と記されているので、この梵鐘は劔神社の境内にあった神宮寺に安置されていたと推測される。神宮寺とは神社の境内や隣接地に建立された寺院で、神が託宣して苦悩を訴え、その救済を仏教に求めたので神宮寺が建立されたという。715年に藤原武智麻呂の夢に、敦賀の気比神が現れてから建てられた気比神宮寺が、文献上の初見とされる。その後神仏習合の広まりとともに、多くの神社に神宮寺が建立された。劔神社の梵鐘は、奈良時代に始まった神仏習合の実態を示している。

◎ **一乗谷朝倉氏遺跡出土品** 福井市の一乗谷朝倉氏遺跡資料館で収蔵・展示。安土桃山時代の考古資料。朝倉氏遺跡は、福井市街から南東約10kmの一乗谷にある戦国大名の城下町跡である。朝倉氏はもと兵庫県養父市八鹿町の豪族で、南北朝時代に主家の斯波高経に従って越前に入国した。1467年の応仁の乱を経て朝倉孝景が一乗谷へ本拠地を移し、以後5代103年間にわたって越前国の城下町として繁栄した。5代朝倉義景が1573年に織田信長に敗れ、城下町も焼討ちにより廃絶されたが、400年後にそっくり埋もれた状態で発掘された。谷全体に広がる城下町跡と山城の一乗谷城跡を含む278haが特別史跡、4か所の庭園が特別名勝、160万点以上の出土品の中から2,343点が重要文化財に指定された。陶磁器や金属製鍋、木製の曲物、漆の食器、傘、下駄、櫛、銅製鏡などの日用品、将棋や双六の駒、碁石、笛、独楽、茶道具などの娯楽品、バンドコと呼ばれる石製の暖房具（行火）、藍染の布や墨、炭化した紙、鉄砲の弾丸および鉛棒など、多種多様な遺物が含まれ、戦国時代の日常生活や生産活動の再現に欠かせない内容である。

●朝鮮鐘

敦賀市の常宮神社の所蔵。朝鮮／統一新羅時代の工芸品。高さ112cmの梵鐘である。高麗時代の朝鮮鍾は比較的多く日本に残っているが、新羅時代のものは少なく、朝鮮鍾の中で唯一の国宝である。形態的に日本と朝鮮の鍾は類似しているが、いくつか相違点がある。鐘の吊り手である頂部の竜頭について、日本の和鐘が2頭の双竜であるのに対して、朝鮮鍾は竜が単頭で、甬または旗指しという細長い筒が付いている。胴部に和鐘のような袈裟襷の文様がなく、飛天の文様を描くなどの違いがある。何よりも大きな違いは、日本の梵鐘は、人の背よりも高く吊るして頭上で鐘を撞くが、韓国では下方に吊るし、少しくぼめた地面に鐘の音を反響させるように撞くのである。常宮神社の朝鮮鍾の竜頭は、やや腐蝕が進行して文様などが不鮮明だが、甬や胴部の文様は精巧で、腰に細腰鼓をつけて両手を広げ、衣を上へ翻した雲上の飛天が胴部に描かれている。銘文があり、太和7年（833年）に菁州蓮池寺で鐘を制作したと記されている。菁州とは現在の韓国慶尚南道晋州付近に相当し、蓮池寺については不明である。常宮神社の記録や鐘楼堂棟札によると、この鐘は豊臣秀吉が、高麗征伐の時に大谷吉継に命じて1597年に寄進させたとしている。1592年の文禄の役で凄惨な攻防戦が晋州城で展開された。翌年、一人も洩らさず悉く討ち果たすようにと秀吉は厳命を下して、晋州城は陥落した。つまりこの朝鮮鍾は、激戦となった晋州から日本へ持ち出され、寄進された可能性が高い。

●明通寺本堂

小浜市にある。鎌倉時代前期の寺院。1258年に建立された桁行5間、梁間6間の密教寺院の本堂である。参道を進んで石段を上ると右手に本堂があり、さらに石段を上った正面に1270年に建立された三重塔がある。本堂は檜皮葺の入母屋造で、正面を蔀戸にして、柱の上の組物を出組、戸の上の中備に蟇股を入れ、さらにその上に支輪がある。蔀戸は寝殿造の邸宅にも使用された戸で、格子組の裏に板を張った上下2枚からなり、採光用に上1枚を金物で釣り上げる。正面外観は素朴な和様で、静かな落ち着いた雰囲気をただよわせている。本堂内部の中間に、菱格子欄間と格子戸による間仕切りがあり、その手前が外陣、後ろの奥が内陣である。外陣は、床を1段高くして畳を敷いた3間2間の母屋と、その周囲の庇とに分かれる。内陣には、須弥壇に置かれた厨子内に本尊の薬師如来坐像、両脇に降三世明王立像と深沙大将立像、十二神将立像が安置されている。内陣の須弥壇奥の来迎柱を柱筋

北陸地方　137

から後退させ、仏壇前面を広くするように工夫されている。来迎柱の後退は鎌倉時代から室町時代にかけて進み、明通寺本堂は最初の事例とされる。

◎丸岡城天守

坂井市にある。桃山時代の城郭。丸岡城は霞ヶ城とも呼ばれ、柴田勝家の甥であった勝豊によって1576年に創建された。天守と石垣の一部、内堀を縁どっていた道路、外堀の一部などが現存し、天守は唯一残された建造物である。二重3階と小規模で、初重の大きな入母屋屋根に、入母屋造の望楼部がのる望楼型天守である。屋根には、足羽山から産出する凝灰岩の一種である笏谷石を加工した石瓦を葺いている。天守台の石垣は、自然石をそのまま積み上げ、石と石との間に隙間のある野面積みである。母屋の中央東西に1列に並ぶ6本の太い母屋柱は、1本を除いて、根元を地中に埋めた掘立柱だった。1937年の改修工事で腐食した根部を切り取って空洞にコンクリートを充填し、地上に礎石を設置して柱がすえられた。1階の平屋部と2、3階の望楼部とをつなぐ通し柱はなく、また2、3階にも通し柱がない。野面積の石垣、掘立柱、通し柱がない点などは、古い様式を示すと考えられる。丸岡城は明治維新後に民間に払い下げられ、天守も廉価で落札された。有志たちが1901年に公会堂として天守を丸岡町へ寄贈してから、保存が始まった。

◎大滝神社本殿及び拝殿

越前市にある。江戸時代末期の神社。大滝神社は、越前和紙を特産とする五箇地方の権現山（大徳山）の麓に位置し、本殿と拝殿は1843年に再建された。かつて大滝児大権現または小白山大明神と呼ばれていたが、明治維新の廃仏毀釈で大滝神社となった。山頂に奥院（上宮）があり、奥院3社のうち岡太神社は紙漉の技術を教えた女神である川上御前を祀る。奈良時代に白山開創の泰澄がこの地を訪れ、山名を大徳山として大滝児大権現を祀ったと伝える。山下に講堂・護摩堂が建立されて大徳寺となり、中世には白山信仰の霊場として栄えた。社殿は大型の1間社流造の本殿の前に、入母屋造で妻入りの拝殿を連結された複合社殿である。屋根が折り重なる複雑な形状をしていて、本殿正面の流造の屋根に入母屋造の小屋根と軒唐破風、さらに拝殿の入母屋造の屋根、向拝の軒唐破風と続く。また拝殿正面、本殿の側面と背面には精巧な彫刻が付されている。

☞ そのほかの主な国宝／重要文化財一覧

	時　代	種　別	名　　　称	保管・所有
1	縄　文	考古資料	◎鳥浜貝塚出土品	若狭歴史民俗資料館
2	弥　生	考古資料	◎林・藤島遺跡出土品	福井県教育庁埋蔵文化財調査センター
3	平　安	彫　刻	◎木造十一面観音立像（本堂安置）	多田寺
4	平　安	彫　刻	◎木造十一面観音立像	羽賀寺
5	平　安	彫　刻	◎木造阿弥陀如来坐像	八坂神社
6	平　安	工芸品	●金銅宝相華文磬	瀧谷寺
7	鎌　倉	絵　画	◎絹本著色観経変相曼荼羅図	西福寺
8	鎌　倉	絵　画	◎絹本著色羅漢図	大安寺
9	鎌　倉	絵　画	◎絹本著色不動明王三童子像	若狭歴史博物館
10	鎌　倉	彫　刻	◎木造男神坐像・女神坐像	神宮寺
11	鎌　倉	典　籍	●普勧坐禅儀（道元筆）	永平寺
12	鎌　倉	典　籍	◎尊号真像銘文（親鸞筆）	法雲寺
13	室　町	絵　画	◎絹本著色朝倉敏景像	心月寺
14	安土桃山	歴史資料	◎世界及日本図	若狭歴史民俗資料館
15	鎌倉後期	石　塔	◎大谷寺九重塔	大谷寺
16	室町前期	寺　院	◎中山寺本堂	中山寺
17	室町前期	寺　院	◎妙楽寺本堂	妙楽寺
18	室町後期	寺　院	◎神宮寺本堂	神宮寺
19	桃　山	神　社	◎春日神社本殿	春日神社
20	江戸前期〜中期	寺　院	◎大安寺	大安寺
21	江戸中期〜後期	寺　院	◎西福寺	西福寺
22	江戸中期	民　家	◎坪川家住宅（坂井市丸岡町）	坪川家住宅保存会
23	江戸中期	民　家	◎旧橋本家住宅（大野市宝慶寺）	大野市
24	江戸後期	民　家	◎旧谷口家住宅（旧所在　越前市茶川町）	武生市
25	明治〜大正	住　居	◎中村家住宅（南越前町河野）	冬青舎中村家保存会

北陸地方

19 山梨県

達磨図

地域の特性

　甲信地方の東部に位置する。西側に赤石山脈（南アルプス）、北側に八ヶ岳、東側に関東山地と丹沢山地、南側に富士山と御坂山地に囲まれ、山峡の県である。県央部に甲府盆地があり、北東から笛吹川、北西から釜無川が流入し、南西部で合流して富士川となり、駿河湾に流入している。甲府盆地とその周辺は国中地方と呼ばれている。内陸性気候で寒暑の差が大きく、降水量の比較的少ない自然条件を活かして果樹生産が発展した。県南西部の富士山北麓から桂川流域にかけては郡内地方と呼ばれ、甲斐絹という絹織物業が盛んだった。

　古くは「甲斐の黒駒」と称賛されるほど、名馬の生産地だった。平安時代に荘園が発達して武士が台頭、甲斐源氏の武田氏が活躍して鎌倉時代に御家人となった。臨済宗宗祖の夢窓国師が禅宗を広め、また日蓮が久遠寺を建てた。戦国時代に武田信玄が登場して版図を拡大させたが、武田氏は織田信長・徳川家康の連合軍に敗れた。江戸時代になると甲府城代あるいは甲府城番が置かれ、領主の交代が続いた。1724年に天領となって甲府勤番が置かれ、三分代官による統治支配となった。甲州街道が整備され、江戸に近いことからブドウ栽培や絹織物生産が、領主や代官によって奨励された。明治維新の廃藩置県で、天領を土台に統合されて山梨県となった。

国宝／重要文化財の特色

　美術工芸品の国宝は3件、重要文化財は54件である。建造物の国宝は2件、重要文化財は50件である。日蓮がいた身延山久遠寺と、武田信成の創建で武田氏から庇護された向嶽寺に多数の文化財があり、その一部が国宝／重要文化財となっている。菅田天神社にある武田氏相伝の小桜韋威鎧 や、雲峰寺、慈眼寺、善光寺、窪八幡神社のように、武田氏に関連する文化財は多い。清白寺仏殿 と、最恩寺仏殿 、東光寺仏殿 は臨済宗の

140

秀麗な禅宗様の建造物であり、清白寺は足利氏、武田氏の関連した名利である。禅宗に帰依した武家と、中世仏教の繁栄がうかがえる。近世になると、長期にわたって継続した地方統治者がいなくなり、文化的財宝も集積しなかった。

◎釈迦堂遺跡出土品（しゃかどういせきしゅつどひん）

笛吹市の釈迦堂遺跡博物館（ふえふきしのしゃかどういせきはくぶつかん）で収蔵・展示。縄文時代の考古資料。中央自動車道の釈迦堂パーキングエリアにあった遺跡から出土した遺物である。釈迦堂遺跡（しゃかどういせき）は甲府盆地を見下ろす京戸川（きょうどがわ）扇状地のほぼ中央に位置し、塚越北Ａ地区、塚越北Ｂ地区、三口神平（さんこうじんだいら）地区、釈迦堂地区、野呂原（のろのはら）地区と約2haの広範囲にわたって発掘調査が実施された。その結果、旧石器時代から平安時代にかけての遺構・遺物が大量に見つかった。中でも縄文時代早期末から中期の住居跡と土坑からなる集落跡と、出土した縄文土器、土偶に注目が集まり、土偶1,116点、土器・土製品3,410点、石器・石製品915点、土器把手・粘土塊・ベンガラ塊など158点、合計5,599点が重要文化財となった。土偶は、前期のもの7点、後期のもの1点を除いて、ほかのすべては5,000～4,000年前の中期の時期に集中していた。大半の土偶は、頭部、胴部、腕部、脚部など、ばらばらに破損した状態で出土し、復元を試みてもめったに接合しない。土偶の顔を眺めると、丸い目、つり目、細長い目、猫のような目、点の目、丸い口、横に広がる口、三角の口等々、さまざまな顔貌にバラエティに富んだ装飾が施されている。小さいながらも一つひとつに個性豊かな表情が見られる。

◎阿弥陀如来及両脇侍像（あみだにょらいおよびりょうきょうじぞう）

甲府市の善光寺（ぜんこうじ）の所蔵。平安時代後期の彫刻。中央に阿弥陀如来坐像（あみだにょらいざぞう）、向かって右側に観音菩薩立像、左側に勢至菩薩立像（せいしぼさつりゅうぞう）からなる三尊像である。甲斐善光寺には阿弥陀如来三尊像が2組あり、1組は収蔵庫、もう1組は宝物館に安置され、ともに木造の定朝（じょうちょう）様の仏像である。宝物館にある阿弥陀如来坐像は像高140.6cmで、顔が大きくて頬がふっくらとした丸顔で、身に着けた衣の襞は細くて浅い彫りである。上杉謙信との川中島での戦いが続くなか、武田信玄は戦火が信濃善光寺に及ぶのを恐れて、善光寺本尊の阿弥陀如来を甲府へ移し、1558年に甲斐善光寺を創建した。本堂は1565年に完成した。織田信長・徳川家康の連合軍によって武田氏が滅亡すると、本尊は信長の嫡男織田信忠（おだのぶただ）によって岐阜に持ち出され、本能寺の変で織田信長父子が討たれると、徳川家康によって善光寺如来は甲斐善光寺に戻さ

甲信地方　141

れた。その後豊臣秀吉が、京都府方広寺の倒壊した大仏の代わりとして、善光寺如来を1597年に京都に運ばせて祀ったのだが、秀吉の病死によって、1598年に信濃善光寺に戻された。現在の甲斐善光寺の本尊は、絶対秘仏とされる信濃善光寺の本尊を模した銅造阿弥陀如来及両脇侍立像で、善光寺式三尊像の模像としては最古の1195年の造立である。この銅造三尊像も、武田信玄が信濃善光寺から持ち出したものだった。木造の2組の三尊像は、1593年に甲斐国主となった浅野長政が、千塚村光増寺と宮地村大仏堂から移したとされる。

● **達磨図** 甲州市の向嶽寺の所蔵。鎌倉時代の絵画。中国禅宗の始祖である達磨を描いた礼拝用と思われる絵画で、日本に禅宗が導入された初期の頃の重要な作品である。達磨は南インドに生まれ、中国に渡って嵩山少林寺で面壁座禅の修業をしたとされ、伝承をもとに多数の絵画や説話が生まれた。達磨図では、朱色の衣をまとう堂々とした体部の達磨が岩上に坐し、鋭い眼をやや上に向け、豊かな髭の間から歯を少しのぞかせた柔和な口元をしている。彩色が抑制され、衣の襞が墨線で流れるように表現され、また自然の中に泰然と人物を描く水墨画的要素もうかがえる。図上に建長寺の開山である蘭渓道隆が1264年頃に書いた賛があり、この絵画は、その4年後に執権となる北条時宗に贈られたものと推測されている。向嶽寺は、各地を遍歴した抜隊得勝（1327～87年）が塩山竹森に草庵を結び、1380年に甲斐国守護の武田信成が現在地を寄進して創建された。

● **大善寺本堂** 甲州市にある。鎌倉時代後期の寺院。1270年の火災で焼失してから、1286年に再建が着手され、鎌倉幕府の援助を受けつつ1307年頃に完成した。内陣の厨子内にブドウを手にする薬師如来坐像を祀ることから、薬師堂とも呼ばれている。桁行5間、梁間5間の寄棟造で、屋根は檜皮葺、正面3間は桟唐戸、両隅に連子窓を入れる。内部の前方2間を外陣、後方奥の3間を内陣とし、外陣と内陣との間仕切を格子戸と菱格子の欄間とする。内陣の仏壇四隅にある来迎柱に後退はなく、古い形態を示している。内陣の天井は細木に天井板を並べた竿縁天井で、外陣の天井は内陣よりも一段低く、禅宗様の平坦な板張りの鏡天井である。そして母屋周囲の庇部分の天井は化粧垂木を見せる化粧屋根裏となっている。外陣上方の虹梁の上には大仏様の花形の花肘木がある。中世密教の一般的な方5間の本堂であるが、和様を基本に、鎌

142

倉時代になって新しく登場した禅宗様、大仏様の建築様式が所々に見られる。また寄棟造、桟唐戸、連子窓の外観は、奈良地方との関連性が予測されている。

● **清白寺仏殿**　山梨市にある。室町時代中期の寺院。清白寺は足利尊氏の開基、夢窓疎石の開山とされ、1682年の火災で仏殿を残してほとんどの堂宇が焼失し、直後に再建が始まったと伝えられる。仏殿は1415年に建立された禅宗様の方3間の小規模な堂で、裳階付き、入母屋造の檜皮葺である。禅宗様とは鎌倉時代に禅宗とともに宋から伝わった建築様式で、特徴を列挙すると、柱は上下端を丸く細めた粽柱で、柱下と礎石との間に皿形の礎盤を置く。中央1間の柱間の長さが脇の柱間に比べて長い。扉は框を組んで薄い板をはめた桟唐戸で、窓は上部が尖頭アーチ状の花頭窓となる。扉や窓の上にある中備も、柱の上と同様の組物にして詰組とする。屋根軒裏の四隅は、放射状に垂木を並べた扇垂木にする。清白寺仏殿は、これら禅宗様の特徴をよく留めている。現在鎌倉時代に建立された禅宗様の仏殿は残っていなく、清白寺仏殿とほぼ同じ頃に完成した東京都の正福寺地蔵堂、神奈川県の円覚寺舎利殿などが最も古いとされている。

◎ **旧外川家住宅**　富士吉田市にある。江戸時代後期の民家。富士山に登拝する富士道者を泊めた御師の家である。富士信仰は、富士の山神である浅間神を火山神として畏れて、浅間神社を中心とする浅間信仰から始まった。神仏習合の山岳信仰が進んで、浅間神を浅間大菩薩、本地を大日如来として、山内に分け入る修験者が増え、また道者と呼ばれる一般の人たちによる富士登山も盛んになった。近世になると、富士講を組み、宿坊の御師の家から登拝する参詣登山が定着した。富士吉田市上吉田には吉田口（北口）の御師町が形成され、最盛期に86軒の御師の家が連なっていた。外川氏の屋号は塩屋といい、17世紀後半に現在地に居を構えてから、1962年まで代々御師を続けた。表通りから細長い短冊形の屋敷地に入ると、手前に1786年に建てられた主屋と、奥に1860年頃に増築された裏座敷がある。主屋は桁行6間、梁間4間の切妻造の妻入りで、妻側正面に式台玄関がある。富士講の興隆によって、近世に形成された一般庶民用の宿泊施設だった。

☞ そのほかの主な国宝／重要文化財一覧

	時代	種別	名称	保管・所有
1	縄文	考古資料	◎酒呑場遺跡出土品	山梨県立考古博物館
2	平安	彫刻	◎木造大日如来坐像	放光寺
3	平安	彫刻	◎木造浅間神像	浅間神社（南アルプス市江原）
4	平安	工芸品	●小桜韋威鎧	菅田天神社
5	鎌倉	絵画	◎絹本著色法然上人絵伝	山梨県立博物館
6	鎌倉	彫刻	◎木造吉祥天及二天像	福光園寺
7	鎌倉	彫刻	◎木造聖徳太子立像	仁勝寺
8	鎌倉	典籍	◎本朝文粋	久遠寺
9	南北朝	絵画	◎絹本著色大円禅師像	向嶽寺
10	南北朝	歴史資料	◎抜隊得勝遺誡板木	向嶽寺
11	室町	絵画	◎絹本著色仏涅槃図（伝霊彩筆）	大蔵経寺
12	桃山	絵画	◎絹本著色武田信虎像（武田信廉筆）	大泉寺
13	中国／南宋	絵画	●絹本著色夏景山水図	久遠寺
14	中国／南宋	典籍	◎宋版礼記正義	久遠寺
15	室町中期	寺院	◎最恩寺仏殿	最恩寺
16	室町後期	寺院	◎東光寺仏殿	東光寺
17	室町後期〜江戸中期	寺院	◎雲峰寺	雲峰寺
18	室町後期	神社	◎武田八幡神社本殿	武田八幡神社
19	室町後期	神社	◎窪八幡神社本殿	窪八幡神社
20	江戸前期	寺院	◎慈眼寺	慈眼寺
21	江戸中期〜末期	民家	◎安藤家住宅（南アルプス市西南湖）	山梨県
22	江戸後期	寺院	◎善光寺本堂	善光寺
23	江戸後期	民家	◎旧高野家住宅（甲州市塩山上於曽）	塩山市
24	明治	学校	◎旧睦沢学校校舎	甲府市
25	明治	土木	◎八ツ沢発電所施設	東京電力

長野県

八角三重塔

地域の特性

　甲信地方の西部に位置する。日本列島で最も幅の広い中央高地にあって、高い山並みが連なるため日本の屋根ともいわれる。西側に飛驒山脈、木曽山脈が南北に並び、北東側に関東山地、秩父山地、南東側に赤石山脈と伊那山地が南北に並列してのびている。県北部には信濃川源流の千曲川流域に長野盆地、上田盆地、佐久盆地があり、犀川流域に松本盆地がある。県南部には諏訪湖から発する天竜川流域に諏訪盆地、伊那盆地がある。山間に小規模な盆地が点在して、それぞれ各地の環境に適合した農業と産業が発展した。かつて蚕糸業が基幹産業だったが、戦後は年間降水量の少ない気候を活かして、果樹農業や精密機械工業などが盛んになった。

　平安時代に荘園の発達とともに武士が台頭した。木曽義仲は都へ攻め上り、平氏一門を駆逐したが、源頼朝の派遣した範頼、義経の軍にあっけなく敗北した。中世に争乱が続き、戦国時代には武田信玄が侵入してきた。川中島をめぐって武田信玄と上杉謙信が戦ったが、両雄の決着はつかなかった。江戸時代には約10の中小藩が乱立し、しかも藩主の交代が続いた。明治維新の廃藩置県で長野県と筑摩県が置かれ、1876年に筑摩県が廃止されて長野県ができた。

国宝/重要文化財の特色

　美術工芸品の国宝は3件、重要文化財は98件である。縄文時代の土偶が2点も国宝になっている。いずれも茅野市の遺跡から出土し、現在尖石縄文考古館に収蔵されている。長野県は縄文遺跡の宝庫で、発掘調査や研究の歴史も長い。諏訪市サンリツ服部美術館に、多数の国宝/重要文化財がある。この美術館は、時計で有名な服部時計店3代社長服部正次と、その長男でセイコーエプソン社長服部一郎が収集したコレクションを保管・展示している。建造物の国宝は5件、重要文化財は82件である。盆地が分散

甲信地方　145

する山国という地理的条件のもとで、広域な支配者や長期にわたる地方統治者がいなく、文化財の顕著な集積も見あたらない。近代になって形成された実業家のコレクションに、国宝／重要文化財を含む文化財の集積が見られる。

● **土偶**　茅野市の尖石縄文考古館で収蔵・展示。縄文時代の考古資料。尖石縄文考古館には2件の国宝の土偶がある。1件は棚畑遺跡から出土した像高27cmの土偶で「縄文のビーナス」と呼ばれ、もう1件は中ッ原遺跡から出土し、像高34cmで「仮面の女神」と呼ばれている。両遺跡は霧ヶ峰南斜面台地上の同一河川水系に位置する。「縄文のビーナス」は約5,000年前の縄文時代中期のもので、環状集落の中央広場の小さな土坑に埋められていた。頂部が平坦な帽子をかぶったような膨らんだ頭部をしている。ハート形の顔につり上がった目、小さな口、とがった鼻、小さく突き出た胸に膨らんだ腹、腕は短く省略され、その一方で臀部から脚部にかけては大きく太い。曲線を描く体形に、下半身にどっしりとした重量感を与えている。頭部に渦巻文があるだけで、文様はほとんどない。「仮面の女神」は約4,000年前の縄文時代後期のもので、遺跡中央の墓穴と思われる土坑に埋められていた。中が空洞となっている中空土偶である。顔面に逆三角形の仮面をつけ、仮面表面にはV字型の細い粘土紐と、口のような小さな孔、鼻のような小さな突起がある。真横に腕を広げ、幅広い胴部の下に膨らんだ太い脚が立つ。体と掌には渦巻文や同心円、欅のような文様がある。飾り気のない神秘的な造形美は、現代アートを連想させる。

◎ **大威徳明王像**　松本市の牛伏寺の所蔵。平安時代後期の彫刻。不動明王を中心とする密教の五大明王の1尊で、西方を守る。3眼の顔3面と頭上の小さな化仏3面の計6面の顔、手が6本で6臂、6足で臥した水牛に乗る。髪を逆立てた忿怒相で、剣を手にして法を守護する。なで肩で分厚い体部である。戦勝祈願や農耕の神として崇敬され、五大明王の集団としてではなく、単独の独尊として祀られた。滋賀県石馬寺と大分県真木大堂の大威徳明王像 ◎ も独尊である。牛伏寺には十一面観音及両脇侍立像 ◎（本尊）と、釈迦如来及両脇侍立像 ◎、薬師如来坐像 ◎ があり、そのほかにも多数の仏像を所蔵している。牛伏寺は諏訪藩の飛び地に所在し、明治維新の廃仏毀釈の時、松本藩のように仏像が徹底的に処分されなかったので、多数の仏像が残ったと伝えられている。

●楽焼白片身変茶碗(らくやきしろかたみがわりちゃわん)

諏訪市のサンリツ服部美術館で収蔵・展示。江戸時代前期の工芸品。刀剣の鑑定・研磨を本業としながらも、書画、漆芸、陶芸に通じた多才な本阿弥光悦(ほんあみこうえつ)が制作した楽焼茶碗(らくやきちゃわん)で、不二山(ふじさん)という銘が付けられている。楽焼は、手捏(てづく)ねと箆削(へらけず)りで成形され、低い温度で焼かれた軟質の施釉陶器で、茶碗を中心とする。この茶碗は直線的な胴に、腰に明確な稜(かど)がついて、わずかに口の開く半筒形をしている。胴上半が白色、下半が黒色で、内外全面にかけられた白釉が、下半部だけ窯内焼成中に灰黒色に変化したと考えられている。対照的な色調に変化した片身変(かたみがわり)の白黒の絶妙な色合いから、おそらく白雪をいただく富士山を連想して、不二山の銘となったのだろう。光悦茶碗の代表作、和物茶碗中の白眉(はくび)とまで称賛される名品である。本阿弥光悦の娘が大坂の大家に嫁ぐ際に持参したものと伝えられ、その後京都の豪商大文字屋比喜多権兵衛を経て、姫路藩5代藩主酒井忠学(さかいただのり)の所蔵となってから、代々酒井氏に伝えられた。

●安楽寺八角三重塔(あんらくじはっかくさんじゅうのとう)

上田市にある。鎌倉時代後期の寺院。日本では珍しい八角形の三重塔で、裳階(もこし)が付いているので、一見すると屋根が四重もある四重塔のように見える。日本で現存する八角塔はこの塔だけであるが、中国では八角塔が多く、宋元時代のものが多数残っている。安楽寺(あんらくじ)は、宋へ留学した入宋僧(にっそう)で、建長寺の開山蘭渓道隆(らんけいどうりゅう)と親交のあった樵谷惟仙(しょうこくいせん)が、弘安年間(1278〜88年)に開いた臨済宗寺院である。天正年間(1573〜92年)に曹洞宗に転じた。2世は、樵谷惟仙に従って渡来した中国僧の幼牛恵仁(ようぎゅうえにん)である。八角三重塔に使用された用材の伐採年代が1289年と判明し、塔の建立は鎌倉時代末期の1290年代とされた。中国と関連性の深い僧侶たちによって開山された禅宗寺院であり、三重塔の建築様式も中国の影響を受けた禅宗様である。柱間の上にも組物(くみもの)を入れる詰組、屋根の軒裏の垂木(たるき)を放射状に並べる扇垂木(おうぎだるき)、柱の下の礎盤(そばん)など禅宗様の特徴が見られる。内部は8本の母屋柱(もやばしら)による八角形の壇があり、八角円堂に似た構造となっている。

●松本城天守(まつもとじょうてんしゅ)

松本市にある。江戸時代前期の城郭。平地に築かれた初期の平城(ひらじろ)で、大天守、乾小天守(いぬいこてんしゅ)、渡櫓(わたりやぐら)、辰巳付櫓(たつみつけやぐら)、月見櫓(つきみやぐら)からなる。戦国時代初期に松本城の前身にあたる深志城(ふかしじょう)が築かれ、信濃守護小笠原氏の支城となった。1550年に甲斐の武田信玄が信濃を攻略し、深志城を統治の拠点とした。武田氏が滅亡すると、深志城は再び徳

川家康配下の小笠原氏のものとなり、松本城と改称された。家康の江戸移封に伴い小笠原氏も関東の下総古河に移り、代わりに小田原攻めの恩賞として石川数正が、1590年に松本に入った。城郭の築造に着手したが、数正は1592年に没し、子の康長が後を継ぎ、天守は1593年頃には完成していたとされる。本丸の南西端に大天守が置かれ、北に小天守を連結させて、寛永年間（1624〜44年）に南東に辰巳付櫓と月見櫓が増築された。大天守は五重6階で、屋根は初重から四重まで寄棟形式で、最上重のみ入母屋造となる。屋根の逓減率は少なく、また破風の数も少ないので、装飾を抑制した簡潔な形象となっている。石垣は自然石を乱雑に積み上げた野面積みである。内部に住宅的要素はなく、石落としが四隅だけでなく中間にもあり、また窓が少なくて、矢を射るための縦に細長い小窓の矢狭間が並んでいることなどから、軍事的傾向が強い。平和な時代に増築された月見櫓は、北・東・南の舞良戸を外すと三方吹き抜けとなり、朱塗りの回り縁と高欄がめぐる。城郭には珍しい建物である。明治維新で松本城の取り壊しが進み、1872年には天守が235両余りで落札された。天守を産業振興の拠点にしようと考えた市川量造は天守を買い戻し、博覧会が5回開催されて天守は破却を免れた。荒廃して傾いた松本城を救おうと、1901年には松本天守閣保存会が結成され、資金が集められて1903〜13年に大修理が実施された。地元住民たちの努力によって松本城は保存されたのである。

◎旧開智学校校舎

松本市にある。明治時代前期の学校。文明開化とともに流行した和風と洋風が混在する擬洋風建築の代表作である。開智学校は1873年に開校され、当初は旧松本藩主戸田氏の菩提寺だった全久院を校舎にしていた。1875年から大工棟梁立石清重の設計・施工で新校舎の建設が始まり、翌年完成した。木造2階建で、横長の校舎正面中央に唐破風の玄関車寄がある。欄間に竜、バルコニーに瑞雲の彫刻があり、唐破風には校名の書かれた板の両脇に羽根の生えた天使が舞う。屋根中央には方位指針文字板を尖頭飾にした塔屋が立つ。隅石や窓の下の腰壁は黒漆漆喰に目地をつけて石積みに擬している。洋風の外見に和風の彫刻が同居する不思議な建物である。

☞ **そのほかの主な国宝／重要文化財一覧**

	時 代	種 別	名　　称	保管・所有
1	旧石器	考古資料	◎日向林B遺跡出土品	長野県立歴史館
2	縄　文	考古資料	◎顔面把手付深鉢形土器／岡谷市小尾口海戸遺跡出土	市立岡谷美術考古館
3	弥　生	考古資料	◎柳沢遺跡出土品	中野市立博物館
4	飛　鳥	彫　刻	◎銅造菩薩半跏像	観松院
5	平安〜鎌倉	彫　刻	◎木造薬師如来坐像	福満寺
6	平　安	彫　刻	◎木造千手観音立像	清水寺（長野市松代町）
7	平　安	工芸品	◎鉄鐶形（金銅雲竜紋象嵌）	清水寺（長野市若穂保科）
8	鎌　倉	絵　画	◎紙本著色弘法大師絵伝	サンリツ服部美術館
9	鎌　倉	彫　刻	◎木造惟仙和尚坐像	安楽寺
10	室　町	絵　画	◎紙本墨画淡彩望海楼図	サンリツ服部美術館
11	江　戸	歴史資料	◎反射望遠鏡	上田市立博物館
12	中国／南宋	典　籍	◎宋版漢書（慶元刊本）	松本市美術館
13	鎌倉前期	寺　院	◎釈尊寺観音堂宮殿	釈尊寺
14	室町前期	寺　院	●大法寺三重塔	大法寺
15	室町後期	寺　院	◎前山寺三重塔	前山寺
16	室町後期	寺　院	◎小菅神社奥社本殿	小菅神社
17	桃山〜江戸末期	神　社	◎諏訪大社上社本宮	諏訪大社
18	江戸前期	住　宅	◎旧小笠原家書院	飯田市
19	江戸中期	寺　院	●善光寺本堂	善光寺
20	江戸中期	神　社	●仁科神明宮	仁科神明宮
21	江戸中期	民　家	◎曾根原家住宅（南安曇野市穂高有明）	—
22	江戸後期	民　家	◎旧小諸本陣（小諸市内）	小諸市
23	江戸後期〜末期	神　社	◎諏訪大社下社	諏訪大社
24	江戸末期	民　家	◎手塚家住宅（塩尻市大字奈良井）	—
25	昭　和	文化施設	◎片倉館	片倉館

甲信地方

古楽面

地域の特性

　東海地方の北部、本州の中央に位置する。飛山濃水という言葉が、山の多い北の飛騨と水の多い南の美濃とを、対照的な特色で表現している。県北東側の飛騨山脈（北アルプス）、県北西側の両白山地にはさまれて、県北部には飛騨山地の大高原が広がる。人口は希薄だが、近年の交通整備によって観光地化が進んでいる。県南西部は、木曽川、長良川、揖斐川による扇状地と沖積平野からなっている。東西南北の交通の要地として人口が多く、既製服製造や機械部品生産などが盛んである。県南東部は、飛騨山脈と木曽山脈の末端にあたる美濃三河高原で、古くから発展した窯業は、伝統的な地場産業として有名である。

　大和王権の王位継承をめぐり672年の壬申の乱で、天智天皇の息子大友皇子と天智天皇の弟大海人皇子が戦った。大海人皇子は美濃に本拠をおいたが、このことは王位を左右するほどの勢力が岐阜周辺にあったことを物語っている。平安時代に荘園が発達し、武士の勢力が強くなった。中世には争乱と下剋上が続いて、斉藤道三が実権を握った。織田信長が斉藤氏を亡ぼし、城下町を岐阜と改名した。美濃は東西の接点にあたる要地だったので、江戸時代に天領と旗本領を交えて多数の小藩が配置された。飛騨には金森氏の高山藩が置かれたが、1692年に金森氏が出羽上山（山形県）に移封されると、飛騨は天領となった。明治維新の廃藩置県で岐阜県と筑摩県が置かれたが、1876年に筑摩県が廃止され、飛騨と美濃を合併させて岐阜県ができた。

国宝／重要文化財の特色

　美術工芸品の国宝は4件、重要文化財は103件である。建造物の国宝は3件、重要文化財は46件である。織田信長は茶道具の逸品を集めたが、本能寺の変とともに信長のコレクションは四散したという。長期にわたって

定着した地方統治者がいなく、文化的財宝の顕著な集積はうかがえない。横蔵寺、願興寺、長滝白山神社・長滝寺、永保寺などに国宝／重要文化財が多くあり、いずれも長い歴史を誇る古刹である。

●獅子唐草文鉢

岐阜市の護国之寺の所蔵。レプリカを岐阜県博物館で展示。奈良時代の工芸品。線刻と鍍金の施された銅製の鉢で、仏前に供える仏餉器である。高さ14.5cm、胴径27cmで、口縁が内側にややすぼまり、肩が大きく膨らんで、なだらかに底部にいたる。極小の円形文様を密に陰刻する魚々子地に、口縁部に2条、胴部中央に3条の連珠文帯がめぐらされている。中央上段に、飛雲とたてがみをなびかせて疾走する4頭の獅子、そして獅子の間に草花文が描かれ、下段に宝相華唐草文、底裏に蓮華文の線刻がある。同じ形態で文様のない金属製鉢は多数遺存しているが、優美な彫金が全面に施された類例は希少である。寺伝によると、聖武天皇の勅願によって大仏建立が計画され、金銅仏建立の勅使が美濃の童子金丸（日野の金麻呂）に派遣された。東大寺の大仏が完成し、その褒賞として金銅鉢が下賜されたと伝えられている。この逸話は、室町時代に制作された東大寺所蔵の東大寺大仏縁起にも描かれている。

◎板彫法華曼荼羅

揖斐川町の横蔵寺の所蔵。平安時代後期の彫刻。法華経第11見宝塔品の仏教説話を表現した法華曼荼羅図像を、縦19cm、横16cmの白檀の小板に浮き彫りにしたものである。絵画の法華曼荼羅では、中央の多宝塔の中に釈迦、多宝如来が並坐して説法し、周囲を八葉蓮華に八大菩薩が取り囲んで内院とし、さらに外周に諸天・菩薩が配される。平安時代中期に成立し、密教の法華経法の本尊として祀られる。板彫法華曼荼羅では、中央多宝塔の中に釈迦と多宝如来が坐り、そのほかの部分を界線で4段に区切って、20の諸尊が彫り出されている。四隅に四天王、多宝塔の左右に獅子の上に坐す文殊と、象の上に坐す普賢の両菩薩が配置されている。各諸尊はきわめて細かく描出され、外枠にも精緻な文様が施されていて、優れた彫刻の技がうかがえる。ほかに類例のない珍しい作品である。横蔵寺では法華曼荼羅以外に、22体の仏像が重要文化財に指定されている。

◎古楽面

白鳥町の長滝白山神社の所有。白山文化博物館で収蔵・展示。室町時代から江戸時代の彫刻。能に使用された木造の能面で、翁、男、女、鬼神などを表現し、27面が重要文化財である。能は

東海地方　151

笑いの芸能であるとともに、仏教の修法の意義をわかりやすく示すため、寺院での演舞から発達したものである。老翁の姿をした神が現れて祝福を与えるという猿楽の芸能が古くから各地で行われ、能面もそれぞれの地域で制作された。尉という翁の面の一つは、額から頬、口元にかけて波紋のように皺が流れ、眼を丸く見開いている。寺院の法会の後に演ぜられた延年に使用されたのであろう。面裏には応安2年（1369年）の墨書がある。おおらかに笑う少女の延命冠者の面もある。ヘ字型に微笑む細い眼に、両頬にえくぼ、わずかに口を開く丸顔である。この面は、平泉中尊寺の延年で使用され正応4年（1291年）の銘記のある能面延命冠者の面によく似ていて、同じ頃の制作と考えられている。白山は山岳信仰の盛んな修験道場で、山頂を目指す馬場と呼ばれる登拝口が、加賀馬場、越前馬場、美濃馬場の三方に開かれた。美濃馬場には白山中宮長滝寺が建立され、延暦寺と結びつきが深く、1021年には天台別院となった。天台宗の影響を受けて、平安時代後期から各種の法会の結願日に、加齢延年の芸能大会が僧侶たちによって行われるようになった。白山中宮長滝寺は鎌倉～室町時代に全盛期を迎え、美濃馬場には多くの参詣者が参集した。越前（福井県）の朝倉氏が大和猿楽を奨励し、越前から大和五郎大夫が定期的に白山中宮長滝寺を訪れ、僧侶たちに猿楽を指導した。猿楽の活発化に伴い職人による能面も制作された。しかし朝倉氏の滅亡とともに猿楽は衰退し、白山中宮長滝寺の能面もほかの祭礼に転用されるようになった。明治維新の廃仏毀釈により、白山中宮長滝寺は、同一境内で隣接していながら、長滝白山神社と白山長滝寺に分割された。

●永保寺観音堂

多治見市にある。室町時代前期の寺院。永保寺は臨済宗南禅寺派の寺院で、夢窓疎石（1275～1351年）が1313年に開創し、弟弟子の元翁本元（仏徳禅師）が開山となった。開山堂には夢窓疎石と元翁本元の木造坐像が安置されている。境内の東と南に土岐川が蛇行し、北と西を長瀬山の丘陵に囲まれた景勝地に位置する。観音堂西側の岩山から瀑が落ちて堂の前面に池を形成し、堂正面には瀟洒な太鼓橋がかかって池を二分する。観音堂は方3間の入母屋造で裳階付き、檜皮葺で、前面を吹き放して開放している。軒の端部が反るなど禅宗様の特徴を見せるが、柱上だけに組物を置いて、柱間の上には置かず、詰組としていない。低い高床を設ける。屋根の軒裏に垂木を見せずに板で仕上げた板軒とするなど、禅宗様を簡略化させている。周囲の庭園風景との

一体観を重視して、簡略化されたのかもしれない。夢窓疎石の作風を伝える中世庭園の中に、同時代の建造物が調和する禅宗寺院の代表である。

◎願興寺本堂

御嵩町にある。桃山時代の寺院。願興寺は天台宗の古刹で蟹薬師、可児大寺と呼ばれる。伝教大師（最澄）が施薬院として、中山道御嵩宿に建てたのが始まりと伝えられ、まとまった伽藍となったのは998年とされる。1108年に兵火により焼失し、鎌倉時代初期に地頭の纐纈盛康によって再建された。1572年に武田信玄の軍勢によって再度焼かれると、1581年に玉置与次郎という一庶民の発起で、近郷の百姓たちが力を合わせて本堂を再建した。本堂は桁行7間、梁間5間の寄棟造の大きな仏堂で、四周1間通り、つまり外周1間を吹き放して開放し、回廊にした珍しい平面プランである。さまざまな樹種の木を部材に使用したり、曲がった柱材もあり、粗忽ながらも民衆の活力を感じさせる仏堂である。なお願興寺には、秘仏となっている本尊薬師如来及両脇侍像をはじめ、多数の古い仏像がある。

◎日下部家住宅

高山市にある。明治時代前期の住居。JR高山駅東側に商家町が南北に細長くのび、下二之町大新町と三町の2か所が重要伝統的建造物群保存地区となっている。北側の下二之町大新町の通りに日下部家住宅は面し、日下部民藝館という名称で建っている。日下部家は江戸時代に天領の御用商人として栄えた商家だった。1875年に邸宅が大火で類焼し、4年後の1879年に新築された。切妻造の段違い2階建。狭い入口を抜けると、土間およびそれに続く部屋は吹き抜けとなり、簡素な間仕切のため、大きな広い部屋に入ったかのような解放感を感じる。見上げると、こげ茶色の太い梁組が縦横に走り、重厚な構造美を見せている。11代当主日下部礼一が柳宗悦（1889〜1961年）の民藝の思想と運動に共鳴し、日本の古民具や朝鮮李王朝時代の陶器や家具を収集した。敷地内奥の土蔵で、収蔵コレクションが展示されている。北側に吉島家住宅が隣接する。日下部家住宅よりも少し新しく1907年の築造で規模はやや小さいが、同様に重厚な太い梁組が土間の吹き抜けにある。古民具と日下部家住宅、吉島家住宅、そして飛騨高山の町並みは、民衆の生活息吹を伝えている。

☞ そのほかの主な国宝／重要文化財一覧

	時代	種別	名称	保管・所有
1	縄文	考古資料	◎中野山越遺跡出土品	飛騨の山樵館
2	奈良	彫刻	◎乾漆十一面観音立像（本堂安置）	美江寺
3	平安	絵画	●絹本著色五大尊像	来振寺
4	平安	彫刻	◎木造千手観音立像	乙津寺
5	鎌倉	彫刻	◎木造金剛力士立像	円鏡寺
6	鎌倉〜南北朝	工芸品	◎那比新宮信仰資料	新宮神社
7	鎌倉	古文書	●入唐求法巡礼行記（円仁記／兼胤筆）	安藤積産合資会社
8	室町	絵画	◎絹本著色斎藤道三像	常在寺
9	室町〜桃山	古文書	◎楽市楽座制札	円徳寺
10	室町〜桃山	工芸品	◎能装束類	春日神社
11	安土桃山	考古資料	◎元屋敷陶器窯跡出土品	土岐市美濃陶磁歴史館
12	明治	絵画	◎裸婦図（山本芳翠筆）	岐阜県美術館
13	中国／南宋	絵画	◎絹本著色千手観音像	永保寺
14	鎌倉後期	寺院	◎日竜峯寺多宝塔	日竜峯寺
15	室町中期	寺院	◎新長谷寺本堂	新長谷寺
16	室町中期	寺院	◎国分寺本堂	国分寺
17	室町後期	寺院	◎照蓮寺本堂	照蓮寺
18	江戸前期	神社	◎南宮神社	南宮大社
19	江戸前期	寺院	◎真禅院	真禅院
20	江戸中期〜末期	民家	◎旧太田脇本陣林家住宅（美濃加茂市太田町）	―
21	江戸中期〜後期	民家	◎荒川家住宅（高山市丹生川町）	―
22	江戸中期	民家	◎牧村家住宅（揖斐郡大野町）	―
23	江戸後期	民家	◎松本家住宅（高山市上川原町）	高山市
24	江戸後期	民家	◎旧遠山家住宅（大野郡白川村）	白川村
25	明治	産業	◎旧八百津発電所施設	八百津町

22 静岡県

紅白梅図

地域の特性

東海地方の南東部に位置する。北側に赤石山脈と富士山があり、南側は太平洋に面し、南東側に伊豆半島がある。平地が海岸沿いに帯状に分布しているため、東西方向の結びつきが強く、関東と関西あるいは中京との回廊的特色がうかがえる。富士川以東の県東部には富士山と伊豆半島があり、変化に富んだ景勝地として有数の観光地となっている。富士川と大井川にはさまれた県央部には、北から高山地帯と丘陵地帯がのびる。太平洋沿岸の静岡平野で、政治・経済の中心である静岡と工業の盛んな清水が隣接し都市化している。大井川以西の県西部には、天竜川河口や浜名湖周辺に平野が広がる。穀倉地帯であるとともに、ミカン栽培、織物、楽器、自動車・オートバイなどの産業が栄えている。

古代律令制が平安時代に衰退して荘園が発達し、武士の勢力が台頭した。1180年に源頼朝は関東の武士団を集めて、平維盛の軍勢と富士川で決戦した。平氏の軍勢は夜半に飛び立つ水鳥の音に驚いて敗走し、勝利した甲斐源氏が静岡方面に進出した。戦国時代に今川氏が勢力を伸ばしたが、織田信長に敗れ、代わって徳川家康が領主となった。江戸時代になると、県内領域には13の藩が置かれ、藩主はめまぐるしく交代した。伊豆には藩が設置されず、全域が天領となった。明治維新の廃藩置県でいくつかの県が置かれたが、1876年に静岡県に統合され、その2年後に伊豆七島が東京府へ編入されて、現在の静岡県ができた。

国宝／重要文化財の特色

美術工芸品の国宝は12件、重要文化財は177件である。熱海市MOA美術館に多数の国宝／重要文化財がある。この美術館は、世界救世教という宗教団体の教祖岡田茂吉が収集したコレクションを収蔵・展示している。建造物の国宝は1件、重要文化財は32件である。唯一の国宝は徳川家康を

東海地方 155

祀る久能山東照宮で、美術工芸品も多く収蔵され、家康所用の具足や多数の刀剣類が国宝／重要文化財となっている。そのほかに源頼朝と北条氏に関連する願成就院、頼朝や家康が帰依した智満寺、家康の側室お万の方に関連する妙法華寺、谷文晁の障壁画がある本興寺などの名刹に重要文化財が多い。

●聖武天皇勅書

牧之原市の平田寺の所蔵。レプリカを牧之原市史料館で展示。奈良時代の古文書。聖武天皇が749年に12大寺へ寄進した時の施入願文の勅書である。施入願文とは神仏に物を供えて祈願する時、あるいは願い事が成就してお礼を奉納する時に供える品目を列挙した願文である。天皇の発した公的文書なので、天皇玉璽の印が書面にすき間なく押されている。願文は、絁、綿、布、稲、墾田地を施入し、諸仏の加護のもと寿命延長、天下太平、兆民快楽を願ったという内容で、文末に年月日と天皇直筆の勅の文字、橘諸兄、藤原豊成、大僧都寿信の連署がある。はじめの部分が欠損しているため、どの寺に宛てた文書なのか不明だが、『続日本紀』の記事から、大安寺、薬師寺、元興寺、興福寺、東大寺のいずれかだと推測されている。平田寺は臨済宗の古刹で1283年に開創された。本堂は戦国時代末期に焼失したが、1786年に相良藩主田沼意次によって再建された。聖武天皇勅書が平田寺に伝わった経緯は不明である。

●阿弥陀如来坐像

伊豆の国市の願成就院の所蔵。鎌倉時代初期の彫刻。運慶が30歳代半ば1186年に制作した木造の仏像で、同じく運慶作の不動明王及二童子立像、毘沙門天立像とともに、大御堂に安置されている。願成就院は、源頼朝の奥州藤原氏征伐を祈って、北条政子の父である北条時政が1189年に建立したと『吾妻鏡』に記されている。北条氏の氏寺として繁栄し、西側の守山を背に、かつて美しい堂塔が建ち並び、前面には大きな池もあったことが発掘調査で判明した。大規模な浄土庭園の遺跡として史跡にも指定されている。阿弥陀如来坐像は、大きくて丸い顔に量感豊かな体部をしていて、衣文も深浅を明確にした立体感がある。10世紀後半に、観音に不動・毘沙門を随侍させるようになり、さらに十一面観音や千手観音、阿弥陀如来などほかの尊種の中尊にも、不動・毘沙門を配する組合せができた。浄土庭園に安置された阿弥陀如来と不動・毘沙門は、極楽浄土への導き手として祀られたのであろう。願成就院の諸仏は、南都復興の大工事が開始された時期の作品で、

運慶様式の展開、そして運慶と東国武士との関係を示す重要な資料となっている。

●**紅白梅図**（こうはくばいず）
熱海市のMOA美術館で収蔵・展示。江戸時代の絵画。尾形光琳（おがたこうりん）（1658〜1716年）が晩年に描いた作品で、東京都根津美術館所蔵の燕子花図（かきつばたず）とともに、光琳の2大傑作といわれている。二曲一双の屏風で、背景を金地にして、中央にS字状に蛇行する暗色の水流、向かって右側に紅梅、左側に白梅という画面構成である。紅梅はいくつもの上へ伸びる小枝に花を咲かせて、若々しい勢いを感じさせる。一方、白梅は巨木で、地面近くまで下がって反転する斜めの幹と、さまざまな方向に伸びた小枝に花が咲いて、老練さをにじみ出している。水流は、まず銀箔を貼ってから、にじみ止め用（マスキング）の礬水（どうさ）で流水の文様を描き、硫黄で燻蒸（くんじょう）するという技法が使われた。銀箔は黒色に変化し、礬水で変色を防いだ部分は銀色で残ったと推測されている。今は茶色になってしまった流水文様は、かつて黒色の流れの中で銀色に輝き、背景の金地とも対照となっていたであろう。水流と梅樹、紅梅と白梅、若と老、直線と曲線、金と銀、写実と装飾など対立する要素が緊張感をもって精妙に均衡を保ち、見る者にさまざまな解釈や感想を抱かせる。江戸時代絵画の記念碑的存在と称賛されている。

◎**本興寺本堂**（ほんこうじほんどう）
湖西市にある。室町時代後期の寺院。本興寺（ほんこうじ）はもとは真言宗の寺院であったが、1383年に法華宗に改宗した。戦国時代には今川氏の武将であった鵜殿氏（うどのし）の庇護を受けて栄え、1552年に本堂が再建された。本堂は方5間の寄棟造（よせむねづくり）で茅葺（かやぶき）、正面と背面にそれぞれ1間の桟瓦葺（さんがわらぶき）の向拝が付く。正面5間には框と桟を縦横に組んだ禅宗様の桟唐戸（さんからど）、側面は表と裏に細い横木を組んだ和様の舞良戸（まいらど）、背面は中央だけを桟唐戸にしてそのほかを板壁にしている。擬宝珠（ぎぼうしゅ）付き親柱（おやばしら）を隅に用いた和様の擬宝珠高欄（ぎぼうしゅこうらん）の回り縁が周囲をめぐる。内部は、内陣の三方をコ字型に外陣（げじん）が囲む密教本堂の様式で、外陣と内陣との間仕切を格子戸（こうしど）と菱格子の欄間（らんま）とする。外陣の天井は、外側を化粧垂木の見える化粧屋根裏、内側を細木で天井板を受ける竿縁天井（さおぶちてんじょう）となっている。ほかに象の頭を図案化した大仏様の木鼻（きばな）が正面向拝柱上にある。本興寺が法華宗に改宗する前の密教寺院の様式が本堂に残り、また和様、禅宗様、大仏様が折衷する建築様式である。なお本興寺は紺紙金字法華経、法華経曼荼羅図（まんだらず）など法華経に関する文化財を多数所蔵し、書院に谷文晁（たにぶんちょう）の描いた四季山水図の

障壁画があることで有名である。

◎富士山本宮浅間神社本殿(ふじさんほんぐうせんげんじんじゃほんでん)

富士宮市にある。桃山時代の神社。本来富士山そのものが神体で、たびたび噴火を繰り返す荒ぶる山を鎮める神として、山宮から富士山を遥拝し、後に現在の場所に神社が建てられたと伝えられている。古くはアサマと訓じて浅間(あさま)神社(じんじゃ)と呼ばれた。中世には山岳信仰の修験道と結びつき、村山や須走(はしり)の参詣口に御師(おし)や信者のための宿坊が多数営まれた。足利氏や今川氏、武田氏により社領の寄進や社殿の造営も行われたとされ、現在の社殿は徳川家康によって1604年につくられた。社殿は楼門、透塀(すきべい)、拝殿、幣殿(へいでん)、本殿からなり、本殿は幣殿によって拝殿とつながっている。本殿のみ重要文化財に指定された。本殿は浅間造という二重楼閣造で、5間社の上に3間流造(ながれづくり)をのせた神社には珍しい2階建である。静岡市の神部神社浅間(かんべじんじゃあさま)神社(じんじゃ)(静岡浅間神社(せんげんじんじゃ))の大拝殿も2階建の浅間造である。初重は桁行(けたゆき)7間、梁間(はりま)4軒の切妻造(きりづまづくり)で、正面と背面に千鳥破風(ちどりはふ)を付け、二重は入母屋造(いりもやづくり)となっている。江戸時代後期に再建され、多数の彫刻と極彩色で装飾され、天井には墨絵の竜と彩色の天女像が描かれている。

●久能山東照宮(くのうざんとうしょうぐう)

静岡市にある。江戸時代前期の神社。1616年4月に駿府城で死去した徳川家康を祀る神社で、本殿・石の間・拝殿は国宝、楼門、唐門、鼓楼、神楽殿、末社日枝神社本殿(旧本地堂(じどう))など13棟が重要文化財である。久能山(くのうさん)は高さ270mの孤立した山で、久能忠仁(くのうただひと)が寺を建て、観音菩薩を安置して補陀落山久能寺(ふだらくさんくのうじ)と称した。装飾経の法華経(久能寺経)で有名である。その後武田信玄によって寺は城に改造されたが、家康の死後に城は廃止されて東照宮となった。1617年12月に完成し、大工は伏見城、二条城、知恩院、江戸城、駿府城、名古屋城など、大工事を次々に担当した中井正清(なかいまさきよ)であった。社殿はいずれも漆、極彩色、多数の彫刻が施され、金鍍金の施された飾金具を要所に付けた華麗な建物である。本殿・石の間・拝殿は、3棟を直線的に並べて一体化させた権現造(ごんげんづくり)の複合社殿で、日光東照宮をはじめ全国に普及した権現造の発端を示している。伝統的な和様の建築様式を基調に、さまざまな装飾方法を駆使して荘厳化させた建物で、建築史だけでなく、江戸時代初期の工芸に関する重要な資料にもなっている。

☞ そのほかの主な国宝／重要文化財一覧

	時 代	種 別	名 称	保管・所有
1	古 墳	考古資料	◎明ヶ島古墳群出土土製品	磐田市埋蔵文化財センター
2	奈 良	古文書	◎山背国愛宕郡天平四年計帳残筈	静岡県立美術館
3	平 安	彫 刻	◎木造千手観音立像	智満寺（島田市）
4	平 安	彫 刻	◎木造不動明王立像	摩訶耶寺
5	平 安	典 籍	◎紺紙金字法華経	本興寺
6	平 安	工芸品	◎雑伎彩絵唐櫃	MOA美術館
7	鎌 倉	絵 画	◎絹本著色日蓮上人像	妙法華寺
8	鎌 倉	絵 画	◎木造大日如来坐像	修禅寺
9	鎌 倉	工芸品	●梅蒔絵手箱	三嶋大社
10	南北朝	絵 画	◎絹本著色普賢十羅刹女像	大福寺
11	室 町	絵 画	◎絹本著色富士曼荼羅図	富士山本宮浅間大社
12	室町〜昭和	歴史資料	◎韮山代官江川家関係資料	江川文庫
13	桃 山	絵 画	◎紙本著色洋人奏楽図	MOA美術館
14	中国／唐	絵 画	◎紙本著色樹下美人図（伝トルファン出土）	MOA美術館
15	中国／南宋	典 籍	◎宋版石林先生尚書伝	清見寺
16	室町中期	寺 院	◎方広寺七尊菩薩堂	方広寺
17	桃 山	寺 院	◎智満寺本堂	智満寺
18	桃 山	寺 院	◎油山寺本堂内厨子	油山寺
19	江戸前期	寺 院	◎臨済寺本堂	臨済寺
20	江戸後期	民 家	◎鈴木家住宅（浜松市北区引佐町）	―
21	江戸後期〜末期	神 社	◎神部神社浅間神社	神部神社／浅間神社／大歳御祖神社
22	江戸末期	住 宅	◎掛川城御殿	掛川市
23	明 治	学 校	◎旧岩科学校校舎	松崎町
24	明 治	住 居	◎古谿荘	野間文化財団
25	明 治	交 通	◎天城山隧道	国（国土交通省）

愛知県

源氏物語絵巻

地域の特性

　東海地方の南西部に位置する。古くから東西日本の両文化圏の交錯地としての特色が強い。県西側の尾張と、県東側の三河との二つの地方に分かれる。尾張には、関東平野に次ぐ日本で2番目の平野である濃尾平野が広がり、政治・経済・交通の中心として大都市が形成された。瀬戸や尾張旭で伝統的地場産業の窯業が盛んである。三河には三河高原、岡崎平野、豊橋平野があり、繊維工業が盛んだった。挙母（後に豊田）にトヨタ自動車の本社と工場ができて、自動車工業が著しく発展し、愛知県は自動車王国と呼ばれるほどになった。

　平安時代に古代律令制が衰退し、地方に派遣された国司による悪政が目立つようになった。988年に尾張の郡司と百姓が、当時の国司藤原元命に対して31か条の訴えを起こし、国司を罷免させた。中世に瀬戸焼物と三河木綿の大産地が形成された。戦国時代には織田信長、豊臣秀吉、徳川家康の3人の天下人が輩出し、その足跡が今でも多く残されている。江戸時代になると、名古屋に徳川御三家の一つである尾張藩60万石が置かれ、その一方で三河には多数の小藩が配置された。明治維新の廃藩置県で10以上の県が置かれたが、1872年に統合されて愛知県となった。

国宝／重要文化財の特色

　美術工芸品の国宝は6件、重要文化財は245件である。尾張徳川氏に伝来した美術工芸品が徳川美術館にあり、多数の国宝／重要文化財が含まれている。徳川美術館に隣接して、初代藩主義直が創設した蓬左文庫がある。蓬左文庫は家康旧蔵の駿河御譲本のほか、さまざまな蔵書コレクションからなり、1950年に徳川氏から名古屋市に贈与された。鎌倉の金沢文庫にあった旧蔵書などが重要文化財になっている。名古屋市真福寺（宝生院）の大須文庫にも多数の古書籍がある。伊勢神宮神主度会家行の子能信が開

山となって集めたコレクションで、国宝/重要文化財が多い。建造物の国宝は3件、重要文化財は78件である。滝山寺、天恩寺、大樹寺、伊賀八幡宮、東照宮などの大きな寺院・神社は、徳川氏に関連している。犬山市の明治村に、全国から多種多様な近代建造物が移築され、民間の文化財保存施設としては日本屈指である。

◉源氏物語絵巻　名古屋市の徳川美術館で収蔵・展示。平安時代後期の絵画。11世紀初頭に完成した紫式部の『源氏物語』を絵画化した作品で、12世紀前半に宮廷を中心に制作されたと考えられている。物語は全部で54帖あり、当初各帖から1～3場面を取り上げて絵巻が構成され、相当な巻数に達したであろうと推測されている。現在、徳川美術館に尾張徳川氏に伝来した10帖15場面の3巻が、東京都の五島美術館に徳島藩主蜂須賀氏に伝来した3帖4場面の1巻が残る。それぞれの場面は、絵と、その情景を文字で綴った詞書からなる。絵には寝殿造の邸宅に集う人々の姿を描いたものが多く、屋外の風景画は第16帖の関屋の場面だけである。邸宅の様子は、屋根・天井を省いて、やや上方から斜めに屋内をのぞき込む吹抜屋台という大和絵の技法で描写されている。人物は男女いずれも、太い眉と直線に引かれた目、細い線によるく字型の鼻、紅で点描された小さな口という類型的な引目鉤鼻の顔貌である。没個性的な顔貌だが、動作や視線、衣服、調度品の設定などから微妙な表情を読み取れる。詞書は、金銀箔、手書きによる文様、型置きによる巴、梅松、蝶、梅花文などで装飾された美麗な料紙に、12世紀前半の新旧の美しい書体で書かれている。源氏物語絵巻は優れた感性に満ちた作品であり、爛熟した王朝文化を代表している。

　徳川美術館は、19代義親の寄付によって1931年に創設された徳川黎明会が運営する美術館で、1935年に開館した。徳川家康の遺品である駿府御分物を中核に、歴代藩主の収集品などを収蔵している。第1次大戦後に旧藩主の華族たちが次々に没落し、伝来の家宝も散逸する事態となったが、独立した財団法人を組織した尾張徳川氏は、そのような悲運を免れ、多くの華麗な大名道具を現代に伝えている。

◎斉民要術　名古屋市の蓬左文庫で収蔵・展示。鎌倉時代の典籍。鎌倉の金沢文庫で筆写された中国の農書『斉民要術』の古写本である。斉民要術は、山東省高陽郡の太守賈思勰が6世紀中頃に華北の乾地農法を集大成した基本的農書で、後世に大きな影響を与えた。11世

東海地方　161

紀前半に北宋で木版本が印刷されたが、明代になると北宋版本の書物は失われ、誤字脱字を積み重ねて原形の文章が不明瞭になってしまった。一方、日本では北宋版本からの写本が1166年に作成され、さらにその写本を1274年に北条実時が金沢文庫で書写させ、作成された写本が蔵書となって伝わった。天正年間（1573〜92年）に豊臣秀次が、春秋左伝、太平御覧などとともに斉民要術の古写本を鎌倉から持ち出し、その後相国寺の僧を経て1612年に徳川家康に献上された。古写本は家康の死後、駿河御譲本として尾張徳川氏に贈与され、歴代徳川氏に伝来してから、1935年に設立された蓬左文庫の蔵書となった。20世紀になって、中国にない斉民要術の古写本が日本に存在すると、日中研究者の間で話題となり、埋もれていた金沢文庫本斉民要術が世に紹介されたのである。蓬左文庫の蓬左とは江戸時代の名古屋の別称で、現在、蓬左文庫は名古屋市博物館の分館である。

● **古事記**　名古屋市の宝生院の所蔵。複製本を国会図書館デジタルコレクションのホームページで公開。南北朝時代の典籍。712年に太安万侶が撰録した最古の歴史書『古事記』を、真福寺の学僧であった賢瑜が1371〜72年に書写した古写本である。古事記は日本書紀と並んで基本的古典として古くから重視されてきた。日本書紀については平安時代の古写本が残っているのに対して、古事記の古写本に古い時代のものはなく、宝生院本が最も古く、かつ全巻そろった完存本である。真福寺本とも称される。宝生院は真福寺とも呼ばれ、鎌倉時代末期に近衛家領尾張国長岡荘内の大須郷（岐阜県羽島市）に北野天満宮が建てられ、その別当寺として能信が開創した。能信の収集した書物を基礎に真福寺文庫ができ、徳川家康の命で1612年に現在地に移転して、尾張藩から保護を受けた。15,000点余りの資料を所蔵し、その中に古事記、璃玉集、漢書食貨志、翰林学士詩集　の計4件の国宝と、約40件の重要文化財が含まれている。

● **婚礼調度類**　名古屋市の徳川美術館で収蔵・展示。江戸時代前期の工芸品。3代将軍徳川家光の長女千代姫が、1639年に数え年3歳で、後に尾張藩2代藩主となる徳川光友に嫁いだ際に携えた婚礼調度類である。幕府お抱えの蒔絵師であった幸阿弥長重が2年以上の歳月を費やして製作し、江戸幕府の威信を示すかのような豪華で緻密な細工が施されている。『源氏物語』の初音の帖にちなんだ蒔絵調度47件、同じく胡蝶の帖にちなんだ調度10件、伽羅割道具と香箱の蒔絵、長持や長袴

など計70件からなる。初音の調度は、貝合わせ具を入れた貝桶、厨子棚、黒棚、書棚の3棚、十二手箱、鏡台、眉作箱、櫛箱、歯黒箱などの化粧道具、文台・硯箱、料紙箱、短冊箱、見台などの文房具、香盆、旅香具箱などの香道具が含まれ、婚礼調度の大部分を占める。十二手箱の蓋表には大岩に松、梅、橘が配された庭園、寝殿風の邸宅が描かれ、そして「年月を松にひかれてふる人に今日鶯の初音きかせよ」の歌の文字が、巧みに意匠の中に組み込まれている。太平の世となり、王朝文化に歩み寄る武家の美意識を見て取れる。

●犬山城天守

犬山市にある。桃山時代の城郭。二重櫓の入母屋造の屋根に小さな望楼をのせた初期の天守である。犬山城は長良川を前にした平山城で、三重4階、二重目の屋根の南北正背面に唐破風を付ける。尾張の最先鋒として、北側の美濃を見渡すきわめて眺望のよい小高い丘の上に建つ。1469年に織田広近によって現在地から南東約1kmの愛宕神社あたりに木下城が築かれ、その後1535年に織田信康が現在の城山の南西にある三光寺山に城を移した。さらに1601年に清州城主徳川忠吉の家老小笠原吉次によって現在の地に城が築かれることになった。従来、1537年に斉藤正義の築いた烏ヶ峰城（金山城）を、1599年に石川光吉がこの地に移築したという説があったが、1965年に終了した解体修理の時、1・2階部分に移築の痕跡がまったくなく、金山城移築説は否定された。最初に櫓が建てられたのは、関ヶ原の戦いの後に移封して来た小笠原吉次の時代で、3・4階の望楼が増築されたのは、尾張藩主徳川義直の家老成瀬正成が犬山城主になってから、1620年頃である。したがって下層の櫓から望楼部への通し柱はない。唐破風は増築当初はなく、やや遅れてから付けられ、同時に大屋根も改修して棟を少し低くして、高欄をめぐらせたと推測されている。1階の中央南側に、城主の間という押板、違棚、帳台構を備えた書院風の、畳敷きの上段の間があるが、解体修理の結果、当初床は他室と同じ高さだったことが判明した。かなり後世になって太平の世の文化年間（1804～18年）に、天守内部を美化するために改装されたと見られている。古風な下部の櫓部分がよく残り、天守の発展過程を示す重要な資料である。

●如庵

犬山市にある。江戸時代前期の住宅。織田信秀の11男で織田信長の実弟である織田長益（有楽斎如庵と号した茶人）が、1618年頃に建てた茶室である。織田長益は波乱万丈の人生を送り、本能

東海地方　163

寺の変の後に豊臣秀吉の配下となり、淀君の後見人として淀城にいたが、関ヶ原の戦いの後は徳川家康から禄を与えられて、豊臣秀頼の補佐役として大坂城にいた。1615年の大坂夏の陣を前にして大坂を去り、京都に隠棲し、荒廃していた建仁寺塔頭正伝院を再興して、隠居所である書院に住み、茶室を建てた。茶室内部は2畳半台目、つまり2枚と半分の畳、そして通常の畳よりもやや小さい台目畳1枚を加えた広さである。特徴として、床脇に三角形の板である鱗板を入れて壁面を斜行させる。亭主が茶を点てる点前座周りの壁下側の腰張りに古い暦を張る。点前座後方の窓を外側から竹を詰め打ちにするなど、狭い空間ながらさまざまな独創的な工夫が施され、使い勝手、また意匠においても斬新な茶室として名声が高い。明治維新後、如庵と書院をはじめ正伝院の建物は京都祇園町の有志に払い下げられた。1908年に財閥の三井氏が入手して東京の本邸に移築し、さらに1938年に大磯の別邸に移した。戦後1970年に名古屋鉄道の所有となり、現在の地に移築された。

◎旧日本聖公会京都聖約翰教会堂

犬山市の明治村にある。明治時代後期の宗教施設。京都市下京区河原町通に、1907年に建てられた日本聖公会の教会堂である。2階建で、1階がレンガ造、2階が木造で、屋根に軽い銅板を葺いている。外観は、ヨーロッパ中世のロマネスク様式を基調に、細部にゴシック様式を交える。正面左右上部に高い八角尖塔が立つ。左右の塔にはさまれて、中央入口上には、飾り格子の入った4連ステンドグラスの並ぶ尖頭アーチ窓がある。入口は左右レンガ積の角柱から、柱頭飾りをはさんで上に綺麗なアーチがまたがる。奥の欄間には2連の三葉文様がくり抜かれ、板扉の大型金具のデザインも中世風である。内部は、直線的につながる身廊と内陣に、袖廊（翼廊）が直交する十字型の平面プランで、左右の袖廊にも、正面入口上の尖頭アーチ窓と同様に、大きなステンドグラスの窓が備えられ、内部を明るくしている。2階には天井板がなく、屋根裏まで高く吹き抜けて、梁と柱で組まれたアーチ状の骨組みが美しい構造を見せる。設計したアメリカ人建築家ジェームズ・ガーディナーは、立教大学校の校長を務めた教育者でもあった。

☞ そのほかの主な国宝／重要文化財一覧

	時代	種別	名　称	保管・所有
1	弥　生	考古資料	◎朝日遺跡出土品	愛知県埋蔵文化財調査センター
2	平　安	彫　刻	◎木造阿弥陀如来坐像	安楽寺（稲沢市）
3	平　安	彫　刻	◎木造阿弥陀如来坐像	普門寺
4	平　安	典　籍	◎法華経（装飾経）	音羽産業株式会社
5	平　安	工芸品	◎陶製五輪塔	愛知県陶磁美術館
6	鎌　倉	絵　画	◎絹本著色善光寺如来絵伝	本證寺
7	鎌　倉	絵　画	◎絹本著色仏涅槃図	妙興寺
8	室　町	絵　画	●紙本墨画淡彩慧可断臂図（雪舟筆）	斉年寺
9	室　町	工芸品	◎古神宝類	熱田神宮
10	桃　山	絵　画	◎紙本著色織田信長像（狩野元秀筆）	長興寺
11	江　戸	絵　画	◎紙本墨画淡彩秋色半分図（浦上玉堂筆）	愛知県美術館
12	江　戸	絵　画	◎絹本著色千山万水図（渡辺崋山筆）	田原市博物館
13	中国／唐	典　籍	●翰林学士詩集	宝生院
14	朝鮮／高麗	絵　画	◎絹本著色王宮曼荼羅図	大恩寺
15	鎌倉前期	寺　院	◎観福寺本堂内宮殿	観福寺
16	鎌倉後期	寺　院	●金蓮寺弥陀堂	金蓮寺
17	鎌倉後期	寺　院	◎妙源寺柳堂	妙源寺
18	室町前期	寺　院	◎滝山寺本堂	滝山寺
19	室町前期	寺　院	◎天恩寺仏殿	天恩寺
20	室町後期	寺　院	◎大樹寺多宝塔	大樹寺
21	桃　山	神　社	◎津島神社本殿	津島神社
22	江戸前期	寺　院	◎甚目寺	甚目寺
23	江戸前期	神　社	◎伊賀八幡宮	伊賀八幡宮
24	江戸前期	民　家	◎服部家住宅（弥富市荷之上町石仏）	―
25	明　治	交　通	◎旧品川燈台	明治村

北海道　東北地方　関東地方　北陸地方　甲信地方　東海地方　近畿地方　中国地方　四国地方　九州・沖縄

東　海　地　方

24 三重県

俳聖殿

地域の特性

　近畿地方の東部に位置する。北側に養老山地と鈴鹿山脈があり、北西側に上野盆地と名張盆地、南西側に高見山地と大台ヶ原山系の山地が広がる。北東側には伊勢湾に沿って伊勢平野が広がり、志摩半島をはさんで南東側には熊野灘に面したリアス海岸がのびている。伊勢平野は濃尾平野に隣接して古くから名古屋との水陸交通が発達し、中部地方の経済圏と結びつきが強い。近代的工業地帯も県北東部を中心に展開し、人口も集中している。県南部は山地が多く人口は少ない。林業や柑橘類栽培などが営まれている。県北西部の上野盆地は大阪に通じる淀川水系に属し、機械工業などの進出がみられる。

　伊勢神宮の創始については不明な点が多い。672年の壬申の乱で勝利した大海人皇子は、翌年即位して天武天皇となり、勝利に伊勢神宮の加護があったとして、伊勢神宮に奉仕する斎王を復活させた。祭主制が導入されて祭祀組織が整えられ、伊勢神宮は国家的守護神の地位を得た。伊勢参りが盛んになったのは室町時代からで、御師と呼ばれる祈祷師のような神主が庶民を参詣へと導いた。中世には北畠氏が勢力を維持していたが、戦国時代に織田信長が侵入して北畠氏を亡ぼした。江戸時代に藤堂氏の津藩32万石のほかに、七つの中小藩があった。明治維新の廃藩置県で多数の県が設置された後、1876年に三重県に統合された。

国宝／重要文化財の特色

　美術工芸品の国宝は4件、重要文化財は159件である。津市専修寺に国宝／重要文化財が多くある。専修寺は親鸞を宗祖とする真宗高田派の大本山で、もともと栃木県真岡市の専修寺が教団発祥の地だった。室町時代末期に本拠が三重へ遷され、その後大きな兵火や罹災を受けなかったため、親鸞以来の宝物が多く伝わった。伊勢神宮にも国宝／重要文化財が多く、なかで

も多数の古書籍や古文書が神宮文庫に収蔵されている。建造物の国宝は2件で、重要文化財は23件である。

●三帖和讃（さんじょうわさん）

津市の専修寺の所蔵。鎌倉時代中期の典籍。親鸞（1173～1262年）が作成した仏の教義や功徳、高僧の事績をほめたたえる讃歌を、1257年に書写した仏典である。日本語で詠まれたために和讃といい、曲節をつけて詠唱する。和讃は平安時代中期頃から天台浄土思想の良源、千観、源信らによって始まり、浄土教各宗の確立とともに鎌倉時代以降数多く制作された。法会の音楽化とともに声明として発達し、法会以外の場にも広く普及したとみられている。親鸞の和讃は4句1首形式、七五調で、思想性や構成力、宗教感情に富み、情緒豊かだと高く評価され、その代表作が三帖和讃である。内容は、浄土三部経などの経意を讃えた浄土和讃、竜樹、天親、曇鸞、道綽、善導、源信、源空（法然）の浄土七祖の事績を讃えた浄土高僧和讃、親鸞自身の信仰を詠った正像末法和讃の3部からなる。親鸞の生前に弟子の真仏が大半を書写し、一部が親鸞自筆とされている。専修寺にはそのほかに、師法然の遺文を親鸞がまとめた西方指南抄をはじめ教行信証などの教義書、多数の書状からなる親鸞聖人消息など親鸞関係の文書が多く所蔵されている。専修寺は真宗高田派の本山だが、もともと高田派本山は、親鸞の関東での活動拠点だった栃木県真岡市の高田山専修寺だった。高田の専修寺が戦国時代に兵火で焼失したので、本山の機能が伊勢国一身田の現在地に移された。高田門徒の直弟子の系譜を継ぐ専修寺に、親鸞の宗教活動を物語る多くの文書が伝わったのである。

◎如来坐像（にょらいざぞう）

伊賀市の新大仏寺の所蔵。鎌倉時代前期および江戸時代中期の彫刻。13世紀初頭に快慶の制作した阿弥陀如来の頭部をもとに、享保年間（1716～36年）に京都の仏師祐慶が体部を補った廬舎那仏坐像である。新大仏寺は、もとは鎌倉時代初期に東大寺を復興した重源が創建した伊賀別所だった。復興事業のために重源は西国7か所に別所を建立した。伊賀別所については、知多半島で焼かれた瓦を運搬するため、伊賀街道の整備改修を担ったと考えられている。その後新大仏寺と呼ばれるようになり、荒廃して、1727年に陶塋が再興に着手した。倒壊した仏像が補修され、1748年には本堂が再建された。廬舎那仏坐像の像高は293cm、頭部の長さは98.5cmである。頭部内部に重源の名前とともに仏師快慶そのほかの名前の墨書があり、創建当時に制作されたことを物

近畿地方　167

語る。仏像が安置されていた珍しい石製須弥壇と石台座も残っている。古記録によると、宋の阿弥陀三尊像の画像をもとに、播磨別所と伊賀別所に阿弥陀三尊像をつくったと記されている。播磨別所とは現在の兵庫県浄土寺のことで、浄土堂の中には快慶作の丈六の阿弥陀三尊像が安置され、中尊は像高530cmの巨大な阿弥陀如来立像である。伊賀別所の仏像も、浄土寺の阿弥陀三尊像と同じ大きさと姿だったと推測されている。新大仏寺には重源の時代の遺品として、板彫五輪塔、俊乗上人（重源）坐像なども伝わっている。

◎松浦武四郎関係資料

松坂市の松浦武四郎記念館で収蔵・展示。江戸時代後期から明治時代の歴史資料。松浦武四郎（1818～88年）は、若い頃から諸国を旅して歩き、20歳代後半からは蝦夷地を6回にわたって調査を行い、膨大な記録を作成した。明治維新を迎えて開拓使が設置されると、判官という政府高官に就任し、蝦夷地を改名する案を1869年に提出して採用された。この土地で生まれたものを意味するアイヌ語のカイという語句を入れて「北加伊道」とし、北のアイヌ民族が古くから暮らす大地、つまり先住民族としてアイヌの人々を尊重する思いを込めて、松浦武四郎は北海道と名付けたのであった。松浦は、横暴な松前藩に再び支配させないこと、悪徳商人の排除などを訴えたが聞き入れられず、そのため就任してわずか半年で辞職してしまった。以後、趣味の骨董品収集や著述を刊行して余生を送った。遺された大量の資料は松浦武四郎記念館と東京都静嘉堂文庫に収蔵され、松浦武四郎記念館にある1,503点が重要文化財となった。内容は、著述稿本類、地図・絵図類、書籍類、文書・記録類、書画・器物類と多岐にわたり、特に北海道に関する踏査資料、地理誌、アイヌ人物誌は貴重である。

◎庫蔵寺本堂

鳥羽市にある。室町時代後期の寺院。庫蔵寺は、伊勢市東端の朝熊山山頂付近にある金剛證寺の奥院と伝えられている。本堂は1561年に建立され、桁行5間、梁間3間の寄棟造、屋根は柿葺である。仏堂には珍しい側面を出入口とする妻入りで正面に向拝があり、装飾の施された繰形の木鼻と、柱上に二手先の斗栱が組まれている。桟唐戸の両側に連子窓がある。内部は外陣と内陣に分かれる。外陣の天井は格天井で、方形の格間には極彩色の宝相華文や草花、壁上部の内法長押や小壁にも極彩色の文様と飛天の絵が描かれている。素朴な外観にもかかわらず、彩色を凝らした内部である。本堂の奥に1605年に建

立された1間社流造の鎮守堂がある。

◎旧諸戸家住宅

桑名市にある。大正時代の住居。桑名の実業家2代諸戸清六の旧邸宅で、洋館と和館が併設され、洋館部分はイギリス人建築家ジョサイア・コンドルの設計である。広い庭園は池泉回遊式の日本庭園で、名勝に指定されている。1990年に建物が桑名市に寄贈され、整備工事の後に六華苑という名称で一般公開された。初代清六は政府高官と知遇を得、1877年の西南戦争で軍用米の調達によって成功を収め、東京進出を果たして大地主・山林王となった。初代清六の死後、4男の清吾が2代清六を襲名し、結婚して新居を建てることになって、1911年に設計をコンドルに依頼した。翌年に和館が上棟、翌々年に洋館が竣工した。2代清六をコンドルに仲介したのは、政商三菱の岩崎氏だろうと推測されている。コンドルはお雇い外国人として1876年に来日し、工部大学校造家（建築）学科の教授に就任。1888年に官職を辞して東京に設計事務所を開き、三菱の顧問となって丸ノ内ビル街、横浜居留地の建物などの建設に関与した。また東京都の旧岩崎家住宅をはじめ、資産家たちの豪邸も数多く手がけた。旧諸戸家住宅の洋館は装飾の少ない簡潔な構成だが、正面玄関の車寄に隣接する4層の塔屋と、庭園側に突き出た南側のベランダとサンルームが特徴的である。塔屋は当初の設計では3層だったが、揖斐川が見渡せるようにと2代清六の希望に沿って急遽4層に変更されたという。ベランダとサンルームは、コンドルが明るい日差しにこだわったからである。日本資本主義発達の基盤となった裕福な寄生地主の豪邸である。

◎俳聖殿

伊賀市の上野公園にある。昭和時代の文化施設。伊賀上野の城東に生まれ、俳聖といわれた松尾芭蕉（1644～94年）の生誕300年を記念して建てられた。京都府の平安神宮や東京都の築地本願寺を設計した伊東忠太が設計を指導し、1942年に竣工した。木造2階建で平面八角形の1階の上に、円筒形の2階をのせ、屋根は横にのびた円錐形という独特の形態をしている。芭蕉の旅姿に似せて、丸い屋根は旅笠、1階八角形屋根と吹き放しの外周の庇は蓑と衣、堂は脚部、回廊の柱は杖と足を表現しているとされる。内部に八角形の須弥壇があり、厨子内に等身大の伊賀焼芭蕉坐像が安置されている。

☞ そのほかの主な国宝／重要文化財一覧

	時代	種別	名称	保管・所有
1	古墳	考古資料	◎宝塚1号墳出土品	松阪市
2	飛鳥～平安時代	考古資料	◎斎宮跡出土品	斎宮歴史博物館
3	奈良	典籍	◎大般若経	西来寺
4	平安	彫刻	◎木造大日如来坐像	妙福寺
5	平安	彫刻	◎木造聖観音立像	弥勒寺
6	平安	典籍	●玉篇巻第廿二	神宮
7	平安	考古資料	●朝熊山経ヶ峯経塚出土品	金剛証寺
8	鎌倉	絵画	◎紙本著色伊勢新名所歌絵合	神宮
9	南北朝	古文書	◎紙本墨書光明寺残篇	光明寺
10	室町	古文書	◎紙本墨書勧進状（三条西実隆筆）	大福田寺
11	江戸	絵画	◎旧永島家襖絵（曽我蕭白筆）	三重県立美術館
12	江戸	典籍	◎更級紀行（芭蕉自筆稿本）	伊賀市
13	江戸	典籍	◎本居宣長稿本類 並 関係資料	本居宣長記念館
14	江戸	歴史資料	◎渋川春海天文関係資料	神宮徴古館・農業館
15	江戸	歴史資料	◎集古十種板木	鎮国守国神社
16	鎌倉後期	石塔	◎国津神社十三重塔	国津神社
17	室町前期	寺院	◎観菩提寺本堂	観菩提寺
18	桃山	神社	◎高倉神社	高倉神社
19	江戸前期	住宅	◎神宮祭主職舎本館（旧慶光院客殿）	神宮
20	江戸前期～中期	寺院	◎地蔵院	地蔵院
21	江戸中期～末期	寺院	◎専修寺	専修寺
22	江戸中期～後期	民家	◎町井家住宅（伊賀市上野丸之内）	―
23	江戸末期	住宅	◎旧松坂御城番長屋	苗秀社
24	明治～昭和	住居	◎旧賓日館	伊勢市
25	明治	土木	◎四日市旧港湾施設	四日市市

滋賀県

十一面観音立像

地域の特性

近畿地方の北東部に位置する内陸県である。本州のほぼ中央に位置し、北東側を伊吹山地、東側を鈴鹿山脈、西側を比良山地で取り巻かれて、中央に琵琶湖がある。「湖の国」、そして「近つ淡海」から転じて近江といわれるように、琵琶湖は政治・経済・文化のさまざまな分野に根本的な役割を果たしてきた。湖南地方は野洲川の沖積平野が広がり、農村地帯であるとともに、東海道の宿場町、琵琶湖水運の港町として繁栄した。近年は京阪神大都市圏内に含まれるようになった。湖東地方には近江盆地が広がり、古くから肥沃な稲作地帯として知られ、また近江商人の活躍でも有名である。湖北地方は日本海型の気候で積雪量が多い。人口は少ないが、地場産業の琴糸・三味線糸、扇骨、織物などがあり、近代工業も盛んである。

琵琶湖の湖底で縄文時代の貝塚が調査され、琵琶湖と人間との密接な結びつきが改めて注目された。大化改新を断行して諸改革を進めた天智天皇は、朝鮮半島の白村江の戦いで敗れた後、667年に大津京へ遷都した。また奈良時代に聖武天皇は紫香楽宮に遷都したが、いずれの遷都も短期間だった。最澄が比叡山で788年に小堂を建立して比叡山寺が始まり、後に延暦寺となった。入唐した円珍が858年に帰国し、持ち帰った膨大な経典類を園城寺（三井寺）に収蔵した。中世には近江源氏佐々木氏の一族が繁栄した。戦国時代になると浅井氏が台頭したが、織田信長が侵入して比叡山を焼き討ちし、新旧勢力をことごとく平定した。江戸時代には井伊氏の彦根藩30万石のほかに、七つの小藩と天領があった。明治維新の廃藩置県で多数の県が置かれ、隣接県との統廃合の後、1881年に現在の滋賀県ができた。

国宝／重要文化財の特色

美術工芸品の国宝は33件、重要文化財は601件である。建造物の国宝は

近畿地方　171

22件、重要文化財は163件である。全国で4番目に国宝／重要文化財の多い県である。最澄が比叡山に寺を建立した頃、近江の山々では山岳宗教が盛行し、仏と神を崇敬する基盤ができていた。比叡山延暦寺や園城寺をはじめ、多数の寺院・神社に文化財がある。寺院の強力な財力と時の権力者の帰依に支えられて、美麗な寺宝が集まった。しかし権力者との争乱に敗北して延暦寺が焼かれたり、あるいは明治維新の廃仏毀釈で日吉大社が荒らされたように、一部の文化財が無残に破却された時期もあった。

●十一面観音立像

長浜市の渡岸寺観音堂（向源寺）の所蔵。平安時代前期の彫刻。檜の一木造による像高195cmの観音像で、頭上に仏の小さな頭部である11の小面をもつ。もとは比叡山の空海が801年に7堂伽藍を建立し、真言宗寺院として光眼寺と称していたが、1570年に浅井氏と織田氏による戦火で堂宇が焼失し、寺領も没収されて廃滅となった。兵火が堂宇を襲うと、住職の巧円と住民たちが猛火の中、観音像を搬出し、やむなく土中に埋めて難をまぬがれたと伝える。その後巧円は真宗に改宗し、光眼寺を廃寺にして向源寺を建て、また小さな別堂を建てて観音像や大日如来像を秘仏として安置した。現在は隣接する慈雲閣（収蔵庫）に観音像と大日如来像が安置され、住民たちの組織する保存協賛会が維持管理している。頭上をぐるりとやや大きな6面の小面が宝冠のように回り、両耳の後ろにそれぞれ狗牙上出面と瞋怒面、後頭部に大笑面があり、そして頭頂には小さな立像1体と、ひときわ大きい菩薩面1面が配されている。大きな小面、耳璫という大ぶりな耳飾り、腰を左にくねらせた豊麗な姿態などは大陸の様相を示し、天台宗の影響を色濃く表す密教像とされている。

●法華経序品

長浜市の宝厳寺の所有。平安時代後期の書跡。宝厳寺は、琵琶湖に浮かぶ周囲約2kmの小さな島の竹生島に所在する。竹生島は古来観音信仰と弁天信仰の盛んな神仏習合の霊場で、歴代武将たちからも深く崇敬された。平清盛の甥にあたる平経正が竹生島を詣でて島の景色を堪能し、琵琶を奏でた話が平家物語にある。また室町時代の能には、老人と若い女性が登場して弁才天信仰を語る幽玄な竹生島の謡曲がある。箏曲、長唄、常磐津節にも竹生島を題材とした楽曲があり、弁才天が芸能神であるため、竹生島に関する演芸は非常に多い。1558年の大火で伽藍が焼失すると、1602年に豊臣秀頼が再興し、豊国廟から建物と門を移築してそれぞれ弁天堂と宝厳寺の唐門にしたという。

弁天堂は、明治維新の廃仏毀釈で都久夫須麻神社本殿となったが、この二つの建造物は、桃山美術の粋を集めた豪華絢爛な装飾が施されていて、現在国宝となっている。豊国廟ではなく、大坂城の北の丸と二の丸をつないでいた極楽橋を移築したとする説が最近提案されている。そのほかにも国宝／重要文化財に指定されている建造物や寺宝が多数ある。法華経は竹生島に伝来したので竹生島経と呼ばれ、28品（章）のうち最初の章の序品が宝厳寺に、2番目の章の法華経方便品が東京国立博物館にある。染め色のない料紙に、金銀泥で蝶、鳥、鳳凰、宝相華、草花、蕨、雲などの下絵を大きく描き、金泥で界線を施し、墨で経文を書く。装飾下絵経の代表で、書は平安時代後期の流麗な書風を示す。江戸時代に筆者は源俊房（1035〜1121年）とされたが、自筆日記と別筆なので、現在は否定されている。東京国立博物館所蔵の法華経が、いつ頃宝厳寺から流れ出たのかは不明である。

◎近江名所図

大津市の滋賀県立近代美術館で収蔵・展示。室町時代後期の絵画。琵琶湖西岸の名所を、東から四季の景色に織り交ぜて描いた16世紀の六曲一双の屏風である。右隻の右上方に雪を頂いた比良山、右中央に小松の松原、右下方に白髭神社の湖上の鳥居、その左側に真野の入江、中央には堅田の町並みと湖中に突き出た浮御堂、左上方に比叡山、左下方に船着場がある。左隻では右上方に日吉大社と、上に山型を付けた独特な形の山王鳥居、右下方に坂本の町並みと七本柳、中央に唐崎神社と松、左上方に白川越え（志賀の山越え）と三井寺の鐘楼がある。堅田と坂本の町並みおよび船着場では、行き交う人々の賑やかな様子がうかがえる。湖上では荷物を積んだ舟、旅装の男女を乗せた舟などが多く往来し、また湖上の小さな東屋に坐して四手網漁をする漁師の姿も見える。一般民衆の生活が生き生きと描かれ、山形県の上杉本洛中洛外図屏風に近い人物表現が見受けられて、作者を狩野永徳とする説もある。

●風俗図

彦根市の彦根城博物館で収蔵・展示。江戸時代前期の絵画。彦根藩の井伊氏に代々伝わったことから彦根屏風と呼ばれる。遊里に集う人々が描かれ、寛永年間（1624〜44年）に制作されたと考えられている。右側に室外の4人、中央から左側に室内の11人、合計15人が登場し、それぞれの人物が相呼応するような位置関係でありながら、全体で均整のとれた群像をかたちづくる。文雅の士が楽しむ四つの遊びとい

う琴棋書画の中国風のテーマが組み入れられ、琴には琉球より伝来した新しい楽器三味線、棋には双六、書には遊女が書き遊客が読む手紙（恋文）、画には室内調度の屏風絵があてられている。また、南蛮貿易でもたらされた煙草やペットの洋犬、華やかな小袖も描き込まれ、高い教養を必要とし、流行の発生源だった遊里の様子を伝える。細部の描写はきわめて精密である。髪の生え際やほつれ毛、着物の輪郭線や折目の線、絞り染めの花や雪輪の文様、煙草盆の細かい装飾、さらには双六盤や脇息にも木目の年輪を事細かく執拗に描き、生々しい実体感を与える。無機質な金箔の背景は硬質な印象を演出し、人物たちはどことなく虚ろで冷めた表情を示す。江戸幕府の支配体制が強化され、奔放な気風が失せつつあった時代の閉塞感を暗示しているのである。

◎雨森芳洲関係資料

高月町の東アジア交流ハウス雨森芳洲庵で収蔵・展示。江戸時代中期の歴史資料。対馬藩の儒者として隣国朝鮮との親善外交に貢献した雨森芳洲（1668～1755年）に関係する資料である。北近江の有力な土豪であった雨森氏は、戦国武将の浅井氏に仕えていたが、浅井氏滅亡とともに没落し、雨森芳洲の父は京都で町医者を開業していた。父没後18歳頃に江戸に出て、木下順庵に入門して儒学を修めた。22歳の時に順庵の推挙で対馬藩に仕え、26歳で対馬に赴任。31歳の時に朝鮮外交を担当する朝鮮御用支配役の補佐役となり、35歳で初めて朝鮮に渡った。44歳（1711年）と51歳（1718年）の時に朝鮮通信使に随行し、対馬藩真文役（文書役）として幕府と朝鮮側とのさまざまな交渉に努力した。対馬で88歳で没すると、関係資料が子孫によって伝えられ、1925年に高月町の顕彰団体である芳洲会に寄贈された。著述稿本類、文書・記録類、書状類、肖像画など123点が重要文化財となった。長年にわたって中国語・朝鮮語を学んだ雨森は、民族間に文化上の優劣はないと考え、相手国の歴史や文化、作法などをよく理解し尊重して、誠信の交わりを行うべきだと主張した。彼の外交思想は、今日でも欠くことのできない重要な指針といえるだろう。

◎長浜祭鳳凰山飾毛綴

長浜市の曳山博物館で収蔵。絵柄を写した陶版を展示。西洋／16世紀後半の工芸品。ベルギーのブリュッセルで製織されたタペストリーである。長浜は豊臣秀吉によって形成された城下町で、祭礼の山車である曳山で狂言や歌舞伎を演じる曳山祭が、秀吉の頃から始まった。曳山には高欄のめぐる4畳半ほ

どの舞台があり、上部は趣向を凝らした楼閣造で、後方の背面に豪勢な見送幕がかけられる。山組の名称の付いた曳山が12基あり、そのうち鳳凰山と翁山の曳山に、見送幕としてかけられた古いタペストリーが重要文化財となった。鳳凰山のタペストリーは、京都祇園祭の鶏鉾の見送幕である祇園会鶏鉾飾毛綴、および霰天神山の前掛と本来一体となっていたのを切断したものだった。絵柄は、ギリシャ詩人ホメロスの『イリアス』に登場する有名な場面で、トロイア戦争で出陣するトロイアの王子ヘクトルと、妃アンドロマケ、幼子アステュアナクスとの別れの様子を描いている。鳳凰山のものは妃が手を広げ後方に侍女たちの控える右側部分で、鶏鉾のものは王子と歩み寄る幼子を描いた左側部分である。鳳凰山組はタペストリーを1817年に200両で京都から入手したのだが、西洋から日本へ伝わった経路は不明である。

●石山寺多宝塔

大津市にある。鎌倉時代前期の寺院。1194年に建立された現存最古の多宝塔で、バランスのとれた優美な姿をしている。多宝塔は平安時代に密教の伝来とともに出現した下重方形・上重円形の二重塔で、空海が創建した高野山金剛峯寺の大塔を小型・簡略化したものである。下重の方形は裳階で、円形の塔に裳階を付け、裳階の屋根の上にある漆喰塗の白色円形の亀腹が、母屋頂部の名残である。法華経第11見宝塔品の仏説によると、多宝塔に多宝如来と釈迦如来が同席しているのだが、真言宗では密教の大日如来を祀る。石山寺多宝塔の下重は軸部が低くて横に広がり、亀腹も低く大きい。上重は軸部が細く軒がゆるやかに長く流れている。内部は四天柱内に須弥壇を設け、快慶作の金剛界の大日如来坐像を安置している。四天柱の省略や須弥壇の後退がなく、古い様式を示す。

●西明寺本堂

甲良町にある。鎌倉時代前期の寺院。建立当初は方5間であったが、室町時代前期に方7間の大堂に拡張された。正面は蔀戸、側面は前方から3間が板扉、ほかの多くは白壁で純和様の外観である。内部は前面3間が外陣で、中央2間に内陣、背面2間が後陣となっている。外陣の周りには縁が回り、扉が開放されると、外陣内部は明るい空間となる。この建造物は双堂の名残をとどめている。初め仏堂は単独で建てられていたが、仏の空間である金堂に、礼拝者のための礼堂を並べて建てる双堂が平安時代に一般的となった。鎌倉時代以降、広い空間をつくり出す建築技術の発展により、金堂と礼堂を一つの屋根でお

おう本堂が建てられるようになった。西明寺本堂の屋根裏の小屋には、初期に計画された双堂の上にかけられた屋根の一部が残されている。本堂南側にある三重塔は鎌倉時代後期のもので、初重内部には大日如来坐像が安置されている。四天柱に金剛界32菩薩像、天蓋の折上小組格天井や長押に花鳥、壁に法華経28品の場面が極彩色で描かれる。荘厳な密教的世界を示す密教特有の塔内部である。

●日吉大社西本宮本殿及び拝殿

大津市にある。桃山時代の神社。日吉大社は古く土着の地主神を祀り、比叡山に延暦寺が建立されると、天台宗守護の護法神、また山王権現として崇敬された。織田信長の焼打後、西本宮が1586年、東本宮が1595年に再建された。それぞれ本殿は日吉造または聖帝造という独特なもので、正面3間、側面2間の母屋に、前と左右の三方に一段床の低くなった庇をめぐらせて、全体で桁行5間、梁間3間となっている。正面に向拝の付く入母屋造だが、背面に庇がないので、左右の庇の部分を縋破風でおさめる特異な屋根である。本殿の前に方3間、入母屋造の妻入りで、柱間に壁のない四方を吹き放して開放された拝殿がある。明治維新の廃仏毀釈が、この神社から端を発したことで有名である。

●延暦寺根本中堂

大津市にある。江戸時代前期の寺院。延暦寺は天台宗の総本山で、織田信長の焼打後、本堂の根本中堂が1640年に再興された。桁行11間、梁間6間の入母屋造の広大な建造物である。根本中堂は一乗止観院と称され、最初は薬師堂、文殊堂、経蔵の3棟の総称だったが、次第に拡大され、938年の再建時には11間の堂となり、978年頃には回廊や広庇が加わりほぼ現在の規模となった。平面構成は天台宗本堂の古制を伝え、後方4間を内陣、中1間を中陣、前方1間を外陣に分けている。外陣と中陣は礼拝者用の礼堂となる板敷で、中陣は1段床が高い。対する内陣は床を低くした四半敷の石土間である。内陣中央に本尊薬師如来の瑠璃壇、左に祖師壇、右に毘沙門壇がある。近世の再建だが、平安時代の原形がうかがえる。

☞ そのほかの主な国宝／重要文化財一覧

	時代	種別	名　称	保管・所有
1	弥　生	考古資料	◎銅鐸（野洲市大岩山出土）	安土城考古博物館
2	古　墳	考古資料	◎新開古墳出土品	安土城考古博物館
3	飛　鳥	彫　刻	◎銅造聖観音立像	慈眼寺
4	奈　良	彫　刻	◎金銅誕生釈迦仏立像	善水寺
5	奈　良	彫　刻	◎木造薬師如来立像	鶏足寺
6	奈　良	工芸品	◎梵鐘	竜王寺
7	奈　良	典　籍	●大般若経	太平寺
8	奈　良	考古資料	●崇福寺塔心礎納置品	近江神宮
9	平　安	絵　画	●絹本著色不動明王像（黄不動尊）	園城寺
10	平　安	彫　刻	◎木造十一面観音坐像	櫟野寺
11	平　安	彫　刻	●木造智証大師坐像（御廟安置）	園城寺
12	平　安	工芸品	●宝相華蒔絵経箱	延暦寺
13	平　安	典　籍	●延暦交替式	石山寺
14	平　安	古文書	●伝教大師将来目録	延暦寺
15	鎌　倉	絵　画	●絹本著色六道絵	聖衆来迎寺
16	鎌　倉	絵　画	◎絹本著色地蔵菩薩像（岩坐地蔵菩薩）	浄信寺
17	鎌　倉	絵　画	◎絹本著色聖徳太子像	観音寺
18	鎌　倉	彫　刻	◎厨子入銀造阿弥陀如来立像	浄厳院
19	鎌　倉	彫　刻	◎木造愛染明王坐像（本堂安置）	舎那院
20	鎌　倉	彫　刻	◎木造御神像	佐和加刀神社
21	鎌　倉	工芸品	●金銀鍍透彫華籠	神照寺
22	鎌倉～江戸	古文書	◎菅浦文書	須賀神社
23	鎌倉～江戸	歴史資料	◎葛川明王院参籠札	明王院
24	南北朝	絵　画	◎絹本著色佐々木高氏像	勝楽寺
25	南北朝	彫　刻	◎塑造寂室和尚坐像（開山堂安置）	永源寺

近 畿 地 方

(続き)

	時代	種別	名称	保管・所有
26	南北朝	工芸品	◎刺繍種子幡	石道寺
27	室町	絵画	◎紙本著色光明真言功徳絵詞	明王院
28	室町	絵画	◎紙本著色桑実寺縁起（絵土佐光茂筆）	桑実寺
29	室町	工芸品	◎鉄錆（伝織田信長所用）	安土城考古博物館
30	桃山	絵画	◎勧学院客殿障壁画	園城寺
31	桃山	絵画	◎絹本著色豊臣秀吉像	西教寺
32	桃山	工芸品	◎日吉山王金銅装神輿	日吉大社
33	江戸	絵画	◎紙本墨画淡彩楼閣山水図（曾我蕭白筆）	近江神宮
34	中国／唐	絵画	●紙本墨画五部心観	園城寺
35	中国・日本／唐・平安	古文書	●智証大師関係文書典籍	園城寺
36	奈良	石塔	◎石塔寺三重塔	石塔寺
37	平安後期	寺院	●石山寺本堂	石山寺
38	鎌倉前期	寺院	●長寿寺本堂	長寿寺
39	鎌倉後期	神社	●苗村神社西本殿	苗村神社
40	室町前期	寺院	●金剛輪寺本堂	金剛輪寺
41	室町前期	寺院	●常楽寺本堂	常楽寺
42	室町中期	神社	●大笹原神社本殿	大笹原神社
43	室町後期	寺院	◎長命寺本堂	長命寺
44	室町後期	神社	◎油日神社本殿	油日神社
45	桃山	城郭	●彦根城天守、附櫓及び多聞櫓	彦根市
46	桃山	神社	●都久夫須麻神社本殿	都久夫須麻神社
47	桃山	住宅	●勧学院客殿	園城寺
48	江戸中期	民家	◎旧西川家住宅（近江八幡市新町）	近江八幡市
49	明治～大正	住居	◎旧伊庭家住宅（住友活機園）	住友林業
50	大正	住居	◎蘆花浅水荘	記恩寺

178

京都府

弥勒菩薩半跏像

地域の特性

　近畿地方の北部に位置する。北西から南東の方向に細長くのび、県北西部の丹後地方、県央部の丹波地方、県南東部の山城地方の三つの地域に大きく分かれる。丹後地方では日本海に丹後半島が突き出て、複雑に入り組んだ海岸線が続いている。まとまった大きな平野がなく、沿岸に小都市が点在する。丹波地方には丹波高地が広がり、山間に福知山盆地と、山城地方に接する亀岡盆地がある。丹後地方と丹波地方は、ともに人口が少ない。山城地方には南北に細長くのびる京都盆地がある。日本の中心として長らく都が置かれ、今でも繁栄をきわめ、交通網も発達していて人口が多い。国際的観光都市として毎年たくさんの観光客が訪れる。また多品種少量生産の高級工芸品を製造する伝統工業や、地場野菜、高級茶の生産でも有名である。

　793年の平安京遷都以来、平清盛による1180年の福原遷都を除いて、都は遷らなかった。平安時代に公家が権力を手にしたが、武家が台頭し、鎌倉時代には公家を監視するために六波羅探題が置かれた。室町時代には戦乱の中、町衆による自衛・自治が発展した。天下統一を果たした豊臣秀吉は、豪華で大規模な建造物を次々に建てる一方、都市の整備を進めた。江戸時代には京都所司代が置かれ、県内には多数の中小藩以外に、天領、旗本領、皇室領、公家領、寺社領があった。明治維新の廃藩置県で多数の県が設置されたが、隣接県との改編後、1876年に現在の京都府ができた。

国宝／重要文化財の特色

　美術工芸品の国宝は182件、重要文化財は1,699件である。建造物の国宝は51件、重要文化財は248件である。京都には寺院・神社の建物、そして寺社の宝物である国宝／重要文化財が多い。しかしながら平安京遷都の当初、京内には南端の東寺と西寺の2寺しかなかった。まず822年に京外

近畿地方　179

北東の比叡山で天台宗延暦寺ができ、続いて御願寺（天皇の寺院、譲位後の天皇の居所）の醍醐寺、仁和寺、貞観寺などが建立され、院政期には白河天皇が大規模な法勝寺を造営した。鎌倉時代には法然、親鸞などの新仏教の寺院、室町時代に禅宗寺院の五山などが創建された。安土桃山時代から江戸時代前期にかけては、大型建造物の再興が流行した。財力の集中する都で、寺院・神社の造営と美麗な物品の生産が途絶えることなく続き、現在の国宝／重要文化財となった。

●弥勒菩薩半跏像

京都市の広隆寺の所蔵。飛鳥時代の彫刻。広隆寺は渡来系の秦氏が建立した寺院で、2体の木造の弥勒菩薩像がある。両者ともに国宝で、右脚を曲げて足首を左脚の上に組んで腰かけ、頬に指をそえて物思いにふける半跏思惟像である。1体は宝冠を戴くことから「宝冠弥勒」と呼ばれ、もう1体には頭頂に大きな単髻と髪筋があり、悲しげな表情をしていることから「泣き弥勒」と呼ばれている。宝冠弥勒の宝冠には装飾がまったくなく、眼は細長く閉じたような瞑目で、長い鼻梁がのび、やや微笑むかのような薄めの唇である。スラリとした細めの体部で、全体として引き締まった簡素な優美を見せる。非常によく似た金銅製の半跏思惟像が韓国中央博物館にあり、朝鮮半島との強い交流を示唆し、7世紀に仏教が伝来した頃の優品とされる。一方、泣き弥勒は、目鼻立ちが大きく、丸みを帯びた体部をし、両肩から垂れ下がる天衣や右足首の裳裾には珍しく皮を使用しているという。新しい唐時代の様式もうかがえ、制作年代は7世紀末と想定されている。

●五大明王像

京都市の東寺（教王護国寺）の所蔵。平安時代前期の彫刻。東寺は真言宗の総本山である。平安遷都とともに羅城門の左右に東寺と西寺が建立され、823年に嵯峨天皇は空海（弘法大師、774～835年）に東寺を与えた。東寺の最大行事は、毎年1月8日から14日まで宮中で行われた天皇の身体安穏と国家繁栄を祈る後七日御修法で、東寺は官寺の性格が強かった。空海は、金剛界曼荼羅の五智如来と四波羅蜜菩薩に、新訳『仁王経』の五大明王を合体させた鎮護国家の道場を創案し、空海死後の839年に多数の仏像の並ぶ立体曼荼羅が出現した。講堂の内部には、中央に大日如来を中心とする五智如来、右側に金剛波羅蜜菩薩を中心とする五菩薩、左側に不動明王を中心とする五大明王、さらに左右に梵天・帝釈天、四隅に四天王、合計21体の仏像が安置されている。このうち15体が当初のもので、国宝となっている。五大明王像は、

中央に大柄な不動明王坐像、南東に降三世明王、南西に軍荼利明王、北西に大威徳明王、北東に金剛夜叉明王を配する。いずれも槇材から一木造でつくられている。明王像は複数の顔と複数の手からなる多面多臂で、全身で怒りを表し、表情は忿怒相である。3眼や5眼で、上顎から牙をむき出し、武器を携え、手足に蛇の巻きついた怪異に満ちた姿態は、空海によって初めて請来された本格的な密教像だった。平安時代の為政者たちは、今まで見たこともない奇怪な仏像を畏れ敬い、世間を悩ます怨霊の祟りを鎮める法力があると信じたのだろう。

◎**福富草紙** 京都市妙心寺の塔頭・春浦院の所蔵。室町時代中期の絵画。放屁の奇芸で成功する翁（老人）と、それを真似て失敗した翁の物語を絵に描いた15世紀中頃に成立した御伽草紙である。上下2巻本で、絵巻物の説明を書いた詞書はなく、場面ごとに絵が続いて、絵の人物の傍らに台詞が書き込まれる。上巻は放屁の芸で成功する話で、夢占師の前で放屁の芸を体得する秀武という翁、往来で人々の前で放屁しながら踊る秀武、秀武の芸を通りがかりの牛車の中から垣間見る中将、中将邸に招かれる秀武、中将邸で放屁の芸を披露して褒美をもらう秀武、褒美の御衣を持ち帰る秀武という場面が描かれる。下巻は騙されて放屁に失敗し、散々な目にあう話である。秀武に騙されて朝顔の種を飲む福富という翁、中将邸へ向かう福富、中将邸で脱糞して打ちのめされる福富、すごすごと帰る傷だらけの福富、血の付いた衣を褒美の赤い衣と見間違えて古い着物を焼き捨てる妻、着物を脱がされる福富、福富の腰を踏む妻、秀武を呪詛する妻、薬を飲ませる妻という場面からなる。滑稽卑俗な内容の御伽草子の中で、話の展開や人物表現などが特に優れた作品で、数多くの伝写本や模本が流布している。

●**風神雷神図** 京都市の建仁寺の所有。江戸時代前期の絵画。17世紀前半に俵屋宗達が描いた屛風である。天空の自然現象に対して、畏怖の念をこめて風神と雷神が神格化され、また千手観音の眷属である28部衆にも加えられている。金地の空間をはさんで屛風両端やや上方、向かって右側の風神が緑青（緑色）、左側の雷神が胡粉（白色）で塗られ、それぞれ円を描くように風袋と太鼓を持ち、天衣を翻し足を大きく踏み出す姿態で、躍動感に満ちている。2神の原形は北野天神縁起に登場する雷神とされる。絵巻の小さな図柄を拡大・応用して優れた構図と色彩の絵画が創作され、後世に大きな影響を与えた。

近畿地方　181

●観音図・猿鶴図　京都市の大徳寺の所蔵。中国／南宋時代の絵画。中国で13世紀に活躍した牧谿が描いた水墨画である。牧谿は蜀（四川省）の禅僧で、越（浙江省）を中心に活動したが、詳しい伝記は不明である。観音、猿、鶴を描いた3幅で、中幅の観音図は縦172.4cm、横78cm、左右の猿図と鶴図は縦174.2cm、横100cmで、3幅はほぼ同じ大きさである。観音は慈悲に満ちた表情で物静かに岩場に坐り、太い線で流麗な衣文が力強く描かれ、落ち着いた雰囲気を与える。一方、宝冠や胸飾り・瓔珞、耳飾り、草を活けた水瓶などは細かく描かれ、写実性がうかがえる。猿図では、寒空の中、右下から左上へとのびる枯木にたたずむ母子猿が中央やや上に描かれ、母猿は子猿を愛おしく抱いている。母子猿の付近から、枯木と方向を違えて左下方に小枝がのび、母子猿を起点に、枯木と小枝の向きが交差する対照的な構成を見せる。鶴図では、竹林の中を闊歩する1羽の鶴が大きく描かれ、意気揚々とした心象を与える。牧谿の絵は日本人の感性に合致し、日本の水墨画発展に大きな影響を与えた。足利義満をはじめ、古来多くのコレクターが牧谿の作品を珍重している。

●平等院鳳凰堂　宇治市にある。平安時代中期の寺院。藤原道長の息子頼通が現世に極楽浄土を再現する意図で、1053年に建立した阿弥陀堂である。中堂を中心に、左右に翼廊、後方に尾廊がのびる。翼廊は非実用の床を高く張り、両端を前方に折って屋上に宝形造の楼閣を構える。入母屋造の中堂は、正面3間、側面2間の母屋に裳階をめぐらし、裳階の正面と両側面は開放して壁がないが、背面は堂内に取り込む。建物の様態が翼を広げた鳳凰にたとえられ、また中堂屋根の大棟両端に青銅製の鳳凰を飾ることから、桃山時代から鳳凰堂と呼ばれるようになった。中堂内に安置された像高279cmの大きな阿弥陀如来坐像は、穏やかで円満な表情で、名匠といわれた定朝の現存唯一の作品である。須弥壇および頭上の円形と方形の二重になった天蓋には豪華な螺鈿や金箔が貼られ、蝶や花、鳳凰の模様がある。壁と扉には九品来迎図、阿弥陀浄土図、日想観図の優雅な絵が描かれ、壁上方の小壁には、空中をただようかのように雲中供養菩薩像の小像が多数取り付けられている。長押から天井にかけては、極彩色でさまざまな文様が施されている。堂内はさほど広くなく、加持祈祷や修行など仏事を催す場というより、視覚的美観を重視した空間といえるだろう。鳳凰堂の前にある宝池に、左右対称の

優美な水影が映し出され、自然の中に美しい景観を演出する浄土庭園となっている。外観で西方極楽浄土の世界を、そして阿弥陀堂内部で、光に満ちた荘厳な阿弥陀の宮殿を表現したのである。

●浄瑠璃寺本堂

木津川市にある。平安時代後期の寺院。浄瑠璃寺は、本尊を薬師如来として創建され、薬師如来の浄土である浄瑠璃世界から寺名が付けられた。現在宝池をはさんで、東岸に薬師如来坐像を安置する三重塔、西岸に9体の阿弥陀如来坐像を祀る東面する本堂がある。美しい浄土庭園を構成して史跡・特別名勝に指定されている。本堂は、9体の阿弥陀像を安置する正面9間、側面1間の細長い母屋に、庇をめぐらせる。真ん中の中尊は特に大きいので、中央の1間だけは柱を太く高くして、柱間もほかに比べて2倍ほど広くなっている。天井はなく、化粧垂木の見える化粧屋根裏である。1107年に建立され、1157年に現在の位置に移されたという。藤原道長は1019年に出家し、九体阿弥陀像を安置した阿弥陀堂、さらに大日如来の金堂や五大明王の五大堂などを建立して、法成寺を創建した。1027年に道長は阿弥陀堂内で、九体阿弥陀仏の手に五色の糸を結び、その糸を手にして念仏の声の中で往生をとげた。鎮護国家の密教寺院から阿弥陀の浄土寺院へと時代の趨勢は変化し、平安時代後期には九体阿弥陀堂が多数建立された。浄瑠璃寺は、そのうち唯一残った建物である。

●蓮華王院本堂

京都市にある。鎌倉時代前期の建物。蓮華王院は、後白河法皇が平清盛に命じて、御所の法住寺殿西に1164年に造営された。1249年に焼失した後、再建されて1266年に供養が行われた。丈六の本尊と千体の観音を安置するため、長さ118.2mの長大な仏堂となり、母屋の柱間数をとって三十三間堂と呼ばれる。中央に運慶の長男湛慶作の像高334.8cmの大きな千手観音坐像が安置され、両脇の階段状の須弥壇に各500体の千手観音立像と、風神・雷神像、二十八部衆立像を従える。正面35間はすべて板扉である。天井は化粧垂木の見える化粧屋根裏だが、中尊上部だけ柱の上に二手先の組物を入れて折上組入天井となっている。江戸時代には、軒先で強弓を競う通矢で有名となった。三十三という数字は、法華経第25観世音菩薩普門品に観音菩薩が三十三身に応化する、つまり変幻自在に姿を変えるという仏説に由来する。仏教が衰える末法の世が1052年から始まるという末法思想が、平安時代中期以降盛んとなり、不安に駆られた貴族たちは、浄土への往生に

強く憧れた。往生をもたらす善行の一つが造仏作善で、仏像や仏画、経典などを制作することによって、功徳を得ようとしたのである。善美をつくす作善も重要と考えられ、平家納経や中尊寺経など美麗な装飾経が制作された。また多数作善も多大な功徳をもたらすと考えられ、九体阿弥陀像、千体千手観音像が出現した。末法におののく貴族たちにより、日本美術史上類を見ないほど、金銀をふんだんに使用し、技巧を凝らした贅沢な作品が多数制作されたのである。

●二条城

京都市にある。江戸時代前期の住宅。二条城は、徳川家康が上洛した時の居館として築かれ、征夷大将軍の宣下を1603年に受けて入城した。最初は移築された聚楽屋敷の建物と五重の天守があった。その後、後水尾天皇の行幸を迎えるために1624年から改築が行われ、西方に拡張されて本丸がつくられ、本丸南西隅に伏見城天守が移された。東側の旧城部分は新たに二の丸となって御殿も建て替えられた。行幸後、二の丸御殿の大広間や遠侍など主要建物を除いて建物群は解体され、さらに1750年の落雷で天守、1788年の京都大火で本丸建物のほとんどが焼失した。結局大改修した東側の二の丸御殿が残り、国宝となった。遠侍、式台、大広間、蘇鉄の間、黒書院、白書院の建物を廊下で結んだ典型的な書院造である。明治維新後多くの城郭が解体されてしまったので、二の丸御殿は城郭内御殿の様子を伝える貴重な建物群である。

◎梅小路機関車庫

京都市の京都鉄道博物館にある。大正時代の交通施設。機関車を扇状に収容する鉄筋コンクリート造の車庫で、1914年に竣工した。扇型車庫には引込線が20番線あり、1〜7番線は蒸気機関車の検査・修繕、器械加工の作業場で、電動天井走行クレーンを完備する。8〜20番線は機関車駐留場である。前面の扇の要にあたる部分に転車台がある。実際に営業運行に使用される動態保存の機関車を収納している現役の機関車庫である。

☞ そのほかの主な国宝／重要文化財一覧

	時　代	種　別	名　　　称	保管・所有
1	弥　生	考古資料	◎大風呂南1号墓出土品	丹後郷土資料館
2	奈　良	絵　画	●紙本著色絵因果経	醍醐寺
3	奈　良	彫　刻	●銅造釈迦如来坐像（本堂安置）	蟹満寺
4	奈　良	工芸品	●梵鐘	妙心寺
5	奈　良	典　籍	●千手千眼陀羅尼経残巻	京都国立博物館
6	奈良～江戸	古文書	●東寺百合文書	京都府立総合資料館
7	奈　良	考古資料	●金銅小野毛人墓誌	崇道神社
8	平　安	絵　画	●絹本著色不動明王像	曼殊院
9	平　安	絵　画	●紫綾金銀泥絵両界曼荼羅図（高雄曼荼羅）	神護寺
10	平　安	絵　画	●紙本墨画鳥獣人物戯画	高山寺
11	平　安	彫　刻	●木造菩薩半跏像（本堂安置）	宝菩提院
12	平　安	典　籍	●今昔物語集	京都大学
13	平　安	古文書	●御堂関白記	陽明文庫
14	平　安	考古資料	●金銅藤原道長経筒	京都国立博物館
15	鎌　倉	絵　画	●絹本著色伝源頼朝像	神護寺
16	鎌　倉	絵　画	●紙本著色北野天神縁起	北野天満宮
17	鎌　倉	絵　画	●紙本著色病草紙	京都国立博物館
18	鎌　倉	彫　刻	●木造風神・雷神像（蓮華王院本堂）	妙法院
19	鎌　倉	典　籍	●古今和歌集（藤原定家筆）	冷泉家時雨亭文庫
20	南北朝	絵　画	●絹本著色大燈国師像	大徳寺
21	室　町	絵　画	●紙本墨画淡彩天橋立図（雪舟筆）	京都国立博物館
22	桃　山	絵　画	●方丈障壁画	聚光院（大徳寺）
23	桃　山	絵　画	●紙本金地著色桜楓図（障壁画）	智積院
24	桃　山	絵　画	◎紙本著色豊国祭図（狩野内膳筆）	豊国神社
25	桃　山	古文書	●ポルトガル国印度副王信書	妙法院

近畿地方

(続き)

	時代	種別	名称	保管・所有
26	桃山	工芸品	◎蒔絵調度類	高台寺
27	江戸	絵画	●紙本墨画蓮池水禽図（俵屋宗達筆）	京都国立博物館
28	江戸	工芸品	◎紋縮緬地熨斗文友禅染振袖	友禅史会
29	江戸	典籍	◎琉球神道記	袋中庵
30	中国・日本／唐・平安	絵画	●絹本著色眞言七祖像	東寺（教王護国寺）
31	中国／北宋	絵画	●絹本著色十六羅漢像	清凉寺
32	中国／南宋	絵画	●絹本著色秋景冬景山水図	金地院
33	中国／南宋	工芸品	●玳玻天目茶碗	相国寺
34	中国／南宋	典籍	●宋版太平御覽	東福寺
35	中国・日本／元・南北朝	書跡	●竺仙梵僊墨跡	竜光院
36	朝鮮／李朝	工芸品	●井戸茶碗（銘喜左衛門）	孤篷庵
37	西洋／16世紀	工芸品	◎祇園会鯉山飾毛綴	鯉山保存会
38	平安中期	寺院	●醍醐寺五重塔	醍醐寺
39	平安後期	神社	●宇治上神社本殿	宇治上神社
40	鎌倉前期	寺院	●法界寺阿弥陀堂	法界寺
41	室町前期	寺院	●竜吟庵方丈	竜吟庵
42	室町中期	住宅	●慈照寺銀閣	慈照寺
43	室町後期	寺院	●大仙院本堂	大仙院
44	室町後期〜江戸中期	寺院	●大徳寺	大徳寺
45	桃山	寺院	●東寺（教王護国寺）金堂	東寺（教王護国寺）
46	桃山	寺院	●西本願寺飛雲閣	西本願寺
47	桃山	寺院	●南禅寺方丈	南禅寺
48	江戸前期	寺院	●清水寺本堂	清水寺
49	江戸末期	神社	●賀茂別雷神社・賀茂御祖神社	賀茂別雷神社、賀茂御祖神社
50	明治	文化施設	◎旧帝国京都博物館	独立行政法人国立博物館

懸守

地域の特性

　近畿地方の西部に位置し、西側が瀬戸内海に面している。北側を東西にのびる北摂山地、東側を南北にのびる生駒山地と金剛山地、南側を東西にのびる和泉山脈がある。コ字型に並ぶ三つの山地に囲まれて、北東から流入する淀川、東から流入する大和川などの河川によって運ばれた土砂により、大阪平野が形成された。平野中央部は京阪神大都市圏の中心都市で、さらには西日本の政治・経済・文化の中核となっている。平野北部は高度経済成長期から急速に都市化が進んだ。平野南部は綿糸綿織物業が盛んだったが、関西国際空港の開業とともに宅地開発が活発になった。

　大古墳が集中する古市古墳群と百舌鳥古墳群、中国大陸や朝鮮半島からの門戸となった難波宮、豊臣秀吉の築いた大坂城、天下の台所と称された水の都など、大阪は古くから日本の重要な中心的一角を担ってきた。楠木正成は悪党と呼ばれた武士団を組織し、後醍醐天皇に呼応して挙兵したが、南朝は廃滅した。室町時代には畠山氏、大内氏、細川氏の勢力による争乱が続いた。商港から発展した堺が自治を確立させ、自由都市として繁栄した。その一方で、石山本願寺を拠点に一向一揆が勢力を伸ばしたが、織田信長に屈し、その石山本願寺跡に豊臣秀吉が大坂城を築城した。江戸時代になり大坂夏の陣で豊臣氏が滅亡し、戦乱の復興後に大坂は天領となった。中小藩が多数設置され、そのほかに旗本領、大名飛地領、寺社領などが複雑に分布した。明治維新の廃藩置県で多数の県が設置された後、1881年に奈良県を含めて大阪府ができた。1887年に奈良県が分割されて、現在の大阪府となった。

国宝／重要文化財の特色

　美術工芸品の国宝は56件、重要文化財は520件である。建造物の国宝は5件、重要文化財は95件である。聖徳太子創建の四天王寺、南朝楠木氏と

の結びつきが強かった観心寺、女人高野の天野山金剛寺などの古刹に国宝／重要文化財が多数ある。また近代実業家たちが収集した著名なコレクションも多い。藤田組を起業した藤田伝三郎と長男平太郎、次男徳次郎のコレクションを収蔵する藤田美術館、安宅産業2代目安宅英一の東洋陶磁器コレクションを収蔵する大阪市立東洋陶磁美術館、繊維産業で功績をあげた久保惣太郎父子3代の美術コレクションを収蔵する和泉市久保惣記念美術館、阪急電鉄・東宝宝塚社長小林一三の美術コレクションを収蔵する逸翁美術館、工務所や映画館の経営者であった正木孝之の水墨画・禅林墨跡コレクションを収蔵する正木美術館、武田薬品工業5代社長武田長兵衛の稀覯書コレクションからなる杏雨書屋などがあげられる。商都大阪の財力で、国宝／重要文化財となるような財宝が古くから集積された。

◎陶邑窯跡群出土品

堺市の堺市博物館で収蔵・展示。古墳時代の考古資料。縄文土器や弥生土器、土師器のような火にくべてつくる在来の土器と異なり、高温の窯の中で焼成し、堅くて頑丈な須恵器を生産する技術が5世紀に朝鮮半島から日本へ導入された。窯業の重要な出発点である。広大な泉北ニュータウンの丘陵造成地で1961年から発掘調査が進められ、500基を超える須恵器の窯跡が発見された。約80,000箱に及ぶ考古資料が出土し、そのうち2,585点が重要文化財に指定された。生産の開始された5世紀前半から9世紀（平安時代前期）まで、約500年間にわたって製作された須恵器の特徴が、時間の経過ごとに編年表にまとめられた。各地の古墳などから出土した須恵器の年代判定に、陶邑で作成された編年表が活用されている。

●千手観音坐像

藤井寺市の葛井寺の所蔵。奈良時代の彫刻。千手千眼の威力で一切の衆生を救う千手観音像で、8世紀中頃に制作された。合掌手を含む40の大手と1,000の小手があり、1掌ごとに1眼をもつ。千手観音は一般に左右に20手ずつ、そして中央の2手と合わせて42臂（手）像で表現されるが、古くは真数千臂の像がつくられた。類例が奈良県唐招提寺の千手観音立像である。本体の坐像は、原形の土型に麻布と漆を貼り重ね、乾燥してから土を除去して内部を空洞にする脱活乾漆造で、坐像後ろの左右2本の支柱に、大手38本と無数の小手を組み合わせた脇手が取り付けられている。坐像に光背はないが、放射状に整然と配列された千臂は、そのまま光背の役割を兼ねているように見える。やや前かがみで、頰のふくらんだ丸い顔の穏やかな表情に、背後から無数

の手がのびる特異な威容を示す。古い様式を伝える河内飛鳥の地域的特色も感じさせられる。

● **懸守** 大阪市の四天王寺で収蔵・展示。平安時代後期の工芸品。懸守は、女性が外出の際に首から懸けた胸前のお守りで、鎌倉時代の絵巻などの人物画に見られる。四天王寺には平安時代後期につくられた7懸が伝わり、楕円形の側面、桜花形の側面、隅切箱形をして胴部に張りのある形状など、いくつかの形態がある。大きさは4.5〜6cmである。檜材の胎（芯）を各種の鮮やかな錦で包み、透彫などの細工を施した銀製金具を鋲止めする。胎に墨書で種字を書いたり、内部に巻状のものを納入して護符としての役割が想定される。懸紐の残片が2本付随する。多色を用いた厚い平組で、当時の組紐の様子がうかがえる。懸守の遺品はきわめて稀で、小さなお守りに注ぎ込められた平安時代の繊細な美意識を見て取れる。

● **玄奘三蔵絵** 大阪市の藤田美術館で収蔵・展示。鎌倉時代後期の絵画。法相宗の祖師である中国の三蔵法師玄奘の伝記絵巻で、14世紀初頭に宮廷絵師であった高階隆兼が制作に関与したと推測されている。玄奘は唐時代に仏教をインドから中国へ伝え、『大唐西域記』の著者でもあるが、明代の奇抜な小説『西遊記』の中で、弟子の孫悟空、猪八戒、沙悟浄をひきつれて、天竺へ苦難の旅をする求法僧として日本でも人気が高い。玄奘三蔵絵は、弟子慧立の著した根本的伝記である『大慈恩寺三蔵法師伝』をもとに、玄奘の言動を詞と絵によって説話的に列挙して、全12巻76段になった大作である。主にインドへの求法の旅に重点が置かれ、中国に戻ってから訳経に専念従事する後半生は、巻10〜12で付加的に扱われている。絵は細部にわたって綿密精緻な筆づかいで描かれ、人々の表情もそれぞれ細やかに表現豊かに描写されている。各場面の情景も、人々の群像、建物、樹木、草花が巧みに配置された落ち着いた空間構成で、作者の優れた技量がうかがえる。近世末期頃まで興福寺の大乗院に連綿と大切に伝えられた寺宝だったが、寺外に流出し、藤田美術館の所蔵となった。

◎ **大坂夏の陣図** 大阪市の大阪城天守閣で収蔵・展示。江戸時代前期の絵画。復元された大阪城内部でレプリカが展示され、ミニチュアや映像を使って屏風の場面を詳しく解説している。1615年大坂夏の陣を描いた六曲一双の屏風絵で、徳川方として参戦した黒田長

政が戦勝記念に描かせたとされ、旧福岡藩主黒田氏に伝来した。戦場を俯瞰するように、右隻には5月7日最後の決戦の開幕間もない展開を、左隻には大坂城落城後の悲惨な情景を描いている。さまざまな戦闘場面によって構成され、人物5,071人、馬348頭、幟1,387本、槍974本、弓119張、鉄砲158挺が細かく描き込まれている。近くで見ると、個々の生々しい戦闘を目の当たりにするような感じを受ける。戦いを描いた絵画は、平安時代末期に合戦絵巻が登場して中世に流行し、近世になると屏風に描かれるようになった。合戦屏風は、一般に闘う武士たちの場面で構成されているが、大坂夏の陣図では落城後の略奪や逃げまどう人たち、連行される女性など一般民衆の錯乱した姿も描かれ、戦争の実態を忠実に伝えている。

◎大工頭中井家関係資料

大阪市の大阪くらしの今昔館で収蔵・展示。江戸時代の歴史資料。江戸時代に幕府の京都大工頭を、中井正清（1565〜1619年）から中井正居（1835〜1900年）まで10代務めた中井氏に伝来した建築資料である。天下統一そして平和な時代を迎えて、財源も豊かだった頃に巨大な建造物が次々に建てられた。中井氏は二条城、伏見城、江戸城、駿府城、名古屋城、知恩院、増上寺、名古屋城、方広寺大仏殿、東照宮、徳川再建大坂城、東寺五重塔、長谷寺本堂、高野山大塔など江戸時代初期の著名な建造物の造営を任され、また京都御所の内裏再建などにも深く関与した。中井氏の資料は文書・記録類、指図・絵図類、典籍類、書画・器物類に大別され、5,195点が重要文化財に指定されている。例えば図面については、多数の城の建築指図（設計図、見取り図）、天皇の即位・大嘗祭・葬送の儀式図、寺社の図面、庭園絵図など多岐にわたる。綺麗に細かく彩色された図も多く、絵画的美しさもうかがえる。中井氏の関係した建造物は、現在国宝／重要文化財となっているものが多数あり、中井氏の資料は日本建築史研究に欠くことのできない重要なものである。

●油滴天目茶碗

大阪市の大阪市立東洋陶磁美術館で収蔵・展示。中国／南宋時代の工芸品。中国の南宋時代に福建省の建窯で焼かれた茶碗で、鎌倉時代に日本へ運ばれたと推測されている。低く小さい高台から斜めに直線状に立ち上がり、口縁の少し下で内側にひねり返す。口縁には金の覆輪をめぐらす。力強い器形で、内外に黒釉が厚くかかる。油滴とは、円形の小さい銀色結晶斑が黒釉の器面全体に多数浮いているので、それらを油の滴りと見立てて日本で名づけられた。黒色

の中に細かい小泡が幻想的に広がっているように見える。この茶碗は古来権勢家に珍重され、関白豊臣秀次、西本願寺、京都六角の三井氏、旧若狭藩主酒井氏に来歴し、戦後になって安宅コレクションの所蔵となった。安宅コレクションは安宅産業株式会社2代社長安宅英一が収集し、東洋古陶磁器、特に朝鮮陶磁器の優れたコレクションとして有名である。1977年に安宅産業が経営破綻すると、安宅コレクションの散逸を惜しむ声が高まり、住友グループ21社が資金を集めて大阪市に寄付し、その寄付金で大阪市がコレクションを購入した。東洋陶磁美術館も住友グループの拠出した文化基金で建てられた。

●慈眼院多宝塔

泉佐野市にある。鎌倉時代前期の寺院。多宝塔は二重屋根の塔で軸部下層が方形、上層が円形をしている。密教の盛行とともに、平安時代以降につくられるようになった。慈眼院の多宝塔は方3間で檜皮葺である。1271年の墨書が発見されたので、滋賀県の石山寺多宝塔、和歌山県の金剛三昧院多宝塔に次いで古いとされている。石山寺と金剛三昧院の多宝塔軸部下層が3間5m以上あるのに対して、慈眼院は同じ3間でも2.69mしかなく、規模が小さい。しかも高い基壇、高い縁のために細長い印象を受ける。内部構造も前2者と異なり、四天柱（中心となる4本の柱）を設けていない。多宝塔が小型・簡略化する傾向を、慈眼院多宝塔は見せている。慈眼院は隣にある日根神社の神宮寺で、付近一帯は1234年に成立した九条家領荘園の史跡日根荘遺跡である。中世荘園に関する膨大な量の古文書、鎌倉時代の姿を描いた絵図（和泉国日根野村絵図）、前関白九条政基の詳細な滞在日記『政基公旅引付』などが残されている。

●観心寺金堂

河内長野市に位置する。室町時代前期の寺院。観心寺は、京都から高野山へ向かう東高野街道と、堺からの西高野街道が合流する交通の要衝に建てられた高野山真言宗の寺院である。金堂は桁行7間、梁間7間の大堂で、内部は内陣と外陣に分かれている。建立された年代は1378年頃と推定され、和様に、大瓶柄や海老虹梁、桟唐戸など禅宗様の特徴が組み入れられて、折衷様という建築様式で建てられている。本尊は平安時代初期に制作された如意輪観音坐像で、本尊を安置する須弥壇前面の左右板壁に、金剛界、胎蔵界の両界曼荼羅が描かれている。

観心寺には国宝／重要文化財が多い。霊宝館には重要文化財に指定され

近畿地方　191

た平安時代の仏像がずらりと並んでいる。883年に寺院の歴史と財産目録を書き記した観心寺縁起資財帳があり、また奥州藤原氏が中尊寺に奉納した中尊寺経金銀字経・金字経という装飾経もある。観心寺の支院の中院は楠木氏の菩提寺といわれ、南朝と関係が深かった。そのため楠木正成（くすのきまさしげ）の書状も、観心寺文書の中に残されている。楠木正成は三重塔の建立に着手したが、完成する前に湊川（みなとがわ）の戦いで戦死した。そのため三重塔の建設は途中でとん挫し、初重（1階部分）のまま中途半端な形で後世に伝わり、現在は重要文化財となっている。この塔は俗に建掛塔（たてかけとう）と呼ばれ、方3間宝形造（ほうぎょうづくり）、茅葺（かやぶき）の建造物である。

◎大阪府立図書館（おおさかふりつとしょかん）

大阪市北区中之島公園にある。明治時代の文化施設。1904年に15代住友吉左衛門（すみともきちざえもん）の寄付によって建造された図書館である。1876年に大阪書籍館が設立されたが、1888年に廃館となり、1890年に大阪府で図書館設立が計画された。住友吉左衛門が建物20万円と図書5万円の費用を寄贈して、住友の建築技師長野口孫一の設計で建てられた。当初は平面十字型の本館だけであったが、1922年に再び住友氏の寄付によって左右両翼が増築された。レンガおよび石造の3階建で、屋根は銅板葺（どういたぶき）である。外観はネオ・クラシック様式で、正面玄関に4本の太いコリント式円柱がそびえ立つ。内部空間はバロック様式を基本に、中央ホールは円形ドームの屋根となっている。玄関から中央ホールに入ると、正面に上り階段（かいだん）がある。階段は中段から左右へ分かれて螺旋（らせん）階段となり、正面中段の壁には大きな銅板の建館寄付記が掲げられている。1923年に住友氏から、自然科学、工学関係の洋書21,563冊が寄贈された。そのほか貴重な古典籍も多く収蔵されている。100年以上も前に建てられた図書館が、当時の姿のまま、現在も変わることなく機能しているのは珍しい。なお中之島は大阪の官庁街を形成し、公共建造物が多数建てられた。今でも府立図書館に隣接して、株仲買人だった岩本栄之助（いわもとえいのすけ）の寄付で、1918年に竣工した鉄骨レンガ造3階建の大阪市中央公会堂が残されている。

☞ そのほかの主な国宝／重要文化財一覧

	時　代	種　別	名　　称	保管・所有
1	縄　文	考古資料	◎国府遺跡出土品	関西大学
2	弥　生	考古資料	◎東奈良遺跡出土鎔范関係遺物	茨木市立文化財資料館
3	古　墳	考古資料	◎修羅・梃子棒／三ツ塚古墳出土	近つ飛鳥博物館
4	古　墳	考古資料	●金銅透彫鞍金具	誉田八幡宮
5	飛　鳥	彫　刻	◎金銅弥勒菩薩半跏像	野中寺
6	飛　鳥	工芸品	●七星剣	四天王寺
7	奈　良	典　籍	●大般若経（薬師寺経）	藤田美術館
8	奈　良	考古資料	●金銅石川年足墓誌	大阪歴史博物館
9	平　安	彫　刻	●木造如意輪観音坐像（金堂安置）	観心寺
10	平　安	彫　刻	●木造薬師如来坐像（本堂安置）	獅子窟寺
11	平　安	彫　刻	●木造十一面観音立像（本堂安置）	道明寺
12	平　安	工芸品	●銀装革帯、他5点（伝菅公遺品）	道明寺天満宮
13	平　安	書　跡	●小野道風筆三体白氏詩巻	正木美術館
14	平　安	典　籍	●延喜式	天野山金剛寺
15	平　安	古文書	●観心寺縁起資財帳	観心寺
16	鎌　倉	絵　画	●紙本著色後鳥羽天皇像（伝藤原信実筆）	水無瀬神宮
17	鎌　倉	絵　画	◎紙本著色伊勢物語絵巻	久保惣記念美術館
18	鎌　倉	工芸品	●塵地螺鈿金銅装神輿	誉田八幡宮
19	鎌　倉	書　跡	●大燈国師墨跡（渓林偈　南嶽偈）	正木美術館
20	南北朝	絵　画	◎版画融通念仏縁起（明徳版）	大念仏寺
21	南北朝・室町	古文書	◎紙本墨書 楠家文書	久米田寺
22	室　町	絵　画	●紙本墨画柴門新月図	藤田美術館
23	室　町	絵　画	◎紙本著色大江山絵詞	逸翁美術館
24	室　町	典　籍	◎観心寺縁起	観心寺
25	安土桃山	絵　画	◎紙本金地著色南蛮人渡来図	大阪城天守閣

近畿地方　193

（続き）

	時代	種別	名　　称	保管・所有
26	桃　山	絵　画	◎絹本著色千利休像	正木美術館
27	桃　山	絵　画	◎紙本金地著色四季花鳥図（狩野宗秀筆）	大阪市立美術館
28	桃　山	工芸品	◎織部四方手鉢	湯木美術館
29	桃　山	工芸品	◎花鳥蒔絵螺鈿櫃	逸翁美術館
30	江　戸	絵　画	◎本堂障壁画	大安寺
31	江　戸	典　籍	◎契沖著述稿本類	円珠庵
32	中国／唐	典　籍	●説文木部残巻	杏雨書屋
33	中国／南宋	工芸品	●青磁鳳凰耳花生（銘万声）	久保惣記念美術館
34	朝鮮／高麗	工芸品	◎高麗青磁象嵌牡丹唐草唐子文水注	大阪市立東洋陶磁美術館
35	平安後期	寺　院	◎金剛寺多宝塔	金剛寺
36	鎌倉後期	寺　院	●孝恩寺観音堂	孝恩寺
37	鎌倉後期	神　社	●桜井神社拝殿	桜井神社
38	室町前期	石　塔	◎五社神社十三重塔	五社神社
39	室町中期	神　社	◎建水分神社本殿	建水分神社
40	桃山〜江戸中期	寺　院	◎叡福寺	叡福寺
41	江戸前期	寺　院	◎海会寺本堂、庫裏及び門廊	海会寺
42	江戸前期	寺　院	◎普門寺方丈	普門寺
43	江戸前期〜末期	寺　院	◎富田林興正寺別院	富田林興正寺別院
44	江戸前期	民　家	◎旧杉山家住宅（富田林市富田林町）	富田林市
45	江戸中期	住　宅	◎旧泉家住宅（旧所在　豊能郡能勢町）	日本民家集落博物館
46	江戸後期	神　社	●住吉大社本殿	住吉大社
47	明治〜大正	住　居	◎旧西尾家住宅	吹田市
48	明　治	産　業	◎旧造幣寮鋳造所正面玄関	大阪市
49	明　治	文化施設	◎泉布観	大阪市
50	昭　和	交　通	◎大江橋及び淀屋橋	国（国土交通省）

銅鐸

地域の特性

　近畿地方の西端部に位置して、日本海と瀬戸内海に面し、淡路島を含む。県域の8割以上を丹波高地の一部である北摂山地、六甲山地などの山地や丘陵地が占めている。まとまった平野は播磨灘沿岸に播磨平野、大阪湾沿岸に大阪平野の一部があるにすぎず、日本海側に平野は発達していない。瀬戸内海沿岸の平野には、大阪に接続する大都市圏が連なり、人口も多い。逆に山地の広がる日本海側では、主要都市が富岡盆地の富岡しかなく、人口も少なく、過疎が進んでいる。平地の乏しい淡路島では棚田が発展し、また大都市に出荷する花卉栽培が盛んである。

　山陽道と山陰道が通る兵庫県は、古くから畿内と西国を結ぶ回廊的特色がある。明石海峡は畿内と畿外の境界とされ、都の支配を左右する枢要な場所だった。ほど近い場所に、行基が奈良時代に開いたとされる良港の大輪田泊（現神戸港）がある。この港を平安時代に平清盛は日宋貿易の拠点にして、福原遷都を強行した。その近くで、京都奪還を目指す平氏と、それを阻止する源氏との間で一ノ谷の戦があった。建武新政の後醍醐天皇の軍勢を足利尊氏が破り、室町幕府の開府に導いた湊川の戦も兵庫で起きている。江戸時代には、酒井氏の姫路藩15万石をはじめ、多数の中小藩が分立し、幕末には県内に30の藩があった。明治維新の廃藩置県で多数の県が設置されたが、1876年に現在の兵庫県に統合された。

国宝／重要文化財の特色

　美術工芸品の国宝は10件、重要文化財は349件である。建造物の国宝は11件、重要文化財は97件である。奈良・平安時代の名刹である一乗寺、戦火をまぬがれ太子信仰で有名な鶴林寺、鎌倉時代に東大寺を再興した重源によって開創された浄土寺などの古刹に、国宝／重要文化財が多い。また実業家のコレクションを収蔵する美術館も多い。白鶴酒造7代嘉納治

近畿地方

兵衛のコレクションをもとに開設された白鶴美術館、白鷹の3代辰馬悦蔵の考古学資料と富岡鉄斎のコレクションを収蔵する辰馬考古資料館、朝日新聞創設者村山龍平のコレクションを収蔵する香雪美術館、証券業の2代黒川幸七の刀剣コレクションを収蔵する黒川古文化研究所などがある。兵庫の川崎造船所（現川崎重工業）創業者川崎正蔵は、伝説的な古美術品大コレクターだった。しかし昭和の金融恐慌と第2次世界大戦後の家政整理でコレクションが売りに出され、ことごとく散逸した。

●銅鐸と銅戈

神戸市の神戸市立博物館で収蔵・展示。弥生時代の考古資料。1964年に神戸市灘区桜ヶ丘町から銅鐸14口、銅戈7口が一括して出土した。銅鐸はほとんど単独で出土するため、複数で見つかった事例は珍しい。複数の埋納例は、桜ヶ丘町出土品以外に、滋賀県の大岩山出土銅鐸24口、島根県の加茂遺跡出土銅鐸39口と荒神谷遺跡出土銅鐸6口が知られている。一般に銅鐸には、袈裟襷文という縦横四角に区画された文様が上下数段に施されているのだが、桜ヶ丘町出土の4号と5号の2口の銅鐸には、区画された袈裟襷文に細線で鋳出された絵画が描かれていた。4号には魚を喰うサギ、3匹の動物とクモ、弓を手にシカを獲る狩人、糸を巻いた桛を手にして坐る人物、もう一面にはクモとカマキリ、トンボ、スッポン、2匹のトカゲが描かれている。5号にも同じような意匠のカエル、カマキリ、スッポン、竪杵を持ち向かい合って臼で脱穀する2人の人物などが見られる。同様の絵画は、東京国立博物館所蔵の袈裟襷文銅鐸にも描かれている。袈裟襷文ではなく、流れる水を模した横に長い流水文を施した銅鐸もある。桜ヶ丘町出土の1号と2号には、流水文の間にシカの列や狩猟などが細線で描かれていた。細線による簡素な画像であるが、約2,000年前の稲作集落の光景を彷彿とさせる。

●阿弥陀如来及両脇侍立像

小野市の浄土寺の所蔵。鎌倉時代前期の彫刻。浄土寺は鎌倉時代に東大寺を再興した重源（1121〜1206年）が各地に建てた7別所の一つで、快慶作の像高530cmの阿弥陀如来立像と、像高370cmを超える観音・勢至の両菩薩立像が浄土堂に安置されている。仏身は1丈6尺（約480cm）あったとされ、この大きさにつくられた仏像を丈六という。各地に丈六の坐像は多く残されているが、立像は珍しい。浄土堂は方3間の宝形造の阿弥陀堂で、柱間はすべて20尺（約6m）と幅広く、通常の仏堂に比べて破格の大きさである。鎌倉時代に中国から導入された大仏様という建築様式で

建てられた。内部は天井を張らず、背の高い仏像が屋根に向かって大きくそびえる。上部の太い虹梁と束が力強い構造美を見せ、屋根裏には朱色の化粧垂木がのびる。堂西側の背面はすべて蔀戸で、開け放たれると入り日の外光が差し込む工夫が施されている。正面の扉を開けると、広々とした堂内に、背後からまばゆい光に包まれて巨大な金色の仏像が姿を現す。西方極楽浄土からの阿弥陀来迎を意識した見事な演出である。

◎大乗寺障壁画

香美町の大乗寺の所蔵。江戸時代中期の絵画。円山応挙（1733〜95年）と彼の弟子たちが、1787年と1795年に大乗寺客殿に描いた障壁画である。応挙は京都府亀岡市の農家の次男として生まれた。貧しい修行中に大乗寺住職密蔵が学資を援助したのを縁に、客殿建設の際、弟子たちとともに襖絵を制作したのである。13部屋ある客殿の中心となる仏間には十一面観音立像が安置されている。十一面観音の化仏である阿弥陀が孔雀に坐すことから、仏間の前の部屋には、ほぼ実物大の3本松と3羽の孔雀が、金地に墨という珍しい組合せで描かれている。そして仏間を中心にして東西南北の隅に、それぞれ四天王に関係するテーマの襖絵が組み入れられた。経済をつかさどる東の持国天として四季耕作図、南の増長天には政治に関する中国の政治家郭子儀の図、芸術に関与する西の広目天には美しい山水図、医療をつかさどる北の多聞天には群仙図が、四方の各部屋に描かれている。そのほかの部屋にも多数の障壁画があり、応挙と門弟12人の筆による165面が重要文化財に指定されている。円山派特有のきわめて精密かつ写実的な絵画である。

●鶴林寺太子堂

加古川市にある。平安時代後期の寺院。鶴林寺は天台宗の古刹で、14世紀以降の資料や建造物が多く残されている。中世に天王寺領賀古荘にあったことから、大阪府四天王寺の太子信仰と結びついたと推測されている。1397年に本堂、1406年に行者堂、1407年に鐘楼が建立され、仁王門も同時期に建立されたと考えられ、1400年前後は鶴林寺の活動盛期だった。本堂の向かって右側前方にある太子堂は1112年に建立され、本来は法華三昧堂だった。本堂をはさんでほぼ対称の位置にある常行堂とともに、天台宗の伽藍を構成する。法華経を読誦する法華堂と、阿弥陀経を唱えて歩き続ける常行堂との不可分の関係は、最澄の教義に基づいて延暦寺から始まった。太子堂は宝形造で、方1間の母屋に庇をめぐらせた主屋の前面に、孫庇を設け礼堂としている。内部には四天柱を取り込んだ須弥壇があり、釈迦三尊像

と四天王立像を安置する。須弥壇後方の来迎壁には九品来迎図、裏には涅槃図が描かれていた。そのほかにも堂内には多数の仏画が描かれているようだが、肉眼では識別不能という。平安時代の浄土信仰を伝える現存最古の法華堂である。

◎**箱木家住宅**　神戸市にある。室町時代の民家。江戸時代前期の元禄時代に、すでに千年家といわれたほど古い民家だが、建てられた正確な年代は不明で、14世紀頃、室町時代中期あるいは後期と諸説ある。主屋と西隣の離座敷からなる。離座敷は18世紀初頭につくられ、19世紀になって主屋と離座敷との間に部屋を設けて連結させ、1棟の大屋根がかけられた。ダム建設に伴う移築で、もとの姿の2棟に分割された。主屋は入母屋造の茅葺で桁行5間、梁間4間、柱間寸法は間延びし、しかも不揃いなので、古い工法を感じさせる。外見は、屋根が低い高さまで葺き下ろされ、また柱が見えないほど塗り籠められた壁なので、大きくて素朴な茅葺屋根が目立つ。内部は広間型3間取りで、向かって右側に全体の半分以上を占める土間、土間前方右側にウマヤ、土間左側の手前にオモテ、奥にオイエと寝室のナンドがある。柱や梁は比較的細い。日常生活の場であったオモテは、囲炉裏の切られた板張の広い居間で、柱や壁板に釿削りの荒い刃痕が残る。日本最古の民家といわれ、人々の生活史を考える上で貴重な建物である。

●**姫路城**　姫路市にある。桃山時代の城郭。姫路城の築城は1333年に赤松氏から始まり、その後中国攻めの本拠として豊臣秀吉が天守と城郭を築いた。関ヶ原の戦い後に、池田輝政（1564〜1613年）が播磨の城主となり、現在の姫路城を1609年に完成させた。天守は口字型の連立式天守を形成し、大天守と西・乾・東の3基の小天守、その間をつなぐイ・ロ・ハ・ニの渡櫓からなり、8棟が国宝である。本丸、二の丸、西の丸に連なる渡櫓、櫓、門、土塀74棟が重要文化財に指定されている。外壁に漆喰を塗った白漆喰総塗籠造による白色の美しい外観から、白鷺城とも呼ばれている。大天守は外観五重で、内部は地上6階・地下1階の7階である。外観初重は腰屋根をめぐらし、東面中央に軒唐破風を設け、その下に出格子窓がある。二重目は東西の大きな入母屋造で、入母屋破風が三重目の屋根と交差している。南面中央に横長の軒唐破風を設け、その下に幅5間の出格子窓がある。三重目は南北面にそれぞれ二つの千鳥破風を並べた比翼入母屋となり、四重目は南北面に千鳥破風、東西面に軒唐

破風を設ける。五重目は東西に棟を向けた入母屋造で南北面の軒に軒唐破風を付ける。複雑に組み合わされた破風は、屋根に変化を見せつつ調和のとれた美観を形成している。構造的には、二重の入母屋造の櫓上に比翼入母屋造の櫓を重ね、さらにその上に二重の望楼部をのせた望楼型天守である。建物全体は、地階から6階床下まで達する高さ24.6mの東西2本の太い通し柱で支えられている。地階から2階までは、槍や鉄砲などの武具掛けが並び、蔵仕様の部屋も多く、籠城・武器庫としての機能を備えている。最上階の6階は母屋の部分に舞良戸を設け、天井を竿縁天井にして住宅風となっている。西小天守は三重5階、乾小天守も三重5階、東小天守は三重4階で、西と乾の小天守最上重に、黒漆塗りに金箔金具で装飾された禅宗様の花頭窓がある。最高水準の防備だけでなく、造形美にも優れた城郭の傑作である。

◎旧トーマス住宅

神戸市にある。明治時代後期の住居。ドイツ人貿易商ゴッドフリート・トーマスが1909年に建てた洋風建築で、塔屋部尖塔の上に立つ風見鶏が有名で、風見鶏の館と呼ばれている。北野の伝統的建造物群保存地区に位置し、近くに旧シャープ住宅がある。周辺の洋館にはベランダなどを備えたコロニアル様式が多いが、旧トーマス住宅はレンガの外壁、石積みの玄関ポーチ、2階部分のハーフティンバー（木骨構造）など、ドイツ風ネオ・ゴシックの重厚な雰囲気である。設計したのはドイツ人建築家のゲオルグ・デ・ラランデで、19世紀末から20世紀初頭に日本で活躍した。2階建、一部3階、半地階付きの寄棟造で、急勾配な屋根はスレート葺である。内部は1階中央のホールを中心に各部屋があり、南側中央に居間、東側に応接間、西側にベランダ付き食堂、東北隅に八角形の張り出し部のある書斎が配置されている。2階も同様な間取りで、子供部屋、朝食の間、ベランダ付き夫婦寝室、客用寝室となる。1階食堂は中世城郭風のデザインだが、扉の把手金具、家具の飾り金具、応接間のシャンデリアなどには当時流行のアール・ヌーボーの装飾が施されている。

☞ そのほかの主な国宝／重要文化財一覧

	時代	種別	名　　称	保管・所有
1	弥生	考古資料	◎流水文銅鐸	辰馬考古資料館
2	古墳	考古資料	◎五色塚古墳出土品	神戸市埋蔵文化財センター
3	飛鳥	彫刻	◎銅造聖観音立像	鶴林寺
4	奈良	彫刻	◎石造浮彫如来及両脇侍像	加西市西長他7町共有
5	奈良	書跡	●賢愚経残巻（大聖武）	白鶴美術館
6	平安	絵画	●絹本著色聖徳太子及天台高僧像	一乗寺
7	平安	彫刻	◎木造大日如来坐像	大国寺
8	平安	彫刻	◎木造阿弥陀如来坐像	達身寺
9	鎌倉	典籍	●土左日記	大阪青山歴史文学博物館
10	室町	絵画	◎紙本墨画三保松原図	頴川美術館
11	桃山	絵画	◎紙本著色レパント戦闘図・世界地図	香雪美術館
12	江戸	絵画	◎紙本著色フランシスコ・ザビエル像	神戸市立博物館
13	大正	絵画	◎絹本著色安倍仲麻呂明州望月図・円通大師呉門隠棲図（富岡鉄斎筆）	辰馬考古資料館
14	中国／殷	考古資料	◎饕餮兜䥶	白鶴美術館
15	朝鮮／高麗	絵画	◎絹本著色白衣観音像	太山寺
16	平安後期	寺院	●一乗寺三重塔	一乗寺
17	鎌倉前期	寺院	●浄土寺浄土堂（阿弥陀堂）	浄土寺
18	鎌倉後期	寺院	●太山寺本堂	太山寺
19	室町前期	寺院	◎温泉寺本堂	温泉寺（城崎町）
20	室町中期	寺院	◎円教寺大講堂	円教寺
21	室町中期	寺院	●朝光寺本堂	朝光寺
22	江戸中期	神社	◎賀茂神社	賀茂神社
23	江戸後期～末期	民家	◎堀家住宅（たつの市龍野町）	―
24	大正	住居	◎移情閣	兵庫県
25	昭和	学校	◎神戸女学院	神戸女学院

信貴山縁起

地域の特性

　近畿地方の中央、紀伊半島の内陸に位置する。中央をほぼ東西に走る中央構造線という大断層に沿って、吉野川が流れている。吉野川を境にして北側には平地と丘陵、南側には山地が広がる。北西側の生駒山地と金剛山地、北東側の笠置山地にはさまれて奈良盆地があり、古代史の舞台となった。仏師の余業だった墨や筆のほかに、奈良漬、金魚、素麺などの伝統産業がある。北西側周辺は大阪の通勤圏として、高度経済成長期以降、宅地化が進み人口が急増した。県南部は紀伊山地北部の吉野山で、中央の大峰山脈は修験道の根本道場として有名である。銘木吉野杉に代表される林業が盛んである。

　邪馬台国のあった場所が畿内か北部九州か、議論は分かれているが、奈良盆地南東にある桜井市箸墓古墳を卑弥呼の墓とする説がある。大和王権が確立して平安京に遷都するまで、古代国家の中心として栄華をきわめた。平安京遷都後も奈良（南都）の諸寺院は大きな勢力を維持した。中世には争乱が続き、江戸時代には多数の中小藩、天領、旗本領、寺社領が入り組んでいた。明治維新の廃藩置県で多くの県が置かれた後、奈良県に統合された。しかし堺県、そして大阪府と合併して奈良県は消滅したが、1887年に再び設置された。

国宝／重要文化財の特色

　美術工芸品の国宝は138件、重要文化財は922件である。建造物の国宝は64件、重要文化財は200件である。飛鳥京から平城京までの古代国家による豪奢な仏教文化、続いて鎌倉時代の南都の活況を伝える文化財が多い。戦火をまぬがれた法隆寺の金堂と五重塔は、世界最古の木造建造物といわれている。南都7大寺をはじめ、多数の古刹に国宝／重要文化財がある。奈良国立博物館に寄託されている物品も多く、同館なら仏像館には、多数

の仏像が展示されている。近畿日本鉄道社長種田虎雄が、美術史家矢代幸雄に委嘱して建てた大和文華館にも国宝／重要文化財が多い。また天理大学附属天理図書館は、日本だけでなく世界の稀覯書を多数の所蔵していることで有名である。

明治維新の時、廃仏毀釈の嵐は奈良県でも吹き荒れた。石上神宮の神宮寺だった名刹内山永久寺では、僧侶がすべて還俗して堂塔はなくなり、仏像なども散逸して、多数の名品がコレクターたちの手に渡った。興福寺の僧侶も全員春日大社の神職となり、興福寺は事実上廃寺となって荒廃した。興福寺の再興が始まったのは1880年からである。

●藤ノ木古墳出土品

橿原市の橿原考古学研究所附属博物館で収蔵・展示。古墳時代後期の考古資料。藤ノ木古墳は法隆寺の西約350mに位置し、直径50m、高さ約9mの大型円墳である。南東方向に全長14mの両袖式の横穴式石室が開口し、石室奥の長さ5.67mの玄室には、長さ2.35mの凝灰岩製刳抜式家形石棺が置かれていた。1985年の調査で石室の奥壁と石棺の間から、金銅製鞍金具をはじめとする装飾性豊かな馬具類と、小さな鉄板を連ねた挂甲、石棺と東壁との間から約800本もの鉄鏃、石室の右袖部から須恵器と土師器が出土した。1988年に石棺内が調査され、2人の被葬者とともに金銅製の冠や履、筒形品、大帯、装飾の施された刀や剣、銅鏡、金メッキされた銀製空玉やガラス玉など多量の玉類が出土した。未盗掘の古墳から豪奢な副葬品が大量に出土して一躍脚光を浴び、出土品が一括して国宝となった。6世紀後半に造営された大王に次ぐクラスの古墳と考えられ、2人の被葬者を、蘇我馬子によって殺害された穴穂部皇子と宅部皇子とする説がある。

●盧舎那仏坐像

奈良市の東大寺の所蔵。奈良時代から江戸時代の彫刻。金堂（大仏殿）に安置された像高14.85mの巨大な仏像で、聖武天皇の発願により、国家的大事業として造立された。平安時代に空海が大日如来を中心とする世界観を請来する前は、盧舎那仏が仏尊の中で最高に位置づけられた。『華厳経』に説かれる蓮華蔵世界の教主で、釈迦如来の本仏として篤く信仰され、東アジア各地で盧舎那仏の巨像がつくられた。747年から鋳造が始まり、757年に鍍金を終え、光背まですべて完成したのは771年で、鍍金途中の752年に開眼供養が行われた。1180年の平重衡および1567年の松永久秀の兵火によって大きく損傷し、大半が補修された。右脇下から腹前の一部、両膝、両腕にかかる袖、

台座の大部分が奈良時代の原形を留める。創建時の台座蓮弁部に、鏨による線彫の蓮華蔵世界図が描かれている。上段中央に豊満で堂々とした釈迦如来が坐し、左右それぞれに11菩薩が囲む。中段には25段からなる天界、下段には須弥山を包む大きな7枚の蓮弁が配される。奈良時代の仏教観を示す優れた工芸の作品である。

●盧舎那仏坐像　奈良市の唐招提寺の所蔵。奈良時代の彫刻。唐招提寺は、戒律を授けるために来日した唐僧鑑真（688～769年）が、新田部親王の旧宅に759年に創建した律宗の私寺である。8世紀後半に建立された金堂内の仏壇上に、本尊の盧舎那仏坐像と両脇に薬師如来立像、千手観音立像の3尊の巨像が安置され、周りに等身大の梵天・帝釈天立像、四天王立像の6護法神像がめぐる。これらの仏像は創建後間もない時期のものである。盧舎那仏坐像は像高304.5cm、脱活乾漆造という技法で原形の土型に麻布と漆を貼り重ねて、乾燥後に内部の土を除去してつくられた。眼や眉が横に引かれてややつり上がり、頬がはる。うつむき気味で大きな頭部から太い首、なで肩、豊かな腹部へと続く。高さ5mを超える光背には、『梵網経』の説く盧舎那仏の威容に忠実に、千体の小さな化仏が付けられている。金堂は5間に2間の母屋に庇をめぐらせて桁行7間、梁間4間とし、正面前方1間を吹き放して開放し、太い列柱が並ぶ。正面5間の戸口は前の列柱の奥にあり、柱間の長い中央3間の板扉を開くと、それぞれの柱間から大きな3尊像が姿を現す。堂内ではなく、堂外の前庭から尊像を礼拝する当時の習慣にあった視覚的効果が考慮されている。内部に入ると、広い面積を占める仏壇上に大きな仏像が並び、見上げると母屋柱上の組物から支輪が立ち上がり、横にのびた太い大虹梁と、広々とした折上組入天井が見事な空間を構成している。唐招提寺金堂は現存する唯一の奈良時代の金堂で、中国唐時代の寺院をほのかに連想させる。

●信貴山縁起　平群町の朝護孫子寺の所有。平安時代後期の絵画。朝護孫子寺の中興の開山である10世紀初頭の僧命蓮にまつわる説話を、12世紀後半に3巻に描いた絵巻物である。上巻は、空を飛んで布施を受けていた命蓮の鉢が、布施を怠った長者の校倉を山上に運び去り、長者の懇願に応じて、千石の米俵を再び空飛ぶ鉢で送り返すという話である。中巻は、重病に苦しむ醍醐天皇のために、命蓮が剣の護法という童子を飛ばして天皇の病気を平癒させる。下巻は、信濃（長野県）に

住む命蓮の姉尼君が、命蓮を探し求めて奈良へ行き、夢で東大寺の大仏のお告げを得て再会し、2人で修行を続けた話である。飛び去る校倉に驚く人々、空へ舞い上がる多数の米俵と見上げる鹿たち、天空を疾走する剣の鎧を身につけた童子、東大寺大仏殿の正面で祈りを捧げ、仮眠し、また祈りを捧げて立ち去る尼君の時系列的行動など、それぞれの場面が表情豊かに描かれ、また信貴山を中心とする奈良の風景も情趣深く表現されている。平安時代に卓抜な技量で描かれた絵画である。

●法隆寺金堂

斑鳩町にある。飛鳥時代の寺院。聖徳太子が創建した伽藍が670年に焼失した後、8世紀初頭に再建された西院伽藍で、東に金堂、西に五重塔が並んで建つ。金堂と五重塔を囲む回廊が南側の中門から伸び、鐘楼・経蔵を経て凸字型に北側の大講堂に連なっているが、当初回廊は長方形で、鐘楼・経蔵、講堂は回廊の北側、つまり回廊の外にあった。回廊に囲まれた神聖な空間に、金堂と塔が建てられたのである。金堂は外見上三重の屋根であるが、一番下の屋根は裳階の屋根である。桁行5間、梁間4間の下層に、4間と3間の上層が設けられている。上層には床がなく、実用性のまったくない外観を立派に見せるだけの機能である。正面3間、側面2間の母屋に庇が回り、母屋一杯に土築の仏壇がある。中央に本尊の釈迦三尊像、両脇に毘沙門・吉祥天立像、向かって右側に薬師如来坐像、左側に阿弥陀三尊像、四隅に四天王立像が安置されている。頭上には豪華な天蓋が3蓋かかる。堂内壁面には浄土を表す唐風の壮麗な壁画が描かれていたが、1949年に火災で焼損した。焼損する前の1935年に撮影された原寸大の写真原板から、かつての様子をうかがい知ることができる。法隆寺金堂は均衡のとれた世界最古の木造建造物である。

●薬師寺東塔

奈良市にある。奈良時代前期の寺院。730年に建立され、日本で最も美しい三重塔と称賛されている。薬師寺は7世紀末に藤原京内の橿原市城殿町に創建されたが、その後710年の平城遷都に伴い現在地に移された。薬師寺の伽藍は、金堂を中心に、金堂手前の左右に東塔と西塔、金堂の背後に講堂、そして金堂・東塔・西塔を囲んで中門から講堂へ連なる回廊がめぐっていた。度重なる災害や戦火が続くなか、東塔のみ、唯一被害を受けずに残った。三重塔の各重に裳階を付けたため、六重の屋根のように見える。二重まで柱間は3間で、三重で2間となる。中心に基壇の心礎から心柱が立ち上がる。屋根から上へ伸び

る相輪と塔身とのバランスが良く、また相輪上方の水煙には躍動する華麗な飛天が描かれていて、工芸品としても秀逸である。

●**当麻寺本堂** 葛城市にある。平安時代後期の寺院。著名な当麻曼荼羅を本尊として祀るので曼荼羅堂といわれる。古代豪族の当麻氏の氏寺として創建され、その後823年に空海が曼荼羅堂に参籠してから真言宗となった。平安時代中期に浄土信仰が盛んになると、曼荼羅を安置する曼荼羅堂が聖地となり、真言宗と浄土宗の共存する寺院となった。本堂は寄棟造で桁行7間、梁間6間の大きな堂で、内部は内陣と外陣に分かれている。もともと桁行7間、梁間4間に前面に孫庇を取り付けた古い前身堂があり、1161年の改築で、前身堂の正面5間、側面2間の母屋を内陣にして庇、孫庇を取り払い、新たに外陣（礼堂）を設けて、四周に庇をめぐらせたのである。内陣上部は化粧垂木の見える化粧屋根裏で、二重虹梁や蟇股には天平時代の古い様式が残る。内陣には螺鈿で飾られた大きな須弥壇があり、漆塗り六角形の厨子が置かれ、中に当麻曼荼羅図から1505年に転写された文亀本曼荼羅図が安置されている。当麻寺本堂は、内陣と外陣に分かれた奥行きの深い密教本堂の最古例で、その成立過程を示す貴重な建造物である。

●**金峯山寺本堂** 吉野町にある。桃山時代の寺院。平安時代中期に浄土信仰が盛んになり、末法の最後に金峯山に弥勒菩薩が現れて人々を救うとして、貴族たちの間で御岳詣が流行した。藤原道長は1007年に金峯山山頂に経塚を築いて金銅藤原道長経筒を埋納し、弥勒の化身とされた金剛蔵王権現に祈願した。鎌倉時代には修験道が発達し上ヶ岳頂上、安禅寺、山下の吉野山に蔵王堂が建てられ、吉野山一帯に広がる寺社が金峯山寺と総称されるようになった。吉野山の蔵王堂には過去の釈迦如来、現在の千手観音、未来の弥勒菩薩を本地とする3体の垂迹神の蔵王権現が祀られ、山下の中心となった。金峯山寺本堂は蔵王堂と通称され、1588年に再建された。屋根が2層ある大きな二重の建物で、初重は桁行7間26m、梁間8間27m、二重目は桁行5間、梁間6間で、全体の高さは28mである。東大寺金堂（大仏殿）に次ぐ規模を誇る。内部は内陣と外陣に分かれ、内陣奥の中央3間を板扉にして後方三方を板壁で囲った厨子内に、像高5.92m、7.28m、6.15mの巨大な3体の青色をした蔵王権現立像が安置されている。

◎今西家住宅

橿原市にある。江戸時代前期の民家。今井寺内町の自治組織である筆頭惣年寄を務めた今西氏の住宅で、1650年に建てられた。荘園制の衰退とともに一向宗が力を増し、戦国時代には大坂石山本願寺派の称念寺を中心に寺内町が形成された。大阪の堺とも関係が深く、自衛的城塞都市として栄え、町人自治が発達した。江戸時代になると惣年寄制が敷かれ、惣年寄には死罪を除く司法権、警察権が与えられた。今井町は江戸時代を通じて戸数900前後、人口4,000人前後だったとされ、古い家屋と町並みが今でも多く残り、重要伝統的建造物群保存地区となっている。今西家住宅は町の西端に位置して、桁行8間、梁間6間半、前後に半間の庇を付ける。入母屋造の両妻に1段低い破風を付けて複雑な外観の屋根にしている。城の天守に千鳥破風や唐破風を付けて外観を立派に見せるのと同じ手法で、棟がいくつもあるように見えることから、八棟造ともいわれている。外部は庇の軒裏まで白漆喰の塗籠壁で、正面中央に木太い格子、2階前面に飾格子、東側に出格子があるので城郭建築のような外観である。代官所の役割をも兼ねた示威的表現であろう。平面は広い土間と、東西2列各3室の整型6間取りである。土間の上部空間は、桁行に3本の太い大梁をかけ渡して、豪壮な小屋組を見せている。

◎宝山寺獅子閣

生駒市にある。明治時代前期の宗教施設。生駒聖天ともいわれる宝山寺の客殿として、1884年に建てられた擬洋風建築である。越後（新潟県）出身の大工吉村松太郎が、横浜で研鑽後に棟梁となって建設したという。桁行11.6m、梁間7.4mの総2階建の建物で、玄関は西面にあり、南面は開放されたベランダで、その下は崖となって懸造で柱を支える。屋根は寄棟造で、玄関部分は切妻造である。玄関左右の角柱、その上のバルコニー左右の円柱は礎盤上に立ち、柱頭と脚部に精緻な彫刻が施されている。内部は1階南室が洋風で、室内南西隅にある2階に上る木製螺旋階段が目を引く。北側は和風の6畳2室、2階も和風10畳2室が並ぶ。文明開化の波及を示す和洋混合の好例で、良材を丁寧に工作して保存状態も良い。

☞ そのほかの主な国宝／重要文化財一覧

	時代	種別	名称	保管・所有
1	古墳	考古資料	●七支刀	石上神宮
2	飛鳥	彫刻	●銅造釈迦如来及両脇侍像（金堂安置）	法隆寺
3	飛鳥	彫刻	●銅造仏頭（旧山田寺講堂本尊）	興福寺
4	飛鳥	彫刻	●塑造弥勒仏坐像（金堂安置）	当麻寺
5	飛鳥	工芸品	●玉虫厨子	法隆寺
6	奈良	絵画	●高松塚古墳壁画	国（文部科学省所管）
7	奈良	絵画	●麻布著色吉祥天像	薬師寺
8	奈良	彫刻	●銅造薬師如来及両脇侍像（金堂安置）	薬師寺
9	奈良	彫刻	●乾漆鑑真和上坐像（開山堂安置）	唐招提寺
10	奈良	彫刻	●乾漆八部衆立像	興福寺
11	奈良	彫刻	●木心乾漆十一面観音立像	聖林寺
12	奈良	工芸品	●金銅八角燈籠（大仏殿前所在）	東大寺
13	奈良	工芸品	●刺繍釈迦如来説法図	奈良国立博物館
14	奈良	工芸品	●銅板法華説相図（千仏多宝仏塔）	長谷寺
15	奈良	工芸品	●梵鐘	東大寺
16	奈良	典籍	●紫紙金字金光明最勝王経	奈良国立博物館
17	奈良	考古資料	●仏足石	薬師寺
18	平安	絵画	●紺綾地金銀泥絵両界曼荼羅図（子島曼荼羅）	子島寺
19	平安	絵画	●紙本著色寝覚物語絵巻	大和文華館
20	平安	彫刻	●木造薬師如来坐像（本堂安置）	新薬師寺
21	平安	彫刻	●木造釈迦如来立像（金堂安置）	室生寺
22	平安	彫刻	●板彫十二神将立像	興福寺
23	平安	工芸品	●綴織当麻曼荼羅図	当麻寺
24	平安	典籍	●一字蓮台法華経	大和文華館
25	平安	古文書	●伝教大師筆尺牘	奈良国立博物館

（続き）

	時代	種別	名　称	保管・所有
26	鎌倉	絵画	●紙本著色辟邪絵	奈良国立博物館
27	鎌倉	彫刻	●木造金剛力士立像（所在南大門）	東大寺
28	鎌倉	彫刻	●木造俊乗上人坐像（俊乗堂安置）	東大寺
29	鎌倉	彫刻	●木造騎獅文殊菩薩及脇侍像	文殊院
30	鎌倉	彫刻	●木造不空羂索観音坐像（康慶作、南円堂安置）	興福寺
31	鎌倉	彫刻	●木造玉依姫命坐像	吉野水分神社
32	鎌倉	典籍	●日本書紀神代巻（吉田本）	天理大学附属天理図書館
33	鎌倉	工芸品	●金銅透彫舎利塔	西大寺
34	江戸	絵画	●紙本金地著色風俗図	大和文華館
35	中国／南宋	典籍	●宋刊本欧陽文忠公集（金沢文庫本）	天理大学附属天理図書館
36	飛鳥	寺院	●法起寺三重塔	法起寺
37	奈良	寺院	●海竜王寺五重小塔	海竜王寺
38	奈良	寺院	●唐招提寺金堂	唐招提寺
39	奈良	寺院	●法隆寺東院夢殿	法隆寺
40	平安前期	寺院	●室生寺金堂	室生寺
41	鎌倉前期	寺院	●東大寺南大門	東大寺
42	鎌倉前期	寺院	●興福寺北円堂	興福寺
43	鎌倉後期	神社	●宇太水分神社本殿	宇多水分神社
44	室町前期〜江戸末期	神社	●春日大社本社	春日大社
45	江戸前期	寺院	●長谷寺	長谷寺
46	江戸前期〜末期	神社	◎談山神社	談山神社
47	江戸中期	寺院	●東大寺金堂（大仏殿）	東大寺
48	江戸中期	寺院	◎大峰山寺本堂	大峰山寺
49	江戸末期	民家	◎旧岩本家住宅（旧所在　宇陀市）	奈良県
50	明治	文化施設	◎旧帝国奈良博物館本館	独立行政法人国立博物館

蒔絵手箱
(古神宝類)

30 和歌山県

地域の特性

　近畿地方の南西部に位置し、西から南側にかけて太平洋に面している。紀伊半島の南西部の山地が大部分を占める。平野はきわめて乏しく、北側で東西に広がる紀ノ川流域の和歌山平野がまとまった平地となっている。この平野が穀倉地帯で、太平洋の河口付近では近代工業が発達し、臨海工業地帯が形成された。また京阪神のベッドタウン化による人口増加も著しい。県央部はミカンやジョチュウギク、ウメの産地である。県南部には黒潮の洗う複雑な海岸線がのび、漁業が盛んで、温泉観光地がある。かつて漁師たちはカツオの群れを追って土佐沖から東は房総沖まで出漁し、房総半島の漁業開発にも関与した。

　山地に囲まれて、高野山と熊野三山が強大な勢力を誇っていた。816年に空海が高野山に金剛峯寺を開き、以来高野山は真言密教の根本道場として栄えた。熊野三山の信仰が高まったのは、平安時代後期に上皇や公家たちによる熊野詣が流行してからである。戦国時代なると、紀ノ川下流の雑賀で石山本願寺の一向宗の勢力が強くなったのだが、織田信長と豊臣秀吉はこれらの宗教勢力を撃破した。江戸時代には徳川御三家の一つである紀州藩55万5,000石が置かれた。明治維新の廃藩置県で三つの県が設置された後、現在の和歌山県に統合された。

国宝/重要文化財の特色

　美術工芸品の国宝は29件、重要文化財は280件である。建造物の国宝は7件、重要文化財は75件である。高野山に国宝/重要文化財が集中している。金剛峯寺をはじめ多数の子院の寺宝が高野山霊宝館に集められ、一括管理されている。収蔵点数は5万点を超え、国宝/重要文化財は164件ある。そのほかに道成寺などの古刹、熊野信仰に関連する熊野速玉大社、熊野那智大社、那智山青岸渡寺に国宝/重要文化財が多くある。紀州藩初代藩

主德川頼宣が社殿を造営した東照宮には、家康が所用した具足と多数の刀剣が収蔵されている。

● **仏涅槃図** 高野町の高野山霊宝館で収蔵・展示。平安時代中期の絵画。釈迦が入滅（死去）する光景を描いた涅槃図で1086年に制作され、日本で現存する最古の涅槃図として知られる。『大般涅槃経』と『大般涅槃経後文』に釈迦入滅の様子が説かれている。弟子たちと旅をしていた釈迦は、死期を悟ると河の畔の沙羅林に行き、床を設けさせて、弟子たちから最後の質問を受けた後、頭を北へ向けて横臥し、夜半に入滅した。安らかに眼を閉じた白衣の釈迦像を取り囲んで、さまざまな色彩の衣裳を着た慟哭する弟子たちが対照的に描かれている。右上方には、忉利天（須弥山の頂上）から穏やかに見守る母親の麻耶夫人像があり、釈迦入滅の劇的場面を構成している。

空海を開祖とする高野山には、金剛峯寺のほかにたくさんの支院があり、それぞれが多数の寺宝を所蔵している。収蔵展示施設として京都府の平等院鳳凰堂をモデルに、和様の霊宝館が1921年に建てられ、霊宝館を中心に高野山全体の文化財の保管・公開が行われるようになった。鳳凰堂をモデルにしても、向かって左側翼廊部分は建てられず、右側しかないので「片翼の鳳凰」とも呼ばれている。常設展示以外に、毎年夏期に特別展示の大宝蔵展が開催され、国宝／重要文化財が展示される。

● **粉河寺縁起** 紀の川市の粉河寺の所有。鎌倉時代前期の絵画。粉河寺草創の由来と霊験を描いた1巻の縁起絵巻である。粉河寺は、本尊が千手観音立像で、770年に猟師大伴孔子古が千手観音像を得て祀ったのが始まりとされる。平安時代になると観音信仰が広まり、藤原頼道が参詣して粉河参詣が貴族たちの間で流行した。1054年には『粉河寺大率都婆建立縁起』が著述されて、説話が知られるようになり、縁起絵巻も制作されたのである。縁起は寺院の草創譚と霊験譚の2話からなる。草創譚は、童の行者の来訪を受けた猟師が猟場のそばに草堂を営むと、童の行者が7日間こもって仏像をつくり姿を消した。燦然と輝く千手観音を前にして、猟師と群がる老若男女が仏像をあがめ帰依したという話である。霊験譚は、河内国（大阪府）に住む長者の娘が難病にかかって苦悶していると、童の行者が来て千手陀羅尼を祈り7日で病は全快した。長者は財宝を授けようとしたが、童の行者は断り、仕方なく娘は紅の袴と提鞘（守り刀）を贈る。紀伊国の粉河に住んでいると童の行者は告げ去ったので、

長者一家がそこへ行ってみると、千手観音像が祀られ手には提鞘と紅の袴が下げられていた。驚いた一家はその場で出家したという話である。簡単な詞(ことば)の後に絵が数場面連続し、繰り返し同じ建物が描かれる。躍動感あふれる劇的な情景はないが、純朴な人々の表情や素朴な景色に説話絵巻の古い様式がうかがえる。

◎道成寺縁起(どうじょうじえんぎ)

日高川町(ひだかがわちょう)の道成寺(どうじょうじ)の所蔵。室町時代中期の絵画。法華経の功徳(くどく)を説く2巻の絵巻で、15世紀後半の作品とされる。熊野詣にやって来た若い僧に恋慕した人妻が、逃げる僧を追い駆けるうちに大蛇に変身。僧は道成寺に逃げ込んで鐘の中に隠れるが、大蛇は鐘に巻きついて僧を焼き殺す。その後道成寺の僧たちが法華経の写経供養を行うと、2人は天人に生まれ変わったという話である。道明寺説話が現れる最も古い文献は長久(ちょうきゅう)年間（1040〜44年）に編述された『大日本法華経験記(だいにほんほけきょうげんき)』で、12世紀初頭の『今昔物語(こんじゃくものがたり)』にも収載されている。道明寺説話を取り入れた能の「道成寺」の影響を受け、歌舞伎舞踊や三味線音楽、人形浄瑠璃や歌舞伎狂言、地歌(じうた)や箏曲(そうきょく)などに道成寺物(どうじょうじもの)と呼ばれる芸能分野が派生した。中世までは法華経の功徳を説く仏教説話の性格が強く、主人公の僧と女性の名前、素性も一定していなかった。近世以降に安珍(あんちん)・清姫(きよひめ)の人名が定着し、女性の激情に普遍的かつ永遠なテーマを見いだして、芸能・文芸の分野で多くの作品が生まれたのであった。

●古神宝類(こしんぽうるい)

新宮市(しんぐうし)の熊野速玉大社(くまのはやたまたいしゃ)の所蔵。室町時代前期の工芸品。神宝(しんぽう)とは神社で祭神の使用に供するため奉納された宝物である。熊野三山の一つである新宮（熊野速玉大社）は、十二社大権現と称して12社で構成される。1390年の遷宮の際に、後小松天皇、後円融上皇(ごえんゆうじょうこう)、足利尊氏、諸国守護が多種類の美麗な物品を調進(ちょうしん)した。その内容は多岐にわたり、装束類(しょうぞくるい)、冠と冠箱、義髻(ぎけい)、挿頭華(かざしのはな)、玉佩(ぎょくはい)、笏(しゃく)と笏箱、挿鞋(履物)(そうかい)と挿鞋箱、彩絵檜扇、懸守、鏡と鏡箱、蒔絵手箱(まきえてばこ)と内容品、鎛(紡錘)(つみ)、梳(かせ)、苧筒(桶)(おおけ)、武具類、鞍など合計1,204点が国宝である。なかでも装束類は保存状態が良く、男性用の袍(うえのきぬ)、直衣(のうし)、表袴(うえのはかま)、女性用の袙(あこめ)、唐衣(からぎぬ)、裳(も)、夜具の衾(ふすま)などに浮線綾丸文(うせんりょうまるもん)、小葵文(こあおいもん)、雲立涌文(くもたてわくもん)などの繊細な文様が織られ、服飾史や染織史に貴重な資料となっている。また11合の豪華な螺鈿(らでん)の蒔絵手箱(はくどうきょう)には、白銅鏡と鏡箱、歯黒箱(はぐろばこ)、白粉箱(おしろいばこ)、薫物箱(たきものばこ)、鑷(けぬき)、耳掻(みみかき)、髪掻(かみかき)、眉作(まゆつくり)、歯黒筆(はぐろふで)、解櫛(ときぐし)、櫛など、小物ながら美しい装飾の施された化粧用具が多数納められていた。なお1社分の蒔絵手箱のみ流出し、

個人蔵となった。古神宝は当時最高の工芸技術を駆使してつくられた奉納品であり、風俗史の観点から見ても興味深い。

　熊野三山は本宮、新宮、那智山からなる。古く熊野川を鎮める神が祀られて、平安時代前期に神像がつくられた。法華経の山岳修行の道場としても栄え、観音の住む南方海上の補陀落山浄土へと旅立つ補陀落渡海が、那智の浜から船出した。神仏習合が進んで熊野三所権現となり、本宮は阿弥陀如来、新宮は薬師如来、那智山は千手観音が本地仏とされた。平安時代後期には上皇や貴族たちによる熊野参詣が盛んとなり、鎌倉時代には全国から参詣者が集まった。鎌倉時代後期には本宮から那智山へと信仰の主体が移り、滝そのものを描いた東京都根津美術館所蔵の那智瀧図が制作された。以後滝を強調した那智参詣曼荼羅が多数描かれた。明治維新の廃仏毀釈で熊野三山から仏教色が一切排除されたが、1874年に如意輪観音像が那智山に戻されて青岸渡寺が復興された。

●金剛峯寺不動堂

高野町にある。鎌倉時代中期の寺院。藤原頼実の娘で土御門天皇の中宮麗子の発願で、高野山の一心院谷に1197年に建立されたと伝えるが、建築様式から見ると鎌倉時代中期以降の年代と推測されている。1908年に金剛峯寺伽藍境内の現在地に移築された。不動堂は縦長の方1間の母屋を中心に、四周に庇をめぐらせて桁行3間、梁間4間とし、左右両側に、神仏に祈願するための参籠の小室が付けられた。参籠の小室を加えたため、ほかでは見られないような複雑な形状の屋根となった。中央の仏堂を入母屋造にして左右の小室に孫庇を設け、隅のところは片流れの縋破風におさめている。建具は、正面を格子の裏に板を張って上下に分けた蔀戸、ほかの面は両開きの妻戸か、引戸の舞良戸である。横にのびた檜皮葺の屋根が軽快感を与え、寝殿造に見られる蔀戸や妻戸が設けられて、飾り気のない住宅風の外観である。堂内には不動明王坐像を本尊に、脇侍として運慶作の八大童子立像が安置されている。建物と仏像は一体となって、鎌倉時代の真言密教の世界を伝えている。

●根来寺多宝塔

岩出市にある。室町時代後期の寺院。根来寺は、高野山にいた覚鑁（1095〜1143年）が大伝法院を創立した後、内紛により高野山から現在地に移って開いた寺で、中世に大きな勢力を誇った。1585年に豊臣秀吉の紀州攻めにより、多宝塔（大塔）などの主要伽藍を残して全山焼失し、近世になって復興された。多宝塔は

二重屋根の塔で、下重が方形、上重が円形の平面をして、中国や朝鮮にはない日本独特の仏塔である。根来寺の多宝塔は1480年頃に着工され、完成したのは半世紀以上たった1547年頃だった。下重は方5間14.9mで、塔の総高は35.9mとなり、一般的な方3間の多宝塔よりもかなり規模が大きい。下重の内部に12本の柱が円形に立ち並び、正面と背面、両側面の柱間に引違障子、そのほかの柱間には連子窓が設けられて、内陣と外陣に区画している。円形の柱列内部に四天柱があり、四天柱内一杯に須弥壇を構えて、本尊の胎蔵界大日如来坐像と、四方に4仏4菩薩の8体の仏像が安置されている。空海は高野山で大日如来を祀る大毘盧遮那法界体性塔を建立したと伝えられ、その塔は大塔と通称された。円形平面に方形の屋根をかけた一重塔に、裳階を付けた二重の形態で、下重は方5間で内部に12本の円形に並ぶ柱列が2通りあったらしいという。根来寺多宝塔は均整のとれた大塔形式の塔で、高野山の根本大塔の原形をうかがい知ることのできる唯一の建物である。

◎**旧西村家住宅**（きゅうにしむらけじゅうたく）　新宮市にある。大正時代の住居。建築家で、東京御茶ノ水に文化学院を創設した西村伊作（1884〜1963年）の建てた自邸で、1914年に竣工した。西村伊作は、新宮市の豪商大石氏のもとに生まれた。父は熱心なキリスト教徒で、息子伊作の名前も旧約聖書に登場するイサクから付けられた。伊作は8歳の時に、母方の山林大地主西村氏の養子となり、西村姓となった。世話になった父の末弟の大石誠之助は、1911年の大逆事件で捕えられ、翌年処刑されている。西村は独学で欧米の建築や生活様式を勉強し、論説や著作を発表して建築の設計を行った。現在残っている住宅は西村自身が設計した3度目の自邸で、旧来の接客を重視した客間中心の日本の住居に対して、家族の集う居間を中心とする近代的住空間の創出へと、生活と建築の大転換を意図していた。木造2階建で切妻造、桟瓦葺で、1階中央部に玄関とホール、ホール南側に中心となる居間と食堂が、広々と配置された。給排水や給湯などの設備も試みられ、家族を主体に、より快適に、より豊かにという西村の追及した建築思想が随所に読み取れる。

近畿地方　213

☞ そのほかの主な国宝 / 重要文化財一覧

	時代	種別	名称	保管・所有
1	古墳	考古資料	◎大谷古墳出土品	和歌山市立博物館
2	飛鳥	彫刻	◎銅造阿閦如来立像	親王院
3	奈良	典籍	●不空羂索神変真言経	三宝院
4	平安	絵画	●絹本著色阿弥陀聖衆来迎図	有志八幡講
5	平安	絵画	●絹本著色五大力菩薩像	有志八幡講
6	平安	絵画	●絹本著色伝船中湧現観音像	竜光院
7	平安	彫刻	●木造弥勒仏坐像（廟所安置）	慈尊院
8	平安	工芸品	●沃懸地螺鈿金銅装神輿	鞆淵八幡神社
9	平安	典籍	●金銀字一切経（中尊寺経）	金剛峯寺
10	平安〜桃山	古文書	●宝簡集・続宝簡集・又続宝簡集	金剛峯寺
11	鎌倉	彫刻	●木造八大童子立像	金剛峯寺
12	鎌倉	歴史資料	◎高野版板木	金剛三昧院
13	鎌倉	古文書	◎紀伊国桛田庄絵図	宝来山神社
14	江戸	絵画	●紙本著色山水人物図（池野大雅筆）	遍照光院
15	中国／唐	彫刻	●木造諸尊仏龕	金剛峯寺
16	朝鮮／高麗	典籍	◎高麗版一切経	金剛峯寺
17	鎌倉前期	寺院	●金剛三昧院多宝塔	金剛三昧院
18	鎌倉後期	寺院	●善福院釈迦堂	善福院
19	鎌倉後期	寺院	●長保寺本堂	長保寺
20	室町後期〜明治	神社	◎丹生都比売神社本殿	丹生都比売神社
21	桃山	寺院	◎那智山青岸渡寺本堂	那智山青岸渡寺
22	桃山	神社	◎天満神社本殿	天満神社
23	江戸前期	神社	◎東照宮	東照宮
24	江戸中期	民家	◎旧谷山家住宅（旧所在 海南市）	紀伊風土記の丘
25	昭和	学校	◎旧高野口尋常高等小学校校舎	橋本市

31 鳥取県

経筒

地域の特性

　中国地方の北東部に位置し、北側が日本海に面している。大部分を山地が占め、南側の中国山地から北の日本海に向かって急傾斜している。中国山地に発して北へ日本海に流入する千代川、天神川、日野川の流域に、それぞれ鳥取平野、倉吉平野、米子平野が広がる。県東部の鳥取平野では城下町が発展し、近代的工業化が進んで人口も多い。また二十世紀梨の全国的産地でもある。県央部の倉吉平野では果樹、野菜、畜産など多角的な農業経営が行われ、観光資源として温泉地がある。県西部には伯耆富士と呼ばれる大山がそびえ、米子平野では地元産の綿、木材、和鉄の集散地から商工業都市が発展した。県西端の境港は、漁港また貿易港として山陰の要港である。

　三方を山に囲まれて北は日本海に面し、境港以外にさほど良港がなかったが、青谷上寺地遺跡、妻木晩田遺跡、上淀廃寺跡など朝鮮半島や日本各地との交流を示す遺跡が多い。古代律令制の国司として、歌人で有名な大伴家持、在原行平、山上憶良が着任した。南北朝時代に山名時氏が勢力を伸ばしたが、その後山名氏は衰退し、豊臣秀吉によって完全に平定された。江戸時代には池田氏の鳥取藩32万石が置かれた。明治維新の廃藩置県で鳥取県が設置されたが、1876年に島根県に併合されて消滅し、1881年に再設置された。

国宝／重要文化財の特色

　美術工芸品の国宝は2件、重要文化財は35件である。建造物の国宝は1件、重要文化財は17件である。山岳宗教の発達した大山寺と三仏寺、古刹の豊乗寺に国宝／重要文化財が多い。また江戸時代の民家も比較的多く保存されている。

◎野口1号墳出土須恵器

倉吉市の倉吉博物館で収蔵・展示。古墳時代後期の考古資料。古墳祭祀用の須恵器で、装飾の施されたものが含まれていた。野口1号墳は倉吉市志津の尾根上に所在した全長約30mの前方後円墳で、圃場整備事業に伴い1988年に発掘調査された。横穴式石室が確認されたが、すべての石材は抜き取られていた。石室入口の開口部前面の周溝から多量の須恵器が出土した。装飾子持壷付装飾器台1個、七連坏付装飾器台2個、坏9個、蓋8個、提瓶2個、高坏3個、甑1個、壷2個からなる。装飾子持壷付装飾器台は高さ48.4cmで、壷とその下にある器台に装飾が施されていた。壷の肩部に3個の小壷が配され、さらに小壷と小壷との間に小像を置く。馬に乗った人物が犬とともに鹿を追いかけ、見返る鹿に矢を放つ場面。2人の人物が肩に手を組み合って相撲を取る場面。おそらく傍らに行司の小像があったと思われる。三つ目の区画に小像が残っていなかったが、琴の形をした破片が見つかっているので、おそらく琴を弾く人物が配されていたと推測されている。下の器台は坏に太い脚が付いたような形態で、縁辺に、羽根を広げて飛び立とうとする5羽の鳥がほぼ等間隔に配され、坏部に装飾用の環（リング）である遊環が下がっている。七連坏付装飾器台とは、器台の上に7個の蓋坏が配され、坏部に、装飾子持壷付装飾器台と同じように装飾用の遊環がある。これらの遺物の年代は6世紀後半とされ、石室前で葬送儀礼に使用された特殊な器と考えられている。

●伯耆一宮経塚出土品

東郷町の倭文神社の所蔵。レプリカを鳥取県立博物館で展示。平安時代後期の考古資料。倭文神社の境内にある経塚から、1915年に発掘された。経塚の内部構造は、中央の土坑に、輝石安山岩製の板石で囲まれ、上に蓋石を被せた長さ1.2m、幅0.9m、高さ0.5mの石槨が設けられていた。その中に経筒、仏像、短刀が納められ、その周囲に多数の供養品があったという。経筒は経巻を収納した筒形容器で、高さ42cm、蓋、身、台座を別々に鋳造して組み立てられた銅鋳製である。蓋は平面方形の傘蓋状で、頂部に大型の宝珠紐を付ける。蓋の表面四方に釈迦、多宝、弥陀、弥勒の種字が彫られている。円筒形の筒身には、全面に15行、236文字からなる銘文が刻まれていた。台座は円形蓮台底で、反花を線刻する。仏像は小像で、7世紀末の作と考えられる金銅観音菩薩立像、平安時代後期の銅像千手観音菩薩立像、舟形光背状の銅板に線刻された弥勒如来立像の3体があった。筒身の銘文に

よると、1103年に僧京尊が一宮大明神に如法経（法華経）1部8巻を供養して埋納した。慈尊（弥勒）の出世の際に経を掘り出して功徳を得たいと述べている。つまり仏教の絶えた末法の世の後、弥勒が出現するまで経巻の保管を意図した願文であった。経塚の最古例は奈良県の金峯山経塚とされ、そこに1007年に埋納された金銅藤原道長経筒にも同じ趣旨の銘文が記されていた。

◎阿弥陀如来及両脇侍像

大山町の大山寺の所蔵。平安時代後期の彫刻。丈六と呼ばれる像高266cmの大きな阿弥陀如来坐像で、1131年に仏師良円によって制作されたという。両脇に観音と勢至の両菩薩立像がある。頬がふっくらとし、右肩を露出させた偏袒右肩にして薄い衣文が下がる。阿弥陀三尊像を安置する阿弥陀堂は、方5間の寄棟造で、屋根は柿葺である。常行堂が1529年に山津波によって倒壊したので、残材を利用して1552年に再建された。大山寺は、平安時代後期には修験道および地蔵信仰の中心として広く知られていた。中門院、南光院、西明院の3院による山岳寺院が発展し、本地地蔵菩薩の垂迹である大智明権現を祀る社殿を設けて本社とした。中門院は大日如来、南光院は釈迦如来、西明院は阿弥陀如来を本尊としながらも、3院は地蔵信仰の大智明権現を信仰の中核にして栄えた。明治維新の廃仏毀釈で、本社は米子市尾高にある大神山神社の奥宮となり、大山寺は廃絶された。その後1903年に大山寺が復興されたが、かつての盛況を物語る建物は阿弥陀堂と大神山神社奥宮しか残っていない。

●三仏寺奥院

三朝町にある。平安時代後期の神社。三徳山三仏寺は天台系の山岳寺院で、山麓の本堂には阿弥陀如来・大日如来・釈迦如来の3尊を安置する。急峻な岩山をよじ上り、文殊堂や地蔵堂などの諸堂をめぐり、奥まったところで北面する断崖の岩窟に奥院が忽然と姿を現す。役行者小角が岩屋に投げ入れたと伝えられ、投入堂とも称される。急傾斜な岩盤から懸造で建てられ、正面1間、背面2間、側面1間の細長い母屋に、北と東西の三方向に庇と縁が回る。北側正面と西面に板扉がある。母屋の柱は太い円柱で、ほかの柱は角を面取りした大面取という角柱である。檜皮葺の屋根は、母屋の流造の両側に庇の縋屋根が付いて、全体で複雑な形状を見せる。東側に方1間、切妻造、妻入りの小さな愛染堂が付属している。床下の柱は貫を通さずに、方杖を斜めに打ちそえて固定され、平安時代の古い様式を示す。内部には7体の蔵王権

中国地方 217

現立像が安置されていた。
<small>げんりゅうぞう</small>

◎福田家住宅
<small>ふくだけじゅうたく</small>

鳥取市にある。江戸時代前期の民家。代々庄屋を務めた農家で、年代を示す確実な資料はないが、17世紀中頃に建てられた鳥取県内で最も古いと民家と推測されている。入母屋造の茅葺屋根で桁行9間、梁間5間と細長く、正面は南東を向く。間取りは、向かって右半分が土間で、土間の前方に厩がある。左半分の床上部には土間に沿って3室並び、さらに奥の上手には田字型に4室があり、合計7室となる。現在までにかなりの増改築が行われているが、もともと原形は桁行7間半、梁間4間の広間型3間取りだったと考えられている。つまり左半分には、土間に接して炉の切られた細長い居間のオオエノマ、その奥の左手前に座敷のオクノマ、左奥にナンドがあった。オオエノマが前後3室に区切られ、左奥の2室が拡張されて4室になったのである。おそらくオクノマだけ畳を敷いていたのであろう。正面の大戸口から中に入ると、土間の前後が間仕切され、厩が物置となっているが、上部の梁組がよく見え、民家特有の構造美を誇っている。釿の削り痕の残る少し曲がった柱や梁が使用されたり、畳の納まりを考えない柱間寸法など、古い手法がうかがえる。

◎仁風閣
<small>じんぷうかく</small>

鳥取市の鳥取城扇御殿跡にある。明治時代後期の文化施設。大正天皇（当時皇太子）の山陰行啓の際、宿舎として旧鳥取藩主池田氏が1907年に建てた洋風建築である。設計者は東京都の旧東宮御所など宮廷建築を設計した片山東熊と伝えられ、地元出身の海軍省建築技師だった橋本平蔵が工事を監督した。片山らしいフランス・ルネサンス様式による木造2階建である。正面中央をわずかに前へ突出させ、上部に櫛形ペディメント風の半円形の破風がある。均等に配された1階と2階の窓が洗練された外観を見せ、向かって右側面にある螺旋階段用の、尖塔をのせた八角形の部屋が変化を与えている。背面は1階、2階ともベランダで、1階は吹き放して開放され、2階はガラス戸を入れる。竣工当時は2階も吹き放しだったが、山陰の気候を考慮して後からガラス戸が入れられた。内部は1階、2階とも中央にホールをおいて、周囲に部屋を配置する。行啓後、市の公会堂や県の迎賓館などに使用され、戦後は長らく県立科学博物館として使われた。数少ない山陰地方の洋風建築を代表している。

☞ そのほかの主な国宝／重要文化財一覧

	時　代	種　別	名　　　称	保管・所有
1	縄　文	考古資料	◎栗谷遺跡出土品	福部村
2	古　墳	考古資料	◎脚付子持壺形須恵器・子持壺形須恵器／上野遺跡出土	倉吉市立倉吉博物館
3	古　墳	考古資料	◎長瀬高浜遺跡出土埴輪	湯梨浜町
4	飛　鳥	彫　刻	◎銅造観世音菩薩立像	大山寺
5	奈　良	彫　刻	◎銅造十一面観音立像	大山寺
6	平　安	絵　画	●絹本著色普賢菩薩像	豊乗寺
7	平　安	彫　刻	◎木造薬師如来及両脇侍像	長楽寺
8	平　安	彫　刻	◎木造蔵王権現立像（奥之院安置）	三仏寺
9	平　安	彫　刻	◎木造千手観音立像	観音寺
10	平　安	彫　刻	◎木造薬師如来及両脇侍坐像	学行院
11	鎌　倉	絵　画	◎絹本著色普賢十羅刹女像	常忍寺
12	鎌　倉	彫　刻	◎木造地蔵菩薩半跏像	地蔵院
13	鎌　倉	彫　刻	◎木造阿弥陀如来坐像	大日寺
14	朝鮮／高麗	絵　画	◎絹本著色楊柳観音像	豊乗寺
15	室町前期	寺　院	◎不動院岩屋堂	不動院
16	室町後期	寺　院	◎三仏寺地蔵堂	三仏寺
17	室町後期	寺　院	◎長谷寺本堂内厨子	長谷寺
18	江戸前期	神　社	◎樗谿神社	鳥取東照宮
19	江戸中期	民　家	◎後藤家住宅（米子市内町）	―
20	江戸前期	民　家	◎矢部家住宅（八頭郡八頭町）	―
21	江戸中期	民　家	◎尾崎家住宅（東伯郡湯梨浜町）	―
22	江戸後期	神　社	◎大神山神社奥宮	大神山神社
23	江戸後期	民　家	◎門脇家住宅（西伯郡大山町）	―
24	大正～昭和	土　木	◎旧美歎水源地水道施設	鳥取市
25	大正～昭和	住　居	◎石谷家住宅（八頭郡智頭町）	智頭町、石谷樹人、石谷正樹

島根県

銅剣

地域の特性

　中国地方の北西部に位置し、北側が日本海に面して、隠岐諸島を含む。中国山地の分水嶺から北へ、地形は比較的急な傾斜である。東側の斐伊川と神戸川流域の出雲平野と、西側の高津川流域の益田平野以外に、まとまった平野はない。県東部の出雲地方には穀倉地帯の出雲平野がある。城下町として栄えてきた松江は商業や観光の中心となっているが、近代工業はさほど活発に展開していない。県西部の石見地方は石見銀山やたたら製鉄などで有名だったが、現在は鉱工業ではなく、漁業や畜産、観光が盛んである。隠岐は古来から流刑の地として知られ、また朝鮮半島との交通の要地でもあった。

　出雲神話の舞台となり、古代には九州や畿内に対抗するほどの勢力があったと推測されている。弥生時代の遺跡から、ほかに類を見ないほど大量に青銅器が出土したことも、出雲の地域的特性を示している。鎌倉時代には近江源氏の佐々木高綱の支族が勢力を伸ばし、室町時代になると佐々木氏の流れを引く尼子氏が戦国大名となった。しかし尼子氏は毛利氏に敗れて滅亡した。江戸時代には松平氏の松江藩18万6,000石とその二つの支藩、さらにもう二つの藩と石見銀山の天領があった。明治維新の廃藩置県で多くの県が設置された後に島根県に統合され、1876年には鳥取県をも合併した。1881年に鳥取県が分離されて、現在の島根県となった。

国宝／重要文化財の特色

　美術工芸品の国宝は3件、重要文化財は71件である。3件の国宝のうち2件は弥生時代の遺跡から出土した青銅器である。出雲大社と古刹の鰐淵寺に国宝／重要文化財が多くある。建造物の国宝は3件、重要文化財は21件である。3件の国宝のうち2件は神社建築で、重要文化財にも神社が多い。江戸時代後期の松江藩7代藩主松平不昧は高名な茶人で、茶器の名品を買

220

い集め、また茶道具を体系的に整理した書物も著した。蔵品目録である『雲州蔵帳』を見ると、目を見張るほどの逸品が列記されている。彼のコレクションは四散し、現在東京都の畠山記念館や地元の美術館に所蔵されている。

●荒神谷遺跡出土品

出雲市の古代出雲歴史博物館で収蔵・展示。弥生時代の考古資料。出雲市斐川町の仏経山北麓の小さな谷間に位置する荒神谷遺跡で、広域農道建設に伴う調査が実施され、1984〜85年の発掘調査で銅剣358本、銅矛16本、銅鐸6口が出土した。銅剣はもともと両刃の武器で、形態が細形、中細形、平形へと変遷しつつ、武器から祭器へ機能が変化したと考えられている。多数の銅剣は4列に整然と並べられた状態で発見された。それぞれの長さは約52cm、形態は中細形銅剣c類に属し、弥生時代中期末から後期初頭に鋳造されたと推測されている。銅矛と銅鐸は一緒になって、銅剣から約7m離れた地点から発見された。銅矛も元来は武器で、柄を挿入するために基部が袋状となっている。剣と同様に大型化とともに武器から祭器となった。荒神谷の銅矛は長さ67〜84cmで、形態は中細形a類、中広形a類、中広形b類に属し、弥生時代中期から後期の年代とされている。銅鐸は、小さな鈴から次第に大きくなって、鳴らして音を聞くものから仰ぎ見る祭器へと変化した。荒神谷の銅鐸は、高さ22〜24cmの小型の古い段階のもので、弥生時代前期から中期とされる。一般に銅剣・銅矛は北部九州、銅鐸は近畿地方を中心に分布し、両者が同じ場所に埋納されるのは珍しい。また予期せぬほど大量に青銅器が出土したことから、発見当時は全国的に注目を集めた。なお荒神谷遺跡の近くで、1996年に出土した39口の加茂岩倉遺跡出土銅鐸も同館内で展示されている。

◎観音菩薩立像

出雲市の鰐淵寺の所蔵。飛鳥時代の彫刻。像高94.6cmの鋳造による銅造観音像である。頭上に単髻を結い、冠帯に三面頭飾を付ける。頬が張り、なで肩のほっそりとした体形で童子のような印象を受ける。右手は肘を曲げて胸の高さで掌を前に向け、左手は垂れ下げて指で小さな水瓶をつまむ。肩から膝まで瓔珞が垂れ、胸飾、臂釧、腕釧を付ける。八角形台座の正面と右側面に銘文が刻まれ、692年に出雲国の若倭部臣徳太理が父母のために菩薩を奉じたと記している。若倭部臣は『出雲国風土記』や青木遺跡出土木簡にも登場し、出雲郡北部の豪族だったと推測されている。鰐淵寺は平安時代末期に

蔵王権現の信仰拠点となった。中世には、インドから流れてきた山をスサノヲが築き固めたという、仏教的国引き神話を出雲大社（杵築大社）と共有しつつ、両者は勢力を共存させた。近世になって出雲大社の祭神がオホクニヌシに回帰して仏教色も排除されると、出雲の中世神話は終息し、出雲大社と鰐淵寺との関係も1667年に断絶した。

◎神像

松江市の八重垣神社の所蔵。室町時代後期の絵画。八重垣神社本殿内の板壁に描かれていた3面の壁画で、現在は取り外されて宝物収蔵庫にある。男女6神像が描かれ、社伝によるとスサノヲと妻のイナダヒメ、アマテラスとイチキシマヒメ、アシナヅチとテナヅチとしている。剥落が著しく、スサノヲは冠を付けた顔にかすかに束帯姿が浮かぶ。その左側に折り本を手にした女房装束姿のイナダヒメが坐す。両神像とも顔だけよく残っている。本殿は大社造で1394年、1542年、1585年に造替され、また絵の描かれた板壁は、年輪年代法により1262年の鎌倉時代の材と判明した。壁画は室町時代後期の作風を示すが、当初の壁画が鎌倉時代に描かれていて、その後の造替で補修された可能性も考えられるという。出雲地方特有の大社造本殿には、しばしば壁画が描かれている。1583年に再建された神魂神社本殿には、江戸時代前期に描かれた壁画がある。豊臣秀頼によって1609年に造替された出雲大社本殿にも豪華な壁画が描かれ、その部分的模写が三月会神事図屏風となって現在に伝わっている。

●松江城天守

松江市にある。桃山時代の城郭。関ヶ原の戦いの戦功により、出雲と隠岐の領主となった堀尾氏が築城に着手し、1611年に完成した。明治維新後に御殿や櫓などは払い下げられて取り壊され、天守のみ残った。外観は四重、内部は5階と地下1階からなり、南面する正面に入口となる附櫓を設けた複合式である。入母屋造2階建の下層部に3階建の望楼をのせた構造で、二重目の大屋根に望楼が立つように見える。外壁の大半が黒色の下見板張で、三重と四重、附櫓は下部を下見板張、上部を白色の漆喰塗にして、全体で独特のコントラストを見せている。内部構造に2階分の通し柱を多用して、上層の荷重を下層の柱が直接負荷しないように、荷重を外側にずらしている。また柱に板を張り付けて強化させる包板という技法も特徴的である。中世の山城から近世的城郭への発展がうかがえる。

●**出雲大社本殿** 出雲市にある。江戸時代中期の神社。出雲神話で有名なオホクニヌシを祀る大型社殿で、1744年に造営された。出雲地方独特の大社造という本殿で、桁行・梁間ともに2間からなる平面方形の切妻造、妻入りで南面する。床は高く、四周に高欄付きの縁をめぐらす。正面東側の柱間に板扉、西側に蔀戸を設け、ほかの三方は板壁である。板扉の前に階段があり、切妻造の屋根がかかる。9本の柱のうち、内部中央に心柱が立ち、心柱から向かって右側の東壁中柱へ間仕切りの板壁をわたし、奥に西向きの内殿を区切る。内殿は正面戸口から見えない。出雲大社は古くは杵築大社と呼ばれ、その高大さで知られていた。平安時代中期から鎌倉時代初期にかけてたびたび倒壊し、その後高大な社殿は造営されなくなり、小規模な仮殿が建てられた。出雲大社境内遺跡の調査で2000年に、直径1.35mの杉材を3本組にした径約3mの柱が発見された。この巨大な柱は1248年に造営された時のもので、かつて壮大な神殿だったことが確認された。戦国時代に神仏習合が進み、尼子経久は、移築されて現在兵庫県名草神社にある三重塔を1527年に建立し、また現在福岡県西光寺所蔵の梵鐘も奉納している。1667年の造替の際に復古に戻されて本殿を高さ8丈（約24m）にし、そのまま1744年の造営にも規模と形式が継承されたのである。

◎**旧大社駅本屋** 出雲市にある。大正時代の交通施設。出雲大社参詣の玄関口として、1924年に竣工した木造和風駅舎である。山陰線の支線として出雲今市駅から発する大社線が1912年に開通した。1923年に京都から益田まで山陰線が全通すると、出雲大社への参拝客が爆発的に増加して手狭となり、新しい駅舎が建てられたのである。細長い平屋建で西面し、正面中央棟の前に車寄を突出させて、左右対称の両翼が伸びる。桟瓦葺の屋根で、中央棟は1段高い切妻造にして正背面に千鳥破風を付ける。両翼は入母屋造、車寄は妻面を正面に見せた切妻造にする。内部は、中央に広くて天井の高い3等待合室と室内ホーム寄りに出札室があり、向かって右翼端部に1・2等待合室と小荷物取扱室、左翼部に事務室と貴賓室がある。外観は和風であるが、屋根裏の小屋組は三角形に部材を組み合わせた洋風のトラス構造である。1990年に大社線が廃止されるまで66年間にわたって利用され、その後も地元の努力によって保存が進められている。

☞ そのほかの主な国宝 / 重要文化財一覧

	時代	種別	名称	保管・所有
1	弥生	考古資料	●加茂岩倉遺跡出土銅鐸	古代出雲歴史博物館
2	古墳	考古資料	◎出雲玉作遺跡出土品	出雲玉作資料館
3	古墳	考古資料	◎神原神社古墳出土品	古代出雲歴史博物館
4	平安	彫刻	◎木造薬師如来坐像	仏谷寺
5	平安	彫刻	◎木造薬師如来両脇士像	万福寺（大寺薬師）
6	平安	彫刻	◎木造阿弥陀如来坐像	清水寺
7	平安	工芸品	◎金銅観音菩薩像御正躰	法王寺
8	平安	工芸品	◎彩絵桧扇	佐太神社
9	鎌倉	彫刻	◎木造八幡神坐像	赤穴八幡宮
10	鎌倉	工芸品	●秋野鹿蒔絵手箱	出雲大社
11	鎌倉	考古資料	◎出雲大社境内遺跡（旧本殿跡）出土品	古代出雲歴史博物館
12	南北朝	絵画	◎絹本著色三光国師像	雲樹寺
13	室町	絵画	◎板絵著色神馬図（狩野秀頼筆）	賀茂神社
14	桃山	絵画	◎絹本著色毛利元就像	鰐淵寺
15	朝鮮／高麗	工芸品	◎銅鐘	天倫寺
16	鎌倉後期〜江戸中期	神社	◎八幡宮	八幡宮
17	室町前期	寺院	◎万福寺本堂	万福寺
18	室町中期	寺院	◎清水寺本堂	清水寺
19	桃山	神社	●神魂神社本殿	神魂神社
20	桃山	神社	◎染羽天石勝神社本殿	染羽天石勝神社
21	江戸前期	神社	◎日御碕神社	日御碕神社
22	江戸中期〜明治	民家	◎木幡家住宅（松江市宍道町）	—
23	江戸後期	神社	◎水若酢神社本殿	水若酢神社
24	江戸後期	神社	◎美保神社本殿	美保神社
25	江戸後期	住宅	◎菅田庵及び向月亭	—

33 岡山県

銅壺

地域の特性

　中国地方の南東部に位置し、南側が瀬戸内海に面している。北から南へ中国山地、内陸盆地、吉備高原、岡山平野と東西に広がる帯状地形が次第に低くなる。中国山地と吉備高原の間に、津山盆地、勝山盆地、新見盆地がある。南端では瀬戸内海に向かって児島半島が出ている。東から吉井川、旭川、高梁川がほぼ等間隔に南流し、3本の河川によって河口に大きな三角州が形成されて岡山平野となった。県南部の岡山平野は古来海陸交通の要路として、政治・経済・文化の中心である。交通の整備とともに近代工業の発展も著しい。県北東部の津山盆地では城下町が栄え、内陸型工業が盛んである。県北西部の高梁川中上流域は、たたら製鉄と牛産地として有名であったが、過疎化が進んでいる。
　吉備の国と呼ばれ、また畿内に次ぐ大型の古墳が分布していることから、古代には大きな勢力があったと考えられている。中世に福岡荘が諸物資の集散地として栄え、赤松氏と山名氏とが争奪戦を繰り返した。戦国時代には北から尼子氏、東から赤松氏、西から毛利氏の勢力が伸びて来たが、宇喜多直家が戦国大名となり岡山城が築造された。江戸時代には、池田氏の岡山藩31万5,000石のほかに多数の中小藩と、天領が置かれた。明治維新の廃藩置県で県が多く設置された後、周辺の県と統廃合されて、1876年に現在の岡山県ができた。

国宝／重要文化財の特色

　美術工芸品の国宝は7件、重要文化財は105件である。林原美術館に国宝／重要文化財が多くある。林原美術館は、もと岡山城二の丸の対面所のあったところに建てられている。水飴製造業の林原一郎が収集したコレクションと、岡山藩主池田氏の伝来品を収蔵し、絵画、能装束、婚礼道具、具足や刀剣などがある。建造物の国宝は2件、重要文化財は55件である。

中国地方　225

◎銅壺

矢掛町の圀勝寺の所蔵。レプリカをやかげ郷土美術館で展示。奈良時代前期の考古資料。吉備真備（695〜775年）の祖母の骨蔵器で、708年の紀年銘が刻まれていた。矢掛町東三成字谷川内の丘陵地から1699年に発見された。付近からは納骨器、祭器、和同開珎なども出土し、下道氏墓として史跡になっている。銅壺は、口径21cm、高さ15.8cmの鋳造された銅製の丸底深鉢形容器に、高さ8.8cmの笠形の蓋が付き、総高22.5cmである。蓋の中央頂部に円錐柱に近い八角柱の紐があり、斜めの体部に断面山形の突帯が2本めぐって、同心円状の区画が3圏形成されている。その中間と外側の圏に右回りの銘文が刻まれていた。銘文には、下道圀勝と弟の圀依の母の骨蔵器であることと、和銅元年（708年）と月日が記録されていた。下道圀勝とは吉備真備の父で、宮城の警衛をつかさどる右衛士少尉だった。また下道氏は上道氏とともに古代吉備地方の大豪族だった。骨蔵器には吉備真備の祖母の火葬骨が納められていたのである。火葬が始まった頃の骨蔵器と明記された器で、葬送墓制史の研究にとって重要な資料である。容器と銘文の書体からは奈良時代の重厚感がうかがえる。

◎Nの家族

倉敷市の大原美術館で収蔵・展示。大正時代の絵画。洋画家の小出楢重（1887〜1931年）が、自身と妻、息子を描いた1919年の油絵である。小出は1914年に東京美術学校（現東京芸術大学）を卒業してから、政府主宰の文展（文部省美術展覧会）に応募を繰り返したが、落選が続いた。友人の勧めで1919年に、家族を描いた作品を在野の二科展に出品すると、新人の登竜門とされた樗牛賞を受賞し、華々しく画壇にデビューした。作品では、和装の普段着姿の小出自身と妻、その間に幼い息子を配した家族像を大きく描き、背後の壁面に円形額の自画像をかけ、前面の机に果物鉢と果物、卓布、北方ルネサンスの巨匠ハンス・ホルバインの画集を置いている。ホルバインを礼賛しつつ、日常の現実から美を追求した小出の画風が、自信に満ちた人物像に反映されている。また前景の静物にはセザンヌ風の構成への配慮もうかがえる。小出は1920年に「少女お梅の像」で二科賞を受け、1921〜22年に滞仏。帰国後、日本人女性の裸体画を多く描いた。西洋人の肌の単調な白さに対して、日本人の多様な肌色に目を向け、体型に臆することなく要約的で独特な曲線美、流麗な色調による肉感表現など、初期の写実的作風から独自の画風を展開させた。小説の挿絵も多数手がけた。なお大原美術館は、実業家大原

孫三郎が1930年に創設した西洋美術の美術館で、戦後になって日本の近現代美術の作品も多数収集している。

◎清明上河図

岡山市の林原美術館で収蔵・展示。中国／明時代の絵画。北宋時代末期、徽宗帝時代（1100～25年）に張択端が描いた清明上河図に倣って、明時代後期の1577年に趙浙が作成した模本である。清明とは、立春や春分など季節の目印を示す24節気の一つで、4月5日前後に相当する。張択端の絵は北宋の都だった河南省開封を描いたとされ、画面は、うららかな春の日に樹木の生い茂る郊外から河をたどり、多数の船が横行する繁華街へと導く。無数の人々が群れ集い、所狭しと家屋が軒を連ねる。精緻な描写に優れた絵画的技巧がうかがえるだけでなく、都市景観、風俗、社会経済などさまざまな分野に興味深い話題を提供して、中国絵画の傑作の一つと称賛されている。現在北京故宮博物院に所蔵されている画巻が原本と考えられている。この画巻は明時代後期に、中国南部の江蘇省蘇州周辺で権勢家たちの間を行き来し、その後清朝政府の所蔵となった。流転を繰り返すうち、江南都市を中心に模本が多数制作され、そのほとんどが「蘇州片」と総称される贋作（にせもの）だった。模本とはいえ、林原美術館所蔵の画巻は、制作者、制作年、そして制作後の所蔵経路が確定できる良質な作品として評価されている。画面ストーリーは原本と共通するが、個々の描写は原本と異なり、また風景も北宋の開封でなく、江南の都市を意識しているのではないかと指摘されている。いずれにせよ、単なる模写ではなく、蘇州の繁栄を連想させる独特な作品である。

●吉備津神社本殿及び拝殿

岡山市にある。室町時代中期の神社。吉備地方には巨大古墳が分布し、畿内に比肩し得るほどの勢力が古墳時代に存在したと考えられている。吉備津神社に祀られている大吉備津彦命は、有力豪族だった古代吉備氏の氏神として尊崇された。本殿と拝殿は、足利義満によって1425年に再建された。本殿の規模は桁行正面5間・背面7間、梁間8間と大きく、平面は、3間と2間の内々陣とその前1間の内陣を中心に、周囲を1間の中陣が取り巻き、その前面に朱の壇という1間の向拝の間がある。さらに全体を1間の外陣が一周する。つまり内々陣と内陣に二重の庇が回っているのである。外壁外側には縁が回る。屋根も特異な形状をして、入母屋造を前後二つ並べた比翼入母屋造の檜皮葺である。本殿の前に接続する拝殿も独特で、切

中国地方　227

妻造の妻入り、檜皮葺の屋根に、前面と左右の三方に本瓦葺の裳階が付く。内部は化粧屋根裏で、広くて高い雄壮な空間を形成している。複雑かつ特異な構造と形態を示す中世の大規模な神社建築である。

●**旧閑谷学校講堂** 備前市にある。江戸時代中期の学校。閑谷学校は、岡山藩初代藩主池田光政によって創建された郷学という庶民のための公立学校だった。1668年に手習所が設けられ、1675年に藩内の手習所がすべて閑谷に統合された。1684年から諸建物の改築整備が進み、講堂は1701年に竣工した。講堂・小斎・習芸斎・文庫からなる学舎を中心に、東側に聖廟と閑谷神社（芳烈祠）、丘を隔てた西側に学坊跡がある。講堂は国宝、小斎、文庫、聖廟、石塀などは重要文化財、旧校地は特別史跡に指定されている。講堂は桁行7間、梁間6間の入母屋造の本瓦葺で、3間と2間の母屋の周囲に庇をめぐらせ、さらにその外側に広縁を設けている。縁の外周に柱を立て、吹き放しの開放にして、夜間のみ雨戸を閉じる。庇の外側各面は、それぞれ中央だけ扉でほかは花頭窓が並ぶ。内部の天井は竿縁天井、床は板を平滑に張った拭板敷である。外観と内部はともにきわめて簡素で、学校らしい質実剛健さを感じさせる。在学した生徒は50～60名ほどで、修学年限は原則1年。主に儒学を教え、四書五経の講釈、習字と素読などが行われた。

◎**旧矢掛本陣石井家住宅** 矢掛町にある。江戸時代末期の民家。本陣とは大名や幕府役人が宿泊した公認の旅宿である。石井氏の旧本陣は旧山陽道の矢掛の宿場にあり、間口20間（約36m）、敷地面積959坪（3,164m²）で、矢掛宿で最大の町屋だった。石井氏は1635年頃から本陣職を務めるとともに大庄屋も兼務し、元禄年間（1688～1704年）からは酒造業も営む有力な豪農商だった。屋敷は街道南側にあり、東側に主屋、西側にやや後退して本陣座敷が建つ。本陣座敷の前に御成門があり、門をくぐると屋根に軒唐破風の付いた玄関がある。座敷は入母屋造で、玄関の式台をあがると1間の入側（縁式敷）があり、奥に前後2列5室の部屋が並ぶ。西南隅に床を高くした御成の間があり、付書院、床、棚を備えた書院造となっている。主屋も入母屋造で、正面中央の大戸口から入ると広い土間が背後まで続き、両側に部屋が並ぶ。矢掛には、本陣の補助的役割を担った旧矢掛脇本陣高草家住宅も残っている。

☞ そのほかの主な国宝 / 重要文化財一覧

	時代	種別	名　称	保管・所有
1	弥生	考古資料	◎特殊器台／総社市宮山遺跡出土	岡山県立博物館
2	奈良	考古資料	◎大飛島祭祀遺跡出土品	岡山県立博物館、笠岡市立郷土館
3	平安	彫刻	◎木造吉祥天立像	安養寺（倉敷市）
4	平安	彫刻	◎木造五智如来坐像	遍明院（瀬戸内市）
5	平安	考古資料	◎安養寺裏山経塚出土品	安養寺（倉敷市）
6	鎌倉	絵画	◎絹本著色阿弥陀二十五菩薩来迎図	遍明院
7	鎌倉	工芸品	◎木造彩色菊牡丹透華鬘	弘法寺
8	南北朝	絵画	◎絹本著色愛染明王像	捧沢寺
9	安土桃山	歴史資料	◎アジア航海図	林原美術館
10	江戸	工芸品	◎綾杉獅子牡丹蒔絵婚礼調度	林原美術館
11	江戸	典籍	◎信長記	岡山大学附属図書館
12	中国／南宋	絵画	◎絹本墨画廬山図（玉澗筆）	岡山県立美術館
13	中国／元	絵画	◎絹本著色十王像	宝福寺
14	中国／元	絵画	●絹本著色宮女図（伝桓野王図）	―
15	鎌倉後期	石塔	◎臍帯寺石幢及び石塔婆	臍帯寺
16	鎌倉後期	寺院	◎長福寺三重塔	長福寺
17	室町前期	寺院	◎本山寺本堂	本山寺
18	室町中期	寺院	◎真光寺三重塔	真光寺花蔵院、真光寺自性院
19	室町後期	寺院	◎本蓮寺本堂	本蓮寺
20	桃山	寺院	◎遍照寺多宝塔	遍照寺
21	江戸前期	寺院	◎本源寺	本源寺
22	江戸前期	寺院	◎妙本寺番神堂	妙本寺
23	江戸中期	城郭	◎備中松山城	国（文部科学省）
24	江戸中期	民家	◎旧森江家住宅（苫田郡鏡野町）	富村
25	明治	学校	◎旧遷喬尋常小学校校舎	久世町

広島県

平家納経

地域の特性

　中国地方の中央南部に位置し、南側が瀬戸内海に面して、島嶼部を含む。北側と西側に中国山地の脊梁が東西に走り、中央に吉備高原が広がる。吉備高原から北流して日本海に流入する江川流域に、三次盆地がある。瀬戸内海に東から順に芦田川、沼田川、太田川が注ぎ、芦田川の河口に福山平野、太田川の河口に広島平野が形成されている。盆地や平野の面積は乏しい。県西部は広島平野を中心に、官営広島紡績所と呉海軍工廠を端緒にして近代工業が急速に展開した。県南東部は隣接する岡山県との結びつきが強く、福山を中核に伝統産業や商品作物の育成が盛んである。県北東部の山間地域は、零細な稲作農業が主体で過疎が進んでいる。

　古代律令制の衰退により瀬戸内海に横行した海賊を、平正盛、平忠盛、平清盛が討ち、平氏は西国に基盤を築いた。中世には、海上交通の要衝に海賊衆という海辺の武士団が組織され、中でも因島の村上氏と竹原の小早川氏が勢力を誇った。室町時代に毛利氏が勢力を伸ばして中国地方一円を支配する戦国大名となり、広島に壮大な居城を築いた。しかし毛利氏は関ヶ原の戦いで西軍に加担したため、領国の多くを失って広島を去った。江戸時代には、福山藩10万石と浅野氏の広島藩42万6,000石が置かれた。明治維新の廃藩置県で福山県と広島県が設置された後、1876年に現在の広島県に統合された。

国宝／重要文化財の特色

　美術工芸品の国宝は12件、重要文化財は136件である。建造物の国宝は7件、重要文化財は55件である。概して古い寺院建築が比較的多く残っている。平清盛が造営に深く関与した厳島神社、足利尊氏の庇護を受けた浄土寺、20世紀になって瀬戸田町生口島に建立された耕三寺に国宝／重要文化財が多くある。

●平家納経

廿日市市の厳島神社の所蔵。平安時代後期の絵画。平清盛が一門の繁栄を祈って1164年に厳島神社に奉納した経巻で、法華経28品、無量義経と観普賢経の開結2経、それに阿弥陀経、般若心経、清盛の願文を合わせて33巻からなる。厳島神社の本地仏である十一面観音になぞって33巻とし、同族縁者の間で一人1巻ずつ分担書写する一品経である。表紙・見返し・本文料紙にはさまざまな絵画や文様が繊細に描かれ、表紙には書名を記した重厚な題簽と八双、軸には水晶の軸首や軸木に透彫金具が付く。例えば分別功徳品第17の見返しには、蓮の葉が茂る蓮池の岸辺で、左上を向く尼と貴族装束の男女が大和絵風に描かれ、全体に金銀の切箔が散りばめられている。本文の金の界線上下欄外はリンドウや朝顔などの花で彩られ、最後の行の奥書には「左衛門少尉平　盛国」と自筆位署がある。平盛国は清盛の重臣で、平家納経の作成に深く関わった人物と目されている。清盛は盛国邸で息を引き取ったとされ、また平氏滅亡後、盛国は捕らえられて鎌倉に送られたが、断食して命を絶ったとも伝えられている。西海の海賊追捕によって勢力基盤を固めた平氏一門が、善美をつくして制作した装飾経であり、権勢を誇示するかのように、平安時代の装飾美術の粋を集めた逸品である。

◎釈迦如来坐像

瀬戸田町の耕三寺博物館の所蔵。平安時代後期の彫刻。耕三寺は、鉄鋼業で成功した金本耕三が、母の菩提を弔うためみずから開山住職となって1936年から建立した寺院で、20棟以上の建造物が建っている。これらの建造物は、飛鳥時代から江戸時代までの代表的寺社建築を模して造営された。釈迦如来坐像は、本堂東翼廊に安置されている。像高233cmの大きな丈六の仏像で、顔が大きく、頬の張った平安時代後期の定朝様を示している。寺伝によると、この仏像は奈良県興福寺の講堂の本尊だったのだが、堂の埋滅により東京国立博物館に寄託されていたのを、1949年末に奉安したという。金剛館には多数の重要文化財が展示されている。阿弥陀如来坐像は快慶作で、像高74cm、頭部の髻を高く結い、衲衣で両肩を覆う通肩にして、坐って膝の上で手に定印の印相を結ぶ宝冠の阿弥陀像である。銘文によると1201年に、静岡県の伊豆走湯山（伊豆山神社）常行堂の本尊として制作された。秀麗な顔貌の作品である。浄土曼荼羅刻出龕は白檀製の小型厨子で、阿弥陀三尊をはじめ、10大弟子、25菩薩、4天、2力士などの諸尊や、鳳首の舟が3段にわたって克明に彫り起され、極楽浄土が表現されている。

中国地方　231

上段三尊宮殿前で列をなす10人の僧侶は、念仏を唱えながら堂内をめぐると浄土へ行けるという、平安時代後期から流行した常行三昧の様子を伝える貴重な場面である。銘文によると和歌山県の高野山無量寿院に伝来した。

◎草戸千軒町遺跡出土品

福山市の広島県立歴史博物館で収蔵・展示。鎌倉時代から室町時代の考古資料。草戸千軒町遺跡は、福山市街西側を流れる芦田川河口付近の、川底に埋もれていた中世の集落遺跡だった。近くに本堂、三重塔のある古刹明王院（常福寺）が位置している。1961年から発掘が開始され、約30年間にわたって66,925m²が調査された。発掘によって、集落は13世紀中頃から年貢などの積出し港として発展し、福山湾岸の地域経済の拠点となったものの、16世紀初頭には衰退したことが判明した。出土遺物は100万点に及び、そのうち2,930点が重要文化財となった。土師器、須恵器、瀬戸・美濃の陶器、中国・朝鮮産の青磁、瓦、土錘、塑像片などの土製品、櫛、扇、下駄、折敷（角盆）、曲物、木簡、呪符、板塔婆などの木製品、椀や皿などの漆器、石鍋、硯、砥石などの石製品、簪、毛抜、鍋、刀装具などの金属製品、そのほか双六駒や藁草履など、多種多様な生活用品が出土した。発掘成果をもとに集落の一角が実物大で、同館内に復元されている。草戸千軒町遺跡の発掘で中世史研究が飛躍的に進展し、以後全国で中世遺跡の発掘が実施されるようになった。

●浄土寺本堂

尾道市にある。鎌倉時代後期の寺院。浄土寺は足利尊氏の庇護を受け、また瀬戸内海の要衝である尾道の繁栄を享受した古刹である。1325年の大火で伽藍が焼失すると、尾道の富豪道蓮・道性夫妻を中心にして、ただちに本堂、多宝塔が再興された。階段を上って山門をくぐると、正面に本堂と阿弥陀堂が並び、その横に多宝塔が立つ。本堂は方5間の入母屋造で本瓦葺、正面に1間の向拝が付き、周囲に高欄付き縁が回る。内部は前側2間通りを外陣とし、奥に方3間の内陣を設けて両側は1間通りの脇陣である。外陣には2本の母屋隅柱が残る。外陣の天井は外側庇部分が化粧垂木を見せる化粧屋根裏、内側母屋部分は格子状の組入天井で、天井を支える太くてどっしりとした大仏様の虹梁が見える。内陣は上部に梁がなく、天井は折上小組格天井で、中央はさらに折り上げて二重折上小組格天井にする。須弥壇上の春日厨子には十一面観音菩薩立像が安置されている。豪壮な外陣に対して、内

陣は繊細優美である。和様を基調に細部に大仏様を取り入れた折衷様の建築様式である。

●**厳島神社**　廿日市市にある。室町時代後期の神社。社殿が海上に浮かぶ宮島の風景は、松島、天橋立とともに日本三景と称されるほど風光明媚である。古くは島の弥山あるいは島全体を神聖視して対岸の地御前神社から拝んで、厳島神社は内宮、地御前神社は外宮と呼ばれていた。島上に建てるのをはばかり、海中に社殿を建てたと考えられている。平安時代後期に平氏の庇護を受けて大規模に整備された。社殿は宮島の北岸入江に建ち、本社に本殿、幣殿、拝殿、祓殿、東側の摂社客神社に本殿、幣殿、拝殿、祓殿が並んで、回廊によって結ばれる。本社本殿は桁行9間、梁間4間で、切妻造の前後の屋根に庇を延長した両流造である。7間と2間の母屋内陣は床を高くして、前面に菱格子戸がある。拝殿は本殿よりもやや大きい。その前の祓殿は桁行6間、梁間3間の入母屋造で妻入り、四方に壁がなく開放されている。客神社は本社と同じ構成で、規模を小さくしている。本社本殿は毛利元就によって1571年に再建されたが、ほかの建物の造営時期については不明である。宮島は神仏習合の大きな霊場だったが、明治維新の廃仏毀釈で大聖院や大願寺は分離され、五重塔、多宝塔、千畳閣（大経堂）からは仏像が除去されるなど、かなり変貌した。

◎**広島平和記念資料館**　広島市にある。昭和時代の文化施設。世界的に有名な建築家丹下健三が設計した博物館で、1955年に開館した。丹下にとって最初の出発点となった作品である。原爆で廃墟となった広島に、爆心地近くに平和公園が計画された。広島市中央を東西に走る平和大通りの北側に、中央に資料館、東に本館、西に会議場を東西1列に並べ、平和公園への入口とした。公園中央に慰霊碑が建てられ、資料館から慰霊碑、原爆ドームへと南北にのぞむ。原案で、さらに北側へ太田川対岸一帯にさまざまな文化施設が構想され、丹下独特の線的プランの展開がうかがえる。平和大橋と西平和大橋の設計にイサム・ノグチを推奨したのも丹下だったという。資料館は東西約82m、南北約18mの細長い簡素な2階建で、1階に壁はなく開放されている。

中国地方

☞ そのほかの主な国宝／重要文化財一覧

	時代	種別	名称	保管・所有
1	弥生	考古資料	◎矢谷古墳出土品	みよし風土記の丘・歴史民俗資料館
2	平安	絵画	●絹本著色普賢延命像	持光寺
3	平安	彫刻	◎木造薬師如来坐像	大願寺
4	平安	彫刻	◎木造薬師如来及両脇侍像	千代田町
5	平安	彫刻	◎木造千手観音立像	光明寺
6	平安	典籍	●紺紙金字法華経・紺紙金字観普賢経	厳島神社
7	鎌倉	彫刻	◎木造法燈国師坐像	安国寺
8	鎌倉	工芸品	●金銅密教法具	厳島神社
9	鎌倉	歴史資料	◎阿弥陀経板木	御調八幡宮
10	南北朝	絵画	◎絹本著色大通禅師像	仏通寺
11	桃山	絵画	◎絹本著色小早川隆景像	米山寺
12	江戸	歴史資料	◎身幹儀（星野木骨）	広島大学医学資料館
13	中国／元	工芸品	◎孔雀截金経箱	浄土寺
14	朝鮮／高麗	工芸品	◎銅鐘	照蓮寺
15	鎌倉後期	石塔	◎光明坊十三重塔	光明坊
16	鎌倉後期	寺院	●明王院本堂	明王院
17	室町前期	寺院	◎西国寺金堂	西国寺
18	室町中期	寺院	◎安国寺釈迦堂	安国寺
19	室町中期	寺院	●向上寺三重塔	向上寺
20	室町中期	寺院	◎西郷寺本堂	西郷寺
21	室町後期	寺院	◎円通寺本堂	円通寺
22	室町後期	寺院	●不動院金堂	不動院
23	室町後期	寺院	◎磐台寺観音堂	磐台寺
24	室町後期	神社	◎桂濱神社本殿	桂濱神社
25	江戸中期〜末期	民家	◎太田家住宅（福山市鞆町）	—

鉄宝塔

35 山口県

地域の特性

　本州の最西端に位置し、北側は日本海に面して大陸に近く、南側は瀬戸内海に面している。南西端の関門海峡をはさんで、九州と接している。高山や広い平野がない低山性の地形で、平地が乏しい。県央部では山口盆地や防府平野が広がる。内陸の山口は中世に城下町として栄えた。沿岸部では重化学工業が発達している。県東部は平地が少ないが、岩国では石油化学コンビナートが形成され、またアメリカ軍基地があることで有名である。県西部の下関は古代から海関として重視され、交易と漁業の本拠地となった。沿岸部では新興工業都市が発展し、交通整備も進んで都市化が著しい。県北部は日本海に臨み、人口は少なく、開発の遅れた農漁業地域である。近世の城下町である萩は観光都市としてにぎわっている。

　古くから畿内と九州・四国とを結ぶ海上の要路に位置していた。古代末期の壇ノ浦の合戦で平氏が最終的に敗北し、中世の武家社会へと進展した。室町時代には、百済王の子孫である大内氏が、朝鮮李王朝と明との交易によって繁栄した。大内氏の根拠地山口に雪舟が移り住んだり、フランシスコ・ザビエルがキリスト教を布教したりして、文化的にも豊かになった。戦国時代には毛利氏が中国一円を支配したが、関ヶ原の戦いで毛利氏は西軍側について敗れ、大幅に領地を失った。江戸時代に毛利氏の長州藩36万9,400石と、四つの支藩が置かれた。明治維新の廃藩置県でそれぞれの藩に県が設置された後、現在の山口県に統合された。

国宝／重要文化財の特色

　美術工芸品の国宝は6件、重要文化財は91件である。鎌倉時代に東大寺再建のため重源が創建した阿弥陀寺、旧長州藩主毛利氏の伝来品を収蔵・展示する毛利博物館、旧岩国藩主吉川氏の伝来品を収蔵・展示する吉川史料館に国宝／重要文化財が多くある。建造物の国宝は3件、重要文化財は

中国地方　235

35件である。

● **古今和歌集**　防府市の毛利博物館で収蔵・展示。平安時代後期の書跡。古今和歌集の最古の写本で、全20巻のうちの巻8である。古今和歌集は紀友則、紀貫之、凡河内躬恒、壬生忠岑によって905年に撰集された最初の勅撰和歌集である。多くの写本が作成されたが、現在最も古いとされているのは、高野切本と呼ばれる11世紀中頃に書写されたものである。その一部を豊臣秀吉が高野山文殊院に与えて伝来したので、高野切と称されるようになった。高野切本は3人の能書によって書写されたと考えられ、第1種、第2種、第3種に分類されている。毛利博物館所蔵の古今和歌集は巻8の完本で、巻子装の原形をとどめた状態で伝来した稀有な例である。麻を素材にした白麻紙に雲母砂子をまいたキラキラと輝く料紙に、やや小粒で流麗な仮名が連綿する。書風は第2種に属し、筆者は源兼行と推測されている。勅撰の古今和歌集によって、女性の筆記する女手の仮名が、初めて公的文字として認められた。古今和歌集の高野切本は文学史的に価値があるだけでなく、仮名の成熟を示す書道史の重要な到達点を見せている。また奈良時代に盛行して平安時代にほとんど姿を消した麻紙の料紙は、美術史的にも貴重である。

● **鉄宝塔**　防府市の阿弥陀寺の所蔵。鎌倉時代前期の工芸品。東大寺再興に尽力した重源が1197年に造立した鋳鉄製の宝塔である。東大寺は兵火により1180年に焼失した。東大寺再興の大勧進となった重源は西日本各地に7か所の別所を設けた。周防国（山口県）には大仏殿再建のための材木を運び出す別所として阿弥陀寺を建立した。寺には、柚山から伐り出された用材に刻印するための、鉄製東大寺槌印が残されている。鉄宝塔は総高301.3cmで、下から方形の基壇、円筒形の塔身、宝形造の屋蓋、相輪の4部分からなり、相輪は江戸時代の補作である。素朴ながらも重厚な造作で、五輪塔に似た形姿である。塔身の軸部は中ほどから下へやや膨らみ、正面に長方形の窓がある。おそらく窓には、当初観音開きの扉があったと思われる。方形基壇の四側面中央にそれぞれ金剛界四方4仏の種字を配し、その左右に肉太でしっかりとした筆致で銘文が鋳出されている。銘文には阿弥陀寺の四至、本尊、諸堂、造立起塔の趣旨、勧進、檀那、奉行名、造立年月、鋳工人名などが詳細に記され、史料的重要性を際立たせている。塔身内に小型の水晶製五輪塔が安置されているが、屋蓋に相当する火輪が三角錐形で、重源の考案した独特な五輪塔形式とさ

●四季山水図

防府市の毛利博物館で収蔵・展示。室町時代中期の絵画。雪舟（1420〜1506年頃）が1486年に完成させた水墨画の記念碑的大作である。雪舟は備中（岡山県西部）に生まれ、30歳代まで京都の相国寺にいた。その後相国寺を出て周防に行き、対明貿易で栄えていた大内氏の庇護を受けて山口の雲谷庵に住んだ。この頃、すでに画僧として高名になっていた。48歳で中国へわたり宋・元・明の絵画を会得して、2年後に帰国した。しばらく北部九州に滞在した後、各地を旅して絵を描き、再び周防に戻って、大内政弘によって再興された雲谷庵に入り、67歳の時に四季山水図を画き上げた。四季山水図は全長1,586cmもある長大な画巻で、一般に山水長巻と呼ばれる。大内氏に献じられたと推測されている。巻頭は深緑の樹木が茂る険しい岩間の小径を一人の高士が上る。視野が開けて楼閣が見えるが、再び山中となって石橋を高士と童子が歩む。水色の大河に幾艘もの船がただよう夏の景色となる。対岸に人のたたずむ洞窟が見えて、山間には高い塔が立つ。小河を越えて小村があり、太鼓橋を渡っていくと秋の収穫後ににぎわう山の市場に達する。そして雪山を背にした城壁の市街となって、画巻は終わる。日本および中国を踏破して悟った自然の哲理を、四季の風景に合わせて、雄大な構図と緻密な描写によって集大成させた傑作である。

●住吉神社本殿

下関市にある。室町時代前期の神社。大内氏繁栄の基礎を築いたとされる大内弘世によって、1370年に再建された。1間社の神殿5棟を、相の間を隔てて横1列に並べ、全体で1棟の9間社流造とした珍しい構造である。屋根は檜皮葺で、各神殿の部分に三角形の千鳥破風を設ける。9間の向拝が付いて、各柱間ごとに蟇股がある。各神殿の正面には朱塗の板扉、相の間の正面には引違の杉戸がある。前面と側面に縁をめぐらし、各神殿の前に階段、相の間の前と側面に高欄が付く。一見すると横長の建物のように見えるが、屋根に五つの千鳥破風が並ぶ特異な外観をしている。本殿の前に拝殿がある。毛利元就が1539年に建立したもので、桁行3間、梁間1間の切妻造、妻入り、檜皮葺である。壁がなく、四方を吹き放しの開放にしている。

●瑠璃光寺五重塔

山口市にある。室町時代中期の寺院。守護大名の大内盛見が、兄義弘（1356〜99年）の霊を弔うため1442年に建立した五重塔である。瑠璃光寺には、かつて大内義弘

中国地方　237

が室町時代前期に造営した臨済宗の香積寺があり、その禅宗寺院に大内盛見が五重塔を建立したのである。1604年に毛利氏が萩城の築城に着手し、1616年には大内義弘の菩提寺だった香積寺の伽藍を解体して、萩城域の用材として移した。五重塔も解体されそうになったが、地元住民たちの猛反対にあって、塔はそのまま残された。一方、瑠璃光寺は、大内氏の重臣であった陶弘房の夫人が、夫の菩提寺として1471年に吉敷郡仁保村に建立した寺院で、1690年に旧香積寺の跡地だった現在地に移ってきたのである。五重塔は高さ31.2m、方3間で和様を基調にする。初重の柱間には板扉と連子窓があり、二重にだけ縁と高欄が付いている。屋根の軒が長い割には塔身の幅が狭いので、全体にしまって見え、安定した外観である。軒先の反り上りがくっきりとしている。内部中央に心柱が通り、四天柱間には珍しい円形の須弥壇が設けられている。

◎正八幡宮

山口市にある。江戸時代中期の神社。正八幡宮は、外敵からの護りとして大分県宇佐から八幡神を勧請したのが始まりとされ、1501年に大内義興によって現在地に移された。その後、長州藩6代藩主毛利宗広が1740年に現在の社殿を建立した。本殿、拝殿、楼門および庁屋によって構成される。本殿は大型の3間社流造で、屋根は檜皮葺、前面と側面の三方に高欄付きの縁が回る。現在、屋根を除いて本殿の周囲を覆屋がおおい、本殿の外観を見通すのは困難である。拝殿は桁行3間、梁間3間の入母屋造で檜皮葺、前面と側面の三方に縁が回り、正面と向かって右側に石の階段を設ける。2階建の楼門は拝殿のすぐ前にあり、1間1戸の入母屋造で檜皮葺、扉がなく開放されていて、正面に唐破風の向拝が付く。楼門の左右にそれぞれ桁行5間、梁間1間の壁のない庁屋（翼廊）があり、端部は後方へ直角に曲がって2間伸び、回廊のように拝殿側に向かう。蟇股、虹梁などに施された装飾は、江戸時代中期の特徴を示す。楼拝殿造と呼ばれる翼廊の付いた楼門に、軒を接するように社殿を並べた神社は、山口地方に独特な建築様式で、同市内の今八幡宮も、翼廊付き楼門に、拝殿、本殿が接して建っている。

☞ そのほかの主な国宝／重要文化財一覧

	時代	種別	名称	保管・所有
1	奈良	考古資料	◎長門国鋳銭遺物	長府博物館
2	平安	彫刻	◎木造四天王立像	国分寺（防府市）
3	平安	彫刻	◎木造観音立像	南明寺
4	平安	彫刻	◎木造大日如来坐像	竜蔵寺
5	鎌倉	絵画	◎紙本著色松崎天神縁起	防府天満宮
6	鎌倉	彫刻	◎木造平子重経（沙弥西仁）坐像	源久寺
7	鎌倉〜江戸	古文書	◎熊谷家文書	山口県文書館
8	鎌倉	考古資料	◎鉄印（東大寺槌印）	阿弥陀寺
9	南北朝	彫刻	◎木造赤童子立像	大照院
10	室町	絵画	◎紙本墨画山水図（雪舟筆）	山口県立美術館
11	室町	典籍	◎元亨釈書（吉川経基筆）	吉川史料館
12	室町	歴史資料	◎大内氏勘合貿易印等関係資料	毛利博物館
13	桃山	絵画	◎絹本著色毛利元就像	毛利博物館
14	江戸	歴史資料	◎正徳元年朝鮮通信使進物 並 進物目録	山口博物館
15	中国／唐	彫刻	◎木造十一面観音立像	神福寺
16	平安後期	寺院	◎月輪寺薬師堂	月輪寺
17	鎌倉後期	寺院	●功山寺仏殿	功山寺
18	室町中期	寺院	◎洞春寺観音堂	洞春寺
19	室町後期	神社	◎今八幡宮本殿・拝殿・楼門	今八幡宮
20	江戸中期〜後期	寺院	◎東光寺	東光寺
21	江戸中期〜後期	民家	◎菊屋家住宅（萩市呉服町）	菊屋家住宅保存会
22	江戸後期	民家	◎早川家住宅（長門市通）	—
23	明治	官公庁舎	◎旧下関英国領事館	下関市
24	明治	産業	◎旧小野田セメント製造株式会社竪窯	太平洋セメント
25	大正	官公庁舎	◎山口県旧県庁舎及び県会議事堂	山口県

北海道　東北地方　関東地方　北陸地方　甲信地方　東海地方　近畿地方　中国地方　四国地方　九州・沖縄

中国地方

36 徳島県

鯨船千山丸

地域の特性

　四国地方の東部に位置し、東側は紀伊水道、南側は太平洋に面している。県北部を東西に走る中央構造線をはさんで、北側に讃岐山脈、南側に四国山地、剣山地がそれぞれ東西にのびている。中央構造線に沿って吉野川が西から東へと流れ、中下流域で徳島平野が広がっている。平地は乏しく、県域のほとんどを山地が占めている。藍、タバコ、塩の三大特産物を背景に、城下町徳島は四国最大の都市として栄えた。しかし化学染料の出現や近代工業化の遅れにより、経済力が衰退した。県東部の臨海地帯では軽工業を主体とする工業化が進み、その一方で、阪神市場向けの近郊農業が盛んである。県西部は他地域から隔絶して自給的性格が強く、人口が流出して過疎が深刻化している。太平洋沿岸の県南部では、かつて遠洋・出稼漁業が盛んであったが、現在は沿海漁業や遊漁業が主流となっている。

　畿内と西国を結ぶ山陽道に対して、裏街道のような役割を果たした。源平争乱時に源義経は小松島に上陸し、大坂峠を越えて屋島に向かい、平氏を破った。南北朝時代には、剣山北麓の南朝方の山岳武士の奮闘により、南朝は吉野から九州の阿蘇菊池氏へ連絡を取れたといわれている。鎌倉時代に小笠原氏、室町時代に細川氏が勢力を伸ばした。戦国時代には土佐の長宗我部元親が侵入したが、豊臣秀吉が四国へ出兵して長宗我部氏を破り、秀吉の家臣蜂須賀氏が新しい領主となった。蜂須賀氏は徳島に城を築き、江戸時代には徳島藩25万7,000石の藩主となった。明治維新の廃藩置県後に名東県が設置され、香川県と淡路島も含まれた。1875年に香川県が再設置された。1876年に名東県が廃止されて高知県に併合され、淡路島は兵庫県に編入された。1880年に高知県から現在の徳島県が分離された。

国宝／重要文化財の特色

　美術工芸品の国宝はなく、重要文化財は29件である。建造物の国宝も

なく、重要文化財は18件である。戦国時代に侵攻した長宗我部元親が、雲辺寺を除いて、すべての寺を焼き払ったといわれている。その真偽はともかく、江戸時代よりもさかのぼる古い寺院建築はほとんど残っていない。室町・戦国時代の武将である細川成之と蜂須賀家政の庇護を受けた丈六寺に文化財が多い。

◎銅鐸

板野町の徳島県立埋蔵文化財総合センターで収蔵・展示。弥生時代後期の考古資料。徳島市国府町矢野遺跡から出土した大型の銅鐸で、高さ97.8cm、重さ17.5kgある。上部に突線のある扁平な鈕、胴部に僧侶が着る袈裟のような帯文様があることから、突線袈裟襷文銅鐸と呼ばれている。国道建設に伴う発掘調査が1992年から始まり、調査の結果、木製容器に入れられた銅鐸が集落の中で埋納され、さらにその上に簡単な構造の屋根がかけられていたことが判明した。同センター内で銅鐸の出土状態が復元展示されている。銅鐸上部の鈕には、円形渦巻文様を2個組み合わせた飾耳が3組あり、鈕に連なる胴部両側の突出した鰭に、半円形文様を2個一対にした飾耳が左右それぞれに3組ある。胴部は、細い斜格子文様の施された4本の横帯と3本の縦帯によって、6区画の袈裟襷文を構成する。区画された部分に文様や絵画はない。袈裟襷文の下には、横に鋸歯文帯が回る。もともと銅鐸は小型で、内部に舌という棒をつり下げ、内側の突帯に舌を叩きつけて音を鳴らす農耕用の祭器と考えられている。しかし矢野遺跡の銅鐸には、内側の突帯に叩いた痕跡が見つからない。時代が下って銅鐸が大型化し、装飾性も増して、鳴らすのではなく、見るための祭器に変化したと推測されている。

◎徳島藩御召鯨船千山丸

徳島市の徳島城博物館で収蔵・展示。江戸時代後期の歴史資料。藩主専用に1857年に建造された和船である。車輸送のなかった江戸時代に、海上船舶は重要な交通手段で、九州や瀬戸内の諸藩は多数の船舶を所有していた。千山丸は大名が使用した現存唯一の船で、本来は捕鯨用の鯨船という小型船である。鯨船は、船首が鋭角的で波に強く、8人で漕ぐ8挺櫓の快速船だったため、各藩の水軍に採用され、参勤交代の際に伝令、指揮、連絡など多目的に利用された。旧徳島藩には6艘前後の鯨船があった。千山丸は総長10.44m、幅2.77mあり、豪華な装飾が施されているのが特徴である。船首の水押の両側に竜の浮彫装飾があり、両舷は金箔押地と群青色地に塗り分けられて、軍配団扇、羽団扇など華麗な団扇の彩色図が並ぶ。近代に

なって洋船が主流となると、和船は急速に姿を消した。千山丸は船舶史上貴重であるだけでなく、強力だった阿波森氏水軍の遺品でもある。

◎**丈六寺** 徳島市にある。室町時代後期から江戸時代前期の寺院。丈六寺は、細川成之によって曹洞宗の禅宗寺院として1492年に再興され、7堂伽藍が整備された。三門、僧堂、本堂、徳雲院が回廊で結ばれ、庫裏、書院、経蔵、観音堂の諸堂がある。三門は、室町時代末期に細川真之による伽藍造営の時に建てられたとされる。入母屋造の2階建二重門で3間3戸、上下端部を丸く細めた粽柱の円柱が礎盤の上に立つ。柱間は、両側面の前側1間を壁とする以外は吹き放しで、扉もなく開放されている。2階の柱間は1階よりもせばめ、高欄付きの回り縁と、正面に花頭窓が設けられている。内部には須弥壇があり羅漢像を安置しているという。小型ながらも中世末期の禅宗三門の形態を留めている。観音堂は1648年に建てられた方1間の裳階付き禅宗仏殿で、寄棟造の本瓦葺である。裳階は正面3間、側面4間である。正面の中央柱間に両開きの桟唐戸があり、戸の上方に蓮華唐草文様の彫刻がはめられている。内部は、中央方1間に板張り床の内陣があり、丈六の像高310.6cmの大きな聖観音坐像が安置されている。

◎**箸蔵寺** 三好市にある。江戸時代末期の寺院。箸蔵寺は標高600mの山中に位置し、仁王門、方丈（本坊）、護摩殿、鐘楼堂、薬師堂、天神社本殿、観音堂、本殿などの諸堂が点在している。1826年の大火で全山焼失後、再建された。真言宗の寺院であるが、江戸時代に香川県金刀比羅宮の奥の院として信仰を集め、再建された建物にも神仏習合の息吹が強く残っている。本殿は山頂付近の傾斜地に建ち奥殿、内陣、外陣からなる大型の複合建築で、本殿・石の間・拝殿で構成される神社の権現造を連想させる。正面3間、背面4間、側面6間の入母屋造の奥殿と、桁行5間、梁間4間の入母屋造の外陣との間を、桁行3間、梁間4間の切妻造、妻入りの内陣がつなぐ。屋根はきわめて複雑な形状を見せ、奥殿の入母屋造の正面に千鳥破風と軒唐破風、中間の切妻造の屋根左右に庇、外陣の入母屋造の屋根前後に千鳥破風と前面の向拝に軒唐破風を付ける。そして木鼻や尾垂木、向拝の手挟などの細部には丸彫、籠彫、浮彫などさまざまな技法を駆使した彫刻が所狭しと施され、江戸時代末期の巧緻な装飾性を示している。複雑な構成に緻密な造形美を重ね合わせた豪壮で特異な建造物である。護摩殿は本殿を小規模にしたものである。方丈は細長

い入母屋造の建物で、中央に唐破風の屋根と彫刻で装飾された大きな玄関がある。

◎福永家住宅（ふくながけじゅうたく）

鳴門市にある。江戸時代後期の民家。徳島の主要産業の一つだった製塩業を営んだ民家で、1828〜33年に建てられた。小鳴門海峡のほとりに位置し、東西にのびた敷地内に北西部を居住区、南東部を製塩場とし、敷地北側に入浜塩田跡が広がる。製塩場には鹹水溜、釜屋、塩納屋、薪納屋、居住区には主屋、離座敷、土蔵、納屋がある。海水よりも塩分濃度の高い鹹水を塩田で採取し、鹹水溜に貯蔵する。鹹水溜は長さ13.2m、幅4.98m、深さ2.4mで、内面を粘土で築き地表からは石垣積みにして、上部に小屋を組んで茅葺の屋根で覆っている。地下に埋設した木製の管で鹹水を隣接する釜屋に送水し、釜屋で鹹水を煮詰めて塩を製造した。釜屋は桁行11.8m、梁間9mの寄棟造で、外部に煙突が立つ。石釜という特殊な鍋をつくって中に鹹水を入れ、竈の上に石釜をおいて薪で焚く。ドロドロになった鹹水からニガリを分離して1昼夜乾燥させ、塩納屋に収納してさらに乾燥させるという製造工程だった。19世紀後半に石釜に代わって欧米式の鉄釜が導入され、1939年には合同塩業組合の製塩工場が完成して、煮沸用の釜屋は無用となった。1970年代にイオン交換膜と電気エネルギーを利用した製塩法が確立すると、広大な塩田も不要となり、畑や住宅地へ変わっていった。今では廃れてしまった塩田による製塩方法を伝える貴重な施設である。

◎田中家住宅（たなかけじゅうたく）

石井町にある。江戸時代末期の民家。徳島の特産だった藍の製造販売を営んだ藍商の家で、1859年から建て始め、土台の石垣に約20年、家屋に約30年かかって完成した。主屋のほかに、葉藍を貯蔵した藍納屋、葉藍を発酵させて蒅を製造した藍寝床、休憩場所の番屋など、藍製造の建物が並ぶ。主屋は桁行16.7m、梁間12.0mの寄棟造で、内部は6間取りである。葦葺の屋根は、木を組み合わせておいてあるだけで、もしも洪水で水位が高くなると、葦屋根を切り離して屋根にまたがり、救命ボートの役割を果たすようになっているという。北側を流れる吉野川がたびたび氾濫したからである。20世紀になって化学染料の普及とともに藍の製造は衰退した。

☞ そのほかの主な国宝 / 重要文化財一覧

	時　代	種　別	名　称	保管・所有
1	弥　生	考古資料	◎流水文銅鐸	徳島県立博物館
2	飛鳥〜平安	考古資料	◎観音寺・敷地遺跡出土品	徳島県立埋蔵文化財総合センター
3	平　安	彫　刻	◎木造釈迦如来坐像	藤井寺
4	平　安	彫　刻	◎木造十一面観音立像	井戸寺
5	平　安	彫　刻	◎木造千手観音坐像（経尋作）	雲辺寺
6	平　安	彫　刻	◎木造毘沙門天立像	最明寺
7	平　安	彫　刻	◎木造薬師如来坐像	童学寺
8	平　安	彫　刻	◎木造地蔵菩薩立像	鶴林寺
9	平　安	彫　刻	◎木造弥勒菩薩立像	東林院
10	平　安	彫　刻	◎木造大己貴命立像	八鉾神社
11	平　安	古文書	◎紙本墨書二品家政所下文	八鉾神社
12	平　安	考古資料	◎銅経筒	大山寺
13	鎌　倉	彫　刻	◎木造如意輪観音坐像	如意輪寺
14	鎌　倉	彫　刻	◎木造地蔵菩薩半跏像	東照寺
15	室　町	絵　画	◎絹本著色細川成之像	丈六寺
16	朝鮮/高麗	絵　画	◎絹本著色楊柳観音像	長楽寺
17	桃　山	神　社	◎宇志比古神社本殿	宇志比古神社
18	江戸前期	寺　院	◎切幡寺大塔	切幡寺
19	江戸前期	神　社	◎一宮神社本殿	一宮神社
20	江戸前期	民　家	◎三木家住宅（美馬市木屋平）	―
21	江戸中期	民　家	◎粟飯原家住宅（名西郡神山町）	―
22	江戸中期	民　家	◎旧長岡家住宅（美馬市脇町）	脇町
23	江戸中期	民　家	◎田中家住宅（勝浦郡上勝町）	―
24	江戸中期	民　家	◎木村家住宅（三好郡東祖谷山村）	―
25	昭　和	住　居	◎三河家住宅	徳島市

# 香川県

錫杖頭

地域の特性

　四国地方の北東部に位置し、北側が瀬戸内海に面して、小豆島などの備讃諸島の島々を含む。南側には讃岐山脈が東西に走り、地形的に南から北へ、山地、平野、島嶼の大きく三つの部分に分けられる。讃岐山脈から発して北流する河川によって、広大な讃岐平野が形成された。県東部にある城下町高松は、宇高連絡船が就航していた時期に四国の表玄関として、ビルの林立する近代都市となった。県西部では、かつての塩田跡や埋め立てた海岸に工業地帯が広がって、近代工業化が進んでいる。1988年に瀬戸大橋が開通して四国の入口となり、四国を縦断する高速道路も整備されて、都市周辺で人口が増加した。

　畿内に近いことから讃岐平野では早くから開発が進み、古代には法隆寺、石清水八幡宮などの荘園があった。平安時代末期に屋島で源平の戦いが展開され、佐藤継信の戦死や那須与一の扇の的の話は、長く後世に語り伝えられた。室町時代には細川氏が勢力を伸ばしたが、後に安富氏、香川氏、香西氏が勢力争いをした。戦国時代には土佐の長宗我部元親が侵入したが、豊臣秀吉に敗れた。江戸時代には三つの中小藩と、小豆島など島嶼部に天領があった。明治維新の廃藩置県後に香川県が置かれたが、1873年に徳島県とともに名東県に合併された。1875年に再び香川県が設置されたが、翌年に愛媛県に統合された。1888年に愛媛県から現在の香川県が分離された。

国宝／重要文化財の特色

　美術工芸品の国宝は4件、重要文化財は88件である。金刀比羅宮は神仏習合の時代に金毘羅大権現を祀り、海上の安全を願って古くから全国的に信仰を集めていた。多数の宝物を収蔵し、重要文化財も多く含まれている。そのほかに空海誕生の地とされる善通寺、さまざまな領主から庇護を受け

た志度寺などに国宝／重要文化財が多い。建造物の国宝は2件、重要文化財は27件である。

◎割竹形石棺

善通寺市の市民会館で収蔵・展示。古墳時代前期の考古資料。善通寺市南側の史跡有岡古墳群内にある標高121mの磨臼山の尾根に位置する磨臼山古墳から出土した。磨臼山古墳は全長50mの前方後円墳で、自然の地形を利用して古墳時代前期末頃に築造された。墳丘の表面に石が葺かれ、埴輪も並べられていたと伝えられる。江戸時代に2回盗掘されて副葬品は散逸し、1956年に石棺が掘り出されて、善通寺市立郷土資料館に寄贈された。石棺は、香川県国分寺町鷲ノ山産出の角閃安山岩を石材にした刳り抜き式の割竹形石棺で、全長196cm、長方形をして身と蓋からなる。蓋の外形は、横断面が三角形に近い。刳り込まれた身の内部に朱の痕跡がある。底部には石枕がつくり出されて、左右両耳の位置に勾玉が浮き彫りされている。割竹形石棺は、もともと丸太を断ち割って刳り抜いた割竹形木棺をまねて石材で製作したもので、類似した形態で、蓋の両端が斜めに傾斜した舟形石棺とは区別されている。舟形石棺は広範囲に多数分布するが、割竹形石棺は香川県の鷲ノ山石および火山石を石材にしてつくられ、分布が限定され少数しかない。

◎志度寺縁起

さぬき市の志度寺の所蔵。鎌倉時代後期から室町時代前期の絵画。本尊十一面観音の由来と、志度寺の建立・再興を描いた縦約167cm、横約127cmの縁起絵図全6幅である。御衣木之縁起、志度道場縁起、白杖童子縁起、当願暮当之縁起、松竹童子縁起、千歳童子蘇生記、阿一蘇生之縁起という絵図のもととなった7巻の縁起文（説話）が1317年までに成立し、その後14世紀中頃までに絵図が制作されたと推測されている。7巻の縁起文のうち千歳童子蘇生記の巻に対応する絵図がなく、おそらく失われたと見られている。第1幅は本尊の観音造立について、霊木が漂流してきて童子が観音を彫像したという説話で、長谷寺縁起との関連性が指摘されている。第2幅と第3幅は志度道場縁起の話である。唐に嫁いだ藤原不比等の妹が父鎌足に宝物を供養しようとしたら、志度の浦で船が沈みそうになり、玉を竜神に奪われてしまった。不比等は玉を取り戻そうと志度にやってきたのだが、海女に恋して房前という名の男子を授かり、幸せに暮らした。海女は不比等の来た理由を知ると、海の竜宮へもぐり、無残な姿で戻ってきた。玉は、海女の命と引き換えに乳房の中に隠されていたのである。出世した房前は志度寺を訪れて母の菩

提を弔ったというストーリーである。この説話は謡曲「海女」でも有名である。第4幅以下は特定個人による諸堂建立の功徳を説いている。雄大な自然景観に、複雑な時間経過をたどりながら多数の堂宇と人物を描き込んだ大作である。

● **錫杖頭**　善通寺市の善通寺の所蔵。中国／唐時代の工芸品。善通寺は弘法大師空海誕生の地にあり、父佐伯善通の邸宅跡に建てられたとされ、寺号は父の名に由来する。錫杖は僧侶や修験者が持つ杖で、山野や市中を遊行する際に鳴らして、害獣を追い払い、あるいは門前で来訪を告げたりする仏具である。錫杖の上端に挿入される錫杖頭は、輪状をした金属製で、遊鐶というリングが輪に下がり、振るとリングが接して金属音が鳴り響く。善通寺の錫杖頭は総高27cm、輪の径13.8cm、鋳銅製に鍍金が施され、別につくられた細かい部品を鑞付している。屈曲した弧を連ねた雲形の輪の下側に、左右それぞれ遊鐶が3個ずつ下がる。輪の上部に小さな宝珠、そして頂部には火焰宝珠が付く。輪の内側には、舟形光背を背にした如来坐像と左右に菩薩立像、さらにその外側左右に四天王立像を1体ずつ、計5体が配されている。つまり小さい輪の中に、阿弥陀三尊と四天王を背中合わせにして表現しているのである。小像や火焰宝珠には細かい描写が施され、精巧な金工技術がうかがえる。類品のきわめて少ない唐時代の細密な作品で、空海が唐から請来したとも伝えられている。

● **本山寺本堂**　三豊市にある。鎌倉時代後期の寺院。1300年に建立された方5間の密教本堂である。和様に禅宗様や大仏様の建築様式を組み合わせた八脚門の仁王門を抜けると、奥に本堂がある。本堂は寄棟造で本瓦葺の屋根、正面に3間の向拝が付く。正面の建具は住宅風の蔀戸で、柱上の組物は出組とし、組物と組物の中間にある中備は、間斗束と蟇股の2段構成という珍しい手法である。内部は前側2間通りを外陣にして、後方中央に正面3間、側面2間の内陣を設ける。外陣内の左右に母屋の隅柱2本が残るが、外陣中央は上部に大虹梁をかけて柱を省いている。内陣および外陣の母屋は格天井である。内陣奥にある高欄付きの仏壇には、入母屋造の大きな厨子が立ち、仏壇と厨子は本堂と同時代の作とされる。和様を基調にし、柱もあまり高くなく、温和な外観の仏堂である。

◎金刀比羅宮表書院

琴平町にある。江戸時代前期の住宅。金刀比羅宮はもともと金毘羅大権現と呼ばれ、航海安全の守護神として信仰を集め、象頭山金光院松尾寺の住職が代々別当を務めた。明治維新の廃仏毀釈で仏教色が一掃されて金刀比羅宮と改称され、金堂は旭社、金光院の客殿は表書院、金光院の歴代院主の居宅だった御書院は奥書院となった。表書院は1654年に建てられ、桁行21.7m、梁間16.9m、入母屋造の檜皮葺で、正面に軒唐破風が付く。内部は前列に3部屋、後列に4部屋あり、そのうち5部屋に晩年の円山応挙（1733～95年）による障壁画がある。南側中央は大広間で、引見や役人などのために使用された虎之間である。金砂子地に水墨によって描かれた遊虎図があり、山水を背景に、さまざまな姿態の虎がきわめて写実的に表現されている。なかでも東面の「水呑みの虎」は名高く、表書院の代名詞ともなっている。虎之間の向かって左側は格上の人物用の接客部屋で、竹林七賢図を描いた七賢之間である。一番奥に位置する西北隅の部屋は書院造となった格式の高い上段の間で、大床の壁に瀑布古松図、帳台構に山水楼閣図が描かれている。表書院は、そのほかに近代日本画家の邨田丹陵（1872～1940年）、奥書院には伊藤若冲（1716～1800年）と岸岱（1782～1865年）の障壁画がある。金刀比羅宮書院は四国地方の代表的な書院であり、江戸時代中期以降の歴代障壁画が伝わっている点が特徴といえるだろう。

◎旧金毘羅大芝居

琴平町にある。江戸時代末期の文化施設。1835年に建てられた現存最古の芝居小屋である。江戸時代中頃から金毘羅宮の祭礼のたびに市が開かれ、仮設の芝居小屋で歌舞伎などの興行が行われた。富くじ場を兼ねた瓦葺の定小屋を金毘羅宮別当の金光院に申し出て、金光院は高松藩から許可を得て、芝居小屋が建てられた。大坂3座の一つ大西芝居（後の浪花座）を模してつくられた。近代になると小屋は金光院から離れ、所有者や名称がたびたび変わった。1975年に現在地に移築され、併せて客席、舞台、楽屋回りが当初の姿に復元された。正面の高い庇の下に木戸口と札場、両端に履物をあずける下足場があり、屋根上には櫓を組む。内部客席の大半を平場の桝席が占め、平場の両側に役者の通る花道が伸びる。壁際には桟敷が並ぶ。舞台は回り舞台となっていて、床下の奈落で人力で回転させる。そのほかさまざまな古い舞台装置が残されている。

☞ そのほかの主な国宝 / 重要文化財一覧

	時　代	種　別	名　　称	保管・所有
1	奈　良	彫　刻	◎乾漆聖観音坐像	願興寺
2	平　安	彫　刻	◎木造阿弥陀如来坐像	妙音寺
3	平　安	彫　刻	◎木造十一面観音立像	金刀比羅宮
4	平　安	彫　刻	◎木造彦火瓊々杵命坐像	大麻神社
5	平　安	書　跡	●藤原佐理筆詩懐紙	香川県立ミュージアム
6	平　安	典　籍	●一字一仏法華経序品	善通寺
7	平安〜室町	典　籍	◎大般若経	水主神社
8	鎌　倉	絵　画	◎絹本著色観経曼荼羅図	萩原寺
9	鎌　倉	絵　画	◎絹本著色琴弾宮絵縁起	観音寺
10	鎌　倉	絵　画	◎絹本著色智証大師像	金倉寺
11	鎌　倉	工芸品	◎線刻十一面観音鏡像（牡丹獏文鏡）	正覚院
12	南北朝	絵　画	◎絹本著色星曼荼羅図	道隆寺
13	江　戸	絵　画	◎紙本金地著色源氏物語図（狩野養信筆）	法然寺
14	江　戸	絵　画	◎紙本墨画蘇鉄図（与謝蕪村筆）	妙法寺
15	中国／唐	彫　刻	◎板彫阿弥陀曼荼羅	開法寺
16	中国／元	書　跡	◎月江正印墨跡（印可状）	香川県立ミュージアム
17	朝鮮／高麗	絵　画	◎絹本著色地蔵曼荼羅図	与田寺
18	鎌倉前期	神　社	●神谷神社本殿	神谷神社
19	鎌倉後期	寺　院	◎国分寺本堂	国分寺
20	鎌倉後期	石　塔	◎白峯寺十三重塔	白峯寺
21	室町中期	寺　院	◎常徳寺円通殿	常徳寺
22	江戸前期	寺　院	◎屋島寺本堂	屋島寺
23	江戸前期	城　郭	◎丸亀城天守	丸亀市
24	江戸後期	民　家	◎細川家住宅（さぬき市多和額東）	—
25	大　正	住　居	◎披雲閣（旧松平家高松別邸）	高松市

四　国　地　方

道後温泉本館

地域の特性

　四国地方の北西部に位置し、北側は瀬戸内海、西側は豊後水道に面している。中央構造線が瀬戸内海側を東西に走り、また四国山地が北に偏っているため平野は少なく、山地が多い。主な平野は瀬戸内海沿岸の新居浜平野、今治平野、松山平野である。県東部の今治から川之江にかけては重化学工業が発達し、特に地場産業の手漉き和紙生産から機械漉き、パルプ洋紙生産が発展した。県央部の松山には四国地方の行政・情報機能が集中し、四国最大の都市となっている。県西部の宇和海沿岸は海岸景観の美しい地域で、真珠やハマチの養殖、沿岸漁業が盛んである。またミカン栽培が普及して、高い生産量を誇っている。

　古代律令制の衰退とともに武士団が形成され、海上を縦横に移動する海賊の動きも活発となった。939年に東国で平将門の乱が起きると、藤原純友は海賊たちを率いて乱を起こした。しかし2年後に鎮圧された。この時に活躍した勢力が、後に村上水軍などの海賊衆となった。鎌倉時代から室町時代にかけて河野氏が勢力を伸ばしたが、戦国時代には衰退し、土佐の長宗我部元親の支配下に入った。江戸時代には松平氏の松山藩15万石のほかに、七つの中小藩が置かれた。明治維新の廃藩置県で各藩に県が置かれた後、1873年に愛媛県に統合された。1876年に香川県が併合されたが、1888年に香川県が分離されて、現在の愛媛県となった。

国宝／重要文化財の特色

　美術工芸品の国宝は9件、重要文化財は100件である。瀬戸内海のほぼ中央に位置する大三島は、大山祇神社で有名である。大山祇神社は古代豪族の越智氏とその流れをくむ河野氏に信仰され、武神・海神として広く尊崇を集めて武具や刀剣が多数奉納された。国宝／重要文化財に指定された名品が多く、刀剣や武具以外にも、古文書や扁額、古鏡などの国宝／重要

文化財がある。建造物の国宝は3件、重要文化財は47件である。松山市には大宝寺本堂、太山寺本堂、石手寺二王門、伊佐爾波神社、松山城、道後温泉本館 など国宝／重要文化財の建造物が多い。

● **禽獣葡萄鏡** 今治市の大山祇神社の所蔵。中国／唐時代の工芸品。海獣葡萄鏡の一つで、面径26.8cm、原料にニッケルを含んだ白銅鋳製である。海獣葡萄鏡とは7～8世紀に流行し、鏡背（鏡の裏側）にさまざまな動物像と葡萄唐草文が描かれ、西方的要素を取り入れた唐の国際性を示す代表的な工芸品である。大山祇神社の鏡の鏡背は、同心円状の圏条で内外2区に分けられ、内外両区とも外周に、葡萄の房と葉を蔓で囲んだ小さな文様が、交互に整然と配列されている。内区中心に、獲物をくわえてうずくまる海獣の姿をした紐があり、周りに左右対称に向き合う狻猊（獅子）、鳳凰、孔雀が配され、さらにその間を小さな鳥や獣の文様で埋められている。外区の内周には、右回りに疾走する狻猊と、飛翔する鳥がさまざまな姿態で交互に描かれている。鋳上りが良好で、細かい描写で躍動感あふれる禽獣を表現した端麗な中国鏡である。

◎ **与州新居系図** 西条市の伊曽乃神社の所有。鎌倉時代中期の古文書。伊予（愛媛県）の豪族新居氏の系図で、一族の出身だった東大寺の高僧凝然が1281年頃に作成したものである。凝然は1240年に越智郡高橋（今治市）に生まれ、東大寺戒壇院の再興開山となった円照の弟子となり、1277年に戒壇院の院主となった。平安時代中期から鎌倉時代にかけて約300年間、東伊予の新居氏12世300人あまりの系譜が、消息（書状）の裏面を利用して筆記され、長さ374cmにも及ぶ。新居氏は、古代の豪族越智氏の流れと伝えられ、平安時代中期から台頭し、後期には大きな勢力となった。平氏との関係が強まり、源平争乱時には源氏側の河野氏と戦って敗れ、乱後は河野氏に服属した。鎌倉時代に新居8氏となり、さらに20以上の氏となって、伊予国内の諸郡郷に分布した様子が系図に示されている。鎌倉時代の代表的古系図で、有力武士による地方統治の展開を物語る。もと東大寺に伝来したが、近代になって石上神宮大宮司菅政友が入手し、伊曽乃神社に奉納した。

◎ **目黒山形関係資料** 松野町の目黒ふるさと館で収蔵・展示。江戸時代前期の歴史資料。山の境界争いを解決するために、1665年に製作された木彫りの地形模型と関連資料である。1658年以来、伊予国（愛媛県）吉田藩目黒村と宇和島藩次郎丸村との間で山の

境界争いが起き、両藩の対立へと発展した。1664年3月6日に目黒村庄屋長左衛門が幕府に提訴すると、幕府は絵図と山形(やまがた)の作成を両村に命じた。翌年8月に山形が完成して江戸へもたらされ、10月12日に境界を設定した幕府の裁許(さいきょ)が下りた。山形は銀杏(いちょう)の木材を彫り込んでつくられ、山や谷、盆地などの地形が立体的に表現されている。横262.1cm、縦190cmで、6個に分割された組立式である。材の上に白色顔料の胡粉(ごふん)を塗り、山地は濃い緑色、平地は黄土色に彩色して、道は赤線、河川は藍色の実線で描く。山の斜面には樹木、集落には人家が示され、胡粉で地名が書き込まれている。裁許絵図には新しい境界線が黒線で引かれ、老中以下7名の印が押されていた。山形と関連資料は全部で211点あり、目黒村、吉田藩さらには目黒村建徳寺(けんとくじ)へと引き継がれて今日まで伝来した。模型の精度が高いだけでなく、裁判や模型製作に関連する資料も一括して伝えられたので、地理学や測量史、法制史にとって貴重な資料となっている。

◎乗禅寺石塔(じょうぜんじせきとう)

今治市の乗禅寺にある。鎌倉時代末期から南北朝時代の石塔。乗禅寺は今治市街から西へ約3kmの地点にあり、寺の裏山に11基の石塔がコ字型に整然と並んでいる。もともと山中に別々に立っていたのを1704年に1か所に集めたという。北側の奥正面に、1326年の記年銘のある五輪塔(ごりんとう)を中心に左右に宝篋印塔(ほうきょういんとう)を1基ずつ、計3基が立つ。東側には、奥から石造宝塔(せきぞうほうとう)、宝篋印塔、1326年の記年銘のある宝篋印塔、五輪塔の計4基が並び、西側には、奥から石造宝塔、1357年の記年銘のある宝篋印塔と2基の五輪塔、計4基が並ぶ。高さは2m前後のものが多く、一部を欠いている石塔もある。五輪塔は、密教の世界観である地水火風空の5大元素をもとに、方形の地輪、円形の水輪(すいりん)、三角形の火輪(かりん)、半円形の風輪(ふうりん)、宝珠形の空輪(くうりん)を下から上へと積み上げて塔にしたものである。宝篋印塔は、方形の基台に四角形の塔身をすえ、四隅に突起の付いた階段状の方形屋根を置いて、上に相輪(そうりん)を立てた塔である。石造宝塔は、方形の基台に上部を丸く面取りした円筒形の塔身をすえ、方形屋根を置いて上に相輪を立てている。乗禅寺の石塔は墓塔であり、仏や菩薩を梵字(ぼんじ)で表した種子(しゅじ)のほかに、銘文や細かい模様などが刻まれている

◎松山城(まつやまじょう)

松山市にある。江戸時代前期から末期の城郭。松山城は松山平野を一望する勝山(かつやま)に築かれた平城で、天守をはじめ櫓(やぐら)6棟、門7棟、塀7棟、計21棟が現存し、重要文化財となっている。松山城の創設者は加藤嘉明(かとうよしあきら)(1563〜1631年)で、関ヶ原の戦いで戦功をたてて

20万石となり、築城に着手して、1603年に伊予正木(愛媛県松前町)から居を移した。1627年に城は一応完成したが、完成直前に加藤嘉明は会津へ転封となった。その後蒲生氏を経て、1635年に松平定行が入封して城の大改修を行い、連立式の三重天守が築かれた。1784年の元旦に落雷で天守や本丸の多くの建物が焼失し、1854年に天守が復興された。焼失した天守が再建されるのは珍しい。江戸時代末期の再建だが、創建当時の復古的様式に基づいていた。1933年の放火により、天守を除く連立式天守を構成する建物すべてが焼失し、1968年に焼失部分が木造で復元されて、再び連立式天守がよみがえった。内庭を四角に取り囲んで、天守と小天守、南隅櫓、北隅櫓との間が、多門櫓や十間廊下などで連結されている。天守は三重3階、地下1階で、桁行6間、梁間4間の四隅に1階から3階までの通し柱が貫く。外観は、一重目の屋根に千鳥破風が付いて、二重目に唐破風と千鳥破風、三重目は高欄付きの縁が回って入母屋造の屋根となる。各重の屋根が下から上へ少しずつ小さくなる層塔式である。内部は、各階に床の間を備えて天井を張るなど、平和な時代を反映した居室化が進んでいる。

◎道後温泉本館

松山市にある。明治時代の観光施設。道後温泉は日本最古の温泉といわれ、『伊予国風土記』の逸文に、少彦名命が道後温泉の湯で病を癒したという話や、来湯した聖徳太子が称賛して伊予道後温泉碑文を建てたという話がある。江戸時代には、松山藩主松平氏が温泉の保護と設備拡充を行い、明王院が管理した。廃藩置県後、道後村の世話人6人による原泉社の経営となり、道後湯之町が誕生すると1891年に町営となった。初代町長伊佐庭如矢によって老朽化した施設の改築が進められ、1894年に神の湯本館が竣工し、続いて又新殿・霊の湯棟、南棟、玄関棟が完成した。神の湯本館は木造3階建で、入母屋造の大屋根に振鷺閣と呼ばれる宝形造の塔屋が立ち、塔屋の頂部に白鷺像をのせる。又新殿は皇室用に建てられ、金箔や襖絵で装飾されて優美な造りとなっている。本館全体は和風の大規模な複合建築で、複雑な屋根構成は特異な外観を見せる。

☞ そのほかの主な国宝 / 重要文化財一覧

	時代	種別	名称	保管・所有
1	奈良	彫刻	◎木心乾漆菩薩立像	北条市
2	平安	彫刻	◎木造十一面観音立像	瑞竜寺
3	平安	考古資料	●奈良原山経塚出土品	玉川近代美術館
4	平安	工芸品	●沢瀉威鎧	大山祇神社
5	鎌倉	彫刻	◎木造空也上人立像	浄土寺
6	鎌倉	彫刻	◎木造釈迦如来立像	宝蔵寺
7	鎌倉	彫刻	◎木造仏通禅師坐像	保国寺
8	鎌倉	工芸品	◎銅鐘	石手寺
9	鎌倉〜江戸	古文書	◎忽那家文書	ー
10	室町	典籍	◎歯長寺縁起	歯長寺
11	桃山	絵画	◎絹本著色豊臣秀吉像	宇和島伊達文化保存会
12	朝鮮/高麗	工芸品	◎銅鐘	出石寺
13	鎌倉前期	寺院	●大宝寺本堂	大宝寺
14	鎌倉後期	寺院	●太山寺本堂	太山寺
15	鎌倉後期	寺院	●石手寺二王門	石手寺
16	室町前期	寺院	◎興隆寺本堂	興隆寺
17	室町中期	寺院	◎祥雲寺観音堂	祥雲寺
18	室町中期	神社	◎大山祇神社本殿（宝殿）	大山祇神社
19	室町後期	寺院	◎医王寺本堂内厨子	医王寺
20	江戸中期	城郭	◎宇和島城天守	宇和島市
21	江戸中期	神社	◎伊佐爾波神社	伊佐爾波神社
22	江戸中期	民家	◎真鍋家住宅（四国中央市金生町）	ー
23	江戸後期〜大正	民家	◎豊島家住宅（松山市井門町）	ー
24	明治	住居	◎旧広瀬家住宅	新居浜市
25	昭和	交通	◎長浜大橋	愛媛県、大洲市

31 高知県

空海（八祖像）

地域の特性

　四国地方の南部に位置し、南側を太平洋に面している。北側の四国山地と南側の土佐湾にはさまれて、弓状の形状をしている。平地は少なく、物部川、国分川、鏡川、仁淀川の下流に広がる高知平野、四万十川下流の中村平野、安芸川下流の低地などしかない。高知平野は古くから政治・経済・文化の中心地で人口も多い。工業も盛んだが、地場産業中心で近代工業化は進展していない。四国山地の山間部は、傾斜地で焼畑による耕地化が進められた。林業を主とする山村が多く、過疎化が著しい。長い海岸線に沿って漁業が発達し、特に土佐清水や室戸などの漁港では、遠洋マグロ船が南太平洋、インド洋、大西洋にまで出漁している。

　古代律令制のもとで、中央から派遣された土佐国司の中で有名なのは、歌人の紀貫之である。930年から4年間国司を務め、任期終了後に土佐から京へ帰るまでの、約50日間の旅行を記録したのが『土佐日記』である。鎌倉時代に守護が次々に代わり、室町時代になると細川氏が勢力を伸ばした。土着豪族の長宗我部氏が優勢となって土佐を統一し、さらには四国全域をも支配したが、豊臣秀吉に敗れた。江戸時代には山内氏の土佐藩24万2,000石と、その支藩があった。明治維新の廃藩置県で高知県が置かれた。1876年に名東県（徳島県）が廃止されて高知県に合併されたが、1880年に徳島県が分離されて、現在の高知県ができた。

国宝／重要文化財の特色

　美術工芸品の国宝は2件、重要文化財は67件である。古刹である竹林寺、金剛頂寺、北寺に、仏像そのほかの重要文化財が多く収蔵されている。概して重要文化財の古い仏像が多いが、そのいくつかは秘仏となっている。建造物の国宝は1件、重要文化財は20件である。江戸時代中期の宝永年間（1704～10年）に、土佐国には神社約2,700か所、寺院は約900か所あった。

幕末に寺院は約600か所となったが、明治維新の廃仏毀釈で、約8割の寺院が廃寺になったいう。風水害を受けやすい過酷な環境もあって、古い建造物はごくわずかしか残っていない。

◎**増長天立像・多聞天立像**　高知市の竹林寺の所蔵。平安時代後期の彫刻。竹林寺は山号を五台山と称し、江戸時代には土佐藩主山内氏の帰依を受けて栄えた。禅宗様の本堂は2代藩主山内忠義によって造営された。本尊は文殊菩薩及侍者像で、文殊菩薩坐像は秘仏として本堂の厨子内に安置されている。寺には古い仏像が多数伝わり、宝物館には17体の重要文化財の仏像が奉安されている。平安時代後期から室町時代までの阿弥陀如来、薬師如来、十一面観音、千手観音、大日如来、大威徳明王、愛染明王、白衣観音、馬頭観音など、さまざまな尊像がある。増長天立像・多聞天立像は平安時代後期の像高約90cmの小型の仏像で、大きな兜をかぶり、鎧を身につけて脚の下に邪鬼を踏みつける。両像はほとんど左右相対する形姿をしていて、四天王像としてではなく、当初から二天王像として制作されたと考えられている。胸部や胴部の着衣・装具は浅くて控えめな彫りであるが、腰以下は太く力強く彫られている。地域色のうかがえる仏像である。

◎**板彫真言八祖像**　室戸市の金剛頂寺の所蔵。鎌倉時代後期の彫刻。真言八祖とは、真言密教の教義を伝えたインド僧の龍猛、龍智、金剛智、不空、善無畏、中国僧の一行、恵果の7人の祖師に、弘法大師空海を加えた8人をいう。空海が唐から持ち帰った5祖像に、龍猛、龍智の2祖像を付け足したのが京都府東寺所蔵の真言七祖像で、空海没後に空海の像が加えられて八祖像が作成された。真言八祖像は、教義が3国を伝わってきたことを強調するとともに、密教道場における密教儀礼で、祖師を顕彰するための不可欠な画像となった。真言八祖の姿には基本図像があり、各像の向きや持物は決まっている。龍猛は三鈷杵、龍智は経箱、金剛智は念珠を手に持ち、不空は外縛印を合掌、善無畏は指で上を指す。一行は衣の内側で印を結び、恵果は童子を伴う。空海は右手に五鈷杵、左手に念珠を持つ。板彫真言八祖像は縦87.0〜89.9cm、横56.5〜61.6cmの檜の板に、浮彫された像で、着色されている。厚さ約1cmと薄いが、立体的で奥行きを感じさせる。1327年に京都の院派に属する定番という仏師によって制作され、金剛頂寺の多宝塔の塔内壁面にあった。インド僧や中国僧は異国風でなく、和風に表現されている。インド僧

の法衣には黒い条が目立ち、左手で袖先をつかむ。不空、一行、恵果、空海は簡素な僧衣を着ている。一般に絵画で表現される八祖像が、板に彫られた珍しい作品である。

◎長宗我部元親像

高知市の秦神社の所蔵。レプリカを高知県立歴史民俗資料館で展示。桃山時代の絵画。四国全土を制圧した戦国大名の長宗我部元親（1539〜99年）の肖像画で、元親が1599年5月に没した翌月の葬儀の際に、家督を継いだ4男盛親によって制作された。画像は縦105.2cm、横54.5cmで、黒の袍と、白地に藤の丸を描いた赤い縁どりの袴を着て、冠をかぶり笏を持ち、緑色の上げ畳に坐す束帯姿の長宗我部元親が描かれている。頬がややこけているように見えるが、髭をのばし、しっかりと見開いた眼には気迫が感じられる。像の上部には、輝かしい武功などを記した京都府東福寺の長老惟杏永哲による賛が書かれている。もともとこの画像は、元親の菩提寺だった雪蹊寺に奉納されていた。雪蹊寺は、運慶作と伝えられる薬師如来及両脇侍像、運慶の長男湛慶作の毘沙門天及脇侍（吉祥天・善膩師童子）立像などの仏像を多数所蔵する古刹だったが、明治維新の廃仏毀釈で廃寺となった。そこで長宗我部元親を祀る秦神社が旧雪蹊寺本堂跡に、1871年に新たに創建されて、元親の肖像画や木造坐像が神社に移された。現在の雪蹊寺は1880年に復興された。

●豊楽寺薬師堂

大豊町にある。平安時代後期の寺院。方5間の正方形に近い仏堂で、正面が側面よりもわずかに長い。入母屋造の柿葺である。安置されている本尊の薬師如来坐像と、釈迦如来坐像、阿弥陀如来坐像は平安時代末期の制作とされ、釈迦如来像の像内墨書に1151年の作と記されて、薬師堂も同じ時の建立と推定されている。1574年に長宗我部元親、また1637年に山内忠義が修理し、前面中央に1間の向拝が付け加えられた。正面中央の3間に板扉があり、両端を連子窓、両側面の前側1間だけを板扉にして、ほかの柱間と背面は板壁である。堂の周りに高欄付きの縁がめぐる。柱上の組物には簡単な舟肘木だけを置く。屋根の軒裏は、一重の垂木を幅広い間隔で並べた一軒の疎垂木で、横木を入れて木舞裏としている。全体に簡素な外観である。内部には方3間の内陣が堂内のかなり後側に設けられている。外陣を広く取ったためであるが、そのため内陣の背面と堂の背面との間隔が異常に狭くなってしまった。後世の改変も多いが、平安時代末期の面影を伝えている。

◎土佐神社本殿、幣殿及び拝殿

高知市にある。室町時代後期の神社。長宗我部元親が1571年に本殿・幣殿・拝殿を再建し、その後江戸時代前期に山内忠義が鼓楼と楼門を造立した。本殿は桁行5間、梁間4間の入母屋造で柿葺、前面に3間の向拝が付く。内部には正面3間、側面1間の内殿がある。本殿南側に、十字型に交差した幣殿・拝殿が隣接する。幣殿を頭、拝殿を羽根と尾に見立てて、トンボが羽根を広げて本殿に入るような形をしているとして、入蜻蛉様式ともいわれている。本殿に接する幣殿は桁行1間、梁間3間で、そのまま南側に、一段屋根の高くなった方1間の拝殿が接続する。拝殿からさらに南側へ拝出と呼ばれるトンボの尾の部分が、縦に7間分伸びている。拝殿横の左右には、それぞれ長さ5間分の左右翼が伸びる。つまり高屋根の拝殿を中心に、北に幣殿、東西に左右翼、南に拝出が、それぞれ4方向に突き出るという平面プランなのである。床は、拝出から拝殿、幣殿へとそれぞれ一段ずつ高くなり、また天井は、拝出や左右翼については化粧垂木の見える化粧屋根裏、幣殿は折上小組格天井の中央に竜の絵画を描いて、変化を見せる。十字型の幣殿・拝殿としては特異な社殿である。

◎旧魚梁瀬森林鉄道施設

馬路村・北川村・安田町・田野町・奈半利町にある。明治時代から昭和時代の交通施設。魚梁瀬森林鉄道は、魚梁瀬杉などの豊かな森林資源を、山奥から海辺の港まで搬出するために敷設された鉄道で、橋9基、隧道（トンネル）5本が重要文化財になった。千本山国有林に関する農商務省の直轄事業として、田野貯木場～石仙間41.6kmの安田川線の工事が1910年に着工され、1919年に完成した。奈半利貯木場～釈迦ヶ生間41.9kmの奈半利川線の工事は、1929年に着工されて1942年に完成した。安田川線に架かる明神口橋は、開通当初は檜材で建造されたが、機関車の導入に伴い、1929年に構造体の下部に路が通る下路式鉄骨トラス橋に付け替えられた。切石砂岩で築かれた隧道は内法幅約3m、内法高さ約3.5mで、坑口は半円アーチ型をしている。伐採材だけでなく、人間や生活物資、文化も鉄道で運ばれたが、ダム建設により森林鉄道は廃止となり、1958年から撤去が始まった。森林鉄道の歴史は、日本林業と山村の盛衰を物語っている。

☞ そのほかの主な国宝／重要文化財一覧

	時　代	種　別	名　　称	保管・所有
1	弥　生	考古資料	◎銅剣	兎田八幡宮
2	奈　良	彫　刻	◎木造菩薩坐像	養花院
3	平　安	彫　刻	◎木造薬師如来立像	国分寺
4	平　安	彫　刻	◎木造菩薩形立像	北寺
5	平　安	彫　刻	◎木造薬師如来立像	清滝寺
6	平　安	彫　刻	◎木造十一面観音立像	恵日寺
7	平　安	彫　刻	◎石造如意輪観音半跏像	最御崎寺
8	平　安	工芸品	◎銅鐘	延光寺
9	平　安	書　跡	●古今和歌集巻第廿（高野切本）	高知県立歴史民俗資料館
10	鎌　倉	絵　画	◎絹本著色普賢延命像	竜乗院
11	鎌　倉	彫　刻	◎木造薬師如来及両脇侍像	雪蹊寺
12	鎌　倉	工芸品	◎八角形漆塗神輿	椙本神社
13	室　町	彫　刻	◎木造海峰性公坐像	太平寺
14	桃　山	古文書	◎長宗我部地検帳	高知県立歴史民俗資料館
15	朝鮮／高麗	工芸品	◎銅鐘	金剛頂寺
16	室町後期	寺　院	◎金林寺薬師堂	金林寺
17	室町後期	寺　院	◎国分寺金堂	国分寺
18	室町後期	寺　院	◎竹林寺本堂	竹林寺
19	江戸前期	神　社	◎朝倉神社本殿	朝倉神社
20	江戸中期〜後期	城　郭	◎高知城	高知県
21	江戸中期	神　社	◎鳴無神社	鳴無神社
22	江戸中期	民　家	◎山中家住宅（吾川郡いの町）	―
23	江戸後期	住　宅	◎旧立川番所書院	大豊町
24	江戸後期〜大正	民　家	◎旧関川家住宅（高知市一宮中町）	高知市
25	明　治	住　居	◎吉福家住宅	―

四　国　地　方

40 福岡県

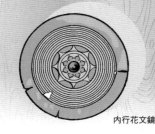

内行花文鏡

地域の特性

　九州地方の北部に位置し、北側は玄界灘、響灘、周防灘に、南西側は有明海に面している。中央に中国山地の延長部に当たる筑紫山地が広がり、筑紫山地はさらに、東から西へ企救山地、貫山地、福智山地、三郡山地、脊振山地、南に耳納山地、筑肥山地など多数の地塊に分裂している。山地間に谷や盆地、平野が数多く介在して、平地面積は広い。筑後川流域に筑紫平野（福岡県側は筑後平野）、博多湾にのぞむ半月形の福岡平野、遠賀川流域に直方平野、周防灘の海岸に豊前平野が広がっている。県北西部の福岡平野では広域中心都市が形成され、九州全域の政治・経済・文化の中核であるとともに、本州との玄関口、朝鮮半島や中国大陸との門戸でもある。県北部の北九州地域では、官営八幡製鉄所の開業などで急速に近代工業化が進展した。県央部の遠賀川流域の筑豊地域は、日本最大の炭鉱地帯だったが、石炭産業の急速な衰退とともに、人口流出が著しい。県南西部の筑後平野は九州で有数の穀倉地帯で、また有明海ではノリ養殖が盛んである。

　古くから大陸と接し、最も早く稲作が導入されて、全国へと広がっていった。稲作を基盤とする小国家が多数出現し、さらには古代国家形成へと進んだ。大和王権が確立されると、九州制圧と大陸交易を管轄する太宰府が設置された。平安時代末期以降の日宋貿易で博多は繁栄し、元寇の時には、かろうじて元・高麗軍を退けた。室町時代には山口の山内氏が勢力を伸ばしたが、戦国時代には諸大名による争乱が続いた。荒廃した博多を復興したのは豊臣秀吉だった。江戸時代には黒田氏の福岡藩52万石、有馬氏の久留米藩21万石、小笠原氏の小倉藩15万石のほか、中小藩が置かれて計八つの藩があった。明治維新の廃藩置県で各藩に県が置かれた後、周辺諸県と統廃合を繰り返して、1876年に現在の福岡県ができた。

国宝／重要文化財の特色

　美術工芸品の国宝は12件、重要文化財は152件である。旧福岡藩主黒田氏伝来の美術品と刀剣が、福岡市博物館と福岡市美術館に寄贈もしくは寄託され、その中に国宝／重要文化財が多く含まれている。また近代に収集された電力実業家松永安左衛門のコレクションも、福岡市美術館に寄贈され、収蔵・展示されている。太宰府に隣接し、日本三戒壇の一つとして戒壇院が置かれた観世音寺に、多数の重要文化財の仏像が安置されている。玄界灘の孤島沖ノ島は航海の守護神として祀られ、かつて奉納されたさまざまな物品が国宝となった。建造物の国宝はなく、重要文化財は39件である。

●金印

　福岡市の福岡市博物館で収蔵・展示。弥生時代後期の考古資料。印面が方形をした金製の印で、1辺の長さ2.35cm、高さ2.25cm、重さ108gである。印文には「漢委奴国王」とあり、中国の史書『後漢書』の記録から、光武帝（前6～後57年）が57年に倭の奴国王に賜った金印と考えられている。方形の印台の上に、蛇身が巻き頭を上にした紐を付ける。蛇身には鱗を表現するかのように、魚々子という極小の円形文様が多数印刻されている。紙が普及する以前、文書には竹簡や木簡を綴じ合わせたものが使用され、そして文書や荷物の発送には、梱包した紐の結び目に検と呼ばれる板をくくり付け、粘土塊で封をして、身分や名前を記した印章を押して封印した。金印は、そのような時に使用される印章だった。「委」は、一般に使われていた「倭」（やまと）の通字で日本を意味し、「奴」の国とは、現在の福岡市や春日市の一帯にあった小国家と推測されている。弥生時代の日本の状況および外交を示す貴重な資料である。金印は博多湾先端に位置する志賀島で1784年に見つかり、発見当時の様子を記述した百姓甚兵衛の口上書とともに藩に届けられ、長らく黒田氏に伝わった。

●平原方形周溝墓出土品

　糸島市の伊都国歴史博物館で収蔵・展示。弥生時代後期の考古資料。平原遺跡は玄界灘を遠望する曽根丘陵上に位置し、ミカン植樹に伴って遺跡が発見され、1965年に調査された。弥生時代から古墳時代の、溝で区画された周溝墓が5基確認され、なかでも1号墓は、大量の銅鏡が出土したことから、中国の史書『魏志倭人伝』に記述された伊都国の王墓と推測されている。1

九州・沖縄地方　261

号墓は東西長さ14m、南北長さ10mの長方形の墳丘に、周りを周溝が取り囲む。墳丘中央に東西長さ4.6m、南北長さ3.5mの主体部があり、中に割竹形木棺を納めた痕跡があった。棺内にはガラスや瑪瑙製の装身具が多数副葬され、女性の使用するピアスのような耳飾りである耳璫もあったため、被葬者は女性と考えられている。主体部の四隅と棺の足元付近に、40面の銅鏡が破砕されて埋納されていた。1号墓から出土したこれらの副葬品が国宝となった。銅鏡は3種類あり、方格規矩鏡32面、内行花文鏡7面、四螭鏡1面である。内行花文鏡には直径46.5cmの国内最大の鏡が5面も含まれていた。巨大な鏡を含む、他を圧倒する数量の鏡の出土はきわめて特殊で、重要な歴史資料である。

● 宗像大社沖津宮祭祀遺跡出土品　宗像市の宗像大社の所蔵。古墳時代から平安時代の考古資料。玄界灘の孤島である沖ノ島は、北部九州沿岸と対馬とのほぼ中間に位置し、朝鮮半島につながる主要航路で必須の指標になったと考えられている。島の南端に宗像大社の沖津宮が鎮座し、社殿背後の巨岩群を中心に、4世紀後半から9世紀まで約500年間にわたって祭祀が行われた。1954〜71年に調査が実施され、調査で出土した遺物と、同遺跡出土として収納されていた伝来品が国宝となった。23か所の祭祀遺跡が確認され、4世紀後半〜5世紀の岩上祭祀、5世紀後半〜7世紀の岩陰祭祀、7世紀後半〜8世紀前半の半岩陰・半露天祭祀、8世紀〜9世紀の露天祭祀へと変化したことが判明している。つまり巨岩を神の依代とみなして巨岩上で祭祀が始まってから、岩陰へ、さらに巨岩から離れて平坦地で祭祀が行われるようになったのである。出土品の特徴も段階を追って、大型古墳の副葬品と類似した多数の鏡、金製指輪や後期古墳の副葬品と類似した滑石製の祭祀用模造品、東西交渉を連想させる唐三彩長頸瓶と金銅製龍頭、日本でつくられた奈良三彩小壷と皇朝銭の富寿神宝へと変化した。大和王権を背景に連綿と続いた渡航安全祈願の祭祀は、遣唐使廃止と同じ頃に衰退していった。

● 梵鐘　太宰府市の観世音寺の所蔵。奈良時代の工芸品。高さ160cmの銅鋳製の梵鐘で、口径に比べて鐘身が高く、胴の張りが少なく長身である。上端の鐘を吊り下げる部分に、双頭の竜頭が大きく口を開けている。鐘身の上部に宝珠形の乳を4段7列に並べた乳の間があり、胴には、横に中帯、縦に縦帯を交差させる袈裟襷の文様がある。交差させた部分に、撞木で撞くための12弁蓮花文の撞座がある。高い位置に撞

座があり、古い様相を示している。鐘身の大きさ、袈裟襷の構成、乳や撞座の形状が京都府妙心寺の梵鐘とほとんど同じで、両者は同じ原型でほぼ同時期に制作されたと推測されている。妙心寺の梵鐘には銘文が鋳出されていて、698年に糟屋評（福岡県糟屋郡）で制作されたと記されている。観世音寺は天智天皇が発願して746年に完成した。梵鐘は創建当時のものだろう。

◎筥崎宮本殿

福岡市にある。室町時代後期の神社。筥崎宮は、もともと八幡大菩薩を祀って筥崎八幡宮といわれ、大分県宇佐八幡宮、京都府石清水八幡宮と関係が深く、三社あわせて三大八幡宮と称した。神仏習合により神宮寺が創建され、多宝塔も建っていた。1274年の蒙古襲来の文永の役をはじめ、たびたび社殿・堂宇が焼失した。現在の本殿と拝殿は1546年に大内義隆が建立し、隣接する楼門は1594年に小早川隆景が建立した。本殿は3間社流造を3棟横に接して並べた横長の9間社流造である。母屋は正面9間、側面2間で、前面に側面1間の庇とさらにもう1間の孫庇が付く。拝殿は本殿の前にあり、縦長で桁行1間、梁間4間、切妻造の妻入りである。拝殿の前にある2階建の楼門は、3間1戸の入母屋造である。正面の柱間に比べて棟が高く、屋根も大きく広がって、豪壮な印象を受ける。

●三池炭鉱宮原坑施設

大牟田市にある。明治時代の鉱業施設。日本最大の炭鉱だった三池炭鉱の坑口の一つである。三池炭鉱が発見されたのは1469年で、江戸時代には三池藩と柳川藩に属していた。1873年に政府官営となり、諸設備を整備して近代的な大規模炭鉱となった。また労働力確保と賃金抑制のため、三池集治監を1883年に設置して囚人を炭鉱で働かせた。1892年に炭鉱は三井鉱山会社に払い下げられた。宮原坑は、1898年に完成した深さ150mの第1竪坑と、1901年に完成した深さ156.9mの第2竪坑からなり、第1竪坑は揚炭・入気・排水を主とし、第2竪坑は人員昇降を主にして、排気・排水・揚炭を兼ねた。宮原坑は年間40〜50万tを出炭する主力坑となったが、囚人たちからは「修羅坑」と呼ばれ恐れられた。1931年に宮原坑は閉坑となり、同年囚人労働も禁止された。木造の第1竪坑は残っていないが、第2竪坑の高さ22.05mの鋼鉄製櫓や、赤レンガ造2階建の巻揚機室などが残っている。炭鉱労働の過酷な実態は、世界記憶遺産となった田川市石炭・歴史博物館所蔵の山本作兵衛の作品に詳しく描かれている。

九州・沖縄地方　263

☞ そのほかの主な国宝／重要文化財一覧

	時代	種別	名　称	保管・所有
1	弥　生	考古資料	◎立岩遺跡堀田甕棺群出土品	飯塚市歴史民俗資料館
2	古　墳	考古資料	◎石盾／石人（八女市岩戸山古墳）	八女市岩戸山歴史文化交流館
3	飛　鳥	彫　刻	◎銅造菩薩半跏像	福岡市美術館
4	平　安	彫　刻	◎木造十一面観音立像	観世音寺
5	平　安	典　籍	●翰苑巻第卅	太宰府天満宮
6	平　安	古文書	●誓願寺盂蘭盆縁起（栄西筆）	誓願寺
7	平　安	考古資料	●銅板法華経	国玉神社
8	鎌　倉	彫　刻	◎木造釈迦如来及両脇侍像	承天寺
9	鎌　倉	古文書	◎大友家文書	柳川古文書館
10	南北朝	絵　画	◎絹本著色玉垂宮縁起	玉垂宮
11	桃　山	絵　画	◎紙本著色泰西風俗図	福岡市美術館
12	桃　山	工芸品	◎花鳥蒔絵螺鈿聖龕	九州国立博物館
13	中国／南宋	絵　画	◎絹本著色大鑑禅師像	聖福寺
14	朝鮮／高麗	工芸品	◎鍍金鐘	志賀海神社
15	平安中期	石　塔	◎多宝千仏石幢	九州国立博物館
16	鎌倉後期	寺　院	◎普門院本堂	普門院
17	鎌倉後期	石　塔	◎七重塔	桜町区
18	桃　山	神　社	◎太宰府天満宮本殿	太宰府天満宮
19	江戸前期〜後期	寺　院	◎善導寺	善導寺
20	江戸中期	民　家	◎横大路家住宅（粕屋郡新宮町）	―
21	江戸中期	石　橋	◎早鐘眼鏡橋	大牟田市
22	江戸後期	神　社	◎香椎宮本殿	香椎宮
23	明　治	文化施設	◎旧福岡県公会堂貴賓館	福岡県
24	明　治	住　居	◎旧松本家住宅（北九州市戸畑区一枝）	西日本工業倶楽部
25	大　正	交　通	◎門司港駅（旧門司駅）本屋	九州旅客鉄道株式会社

染付山水図輪花大鉢

地域の特性

　九州地方の北西部に位置し、北西側は玄界灘、南側は有明海に面している。玄界灘を北方向へ東松浦半島がのびる一方、筑後川下流に形成された筑紫平野（佐賀県側は佐賀平野）を、筑紫山地に属する脊振山地、八幡岳、経ヶ岳、多良岳の山地が取り囲む。県南部の佐賀平野は、クリークと呼ばれる水路が網の目のように走る低平な水田地帯で、臨海部には広大な干拓地と干潟が広がっている。有明海のノリ養殖は全国第1位の生産額を誇っている。県北部では唐津炭田が繁栄していたが、石炭産業の衰退後、近代工業化はさほど進んでいない。伝統的地場産業である唐津・有田の窯業が有名である。

　朝鮮半島や中国大陸に近接した位置にあり、古くから外来文化を摂取する先進性がある。『魏志倭人伝』によると、朝鮮半島から対馬・壱岐を経て最初の上陸地となっていたのは末盧国で、これは現在の松浦と比定されている。中世の元寇の時、防衛で活躍したのは松浦党だった。豊臣秀吉の朝鮮侵略の時には、前線基地として名護屋城が東松浦半島の北端に築城された。そしてこの侵略で朝鮮半島から連れ帰った陶工たちによって、窯業の基礎が確立された。江戸時代には鍋島氏の佐賀藩35万7,000石のほかに中小藩と、対馬藩の飛地、天領が置かれた。江戸時代末期に長崎警護にあたっていた佐賀藩が、反射炉、大砲、汽船を製造して西洋技術の導入に努めた。明治維新の廃藩置県後、1872年に佐賀県が設置されたが、1876年に長崎県に編入されて消滅し、1883年に再び設置された。

国宝／重要文化財の特色

　美術工芸品の国宝は1件、重要文化財は36件である。旧佐賀藩主鍋島氏の伝来品を収蔵・展示する鍋島報效会の徴古館に、国宝／重要文化財が多く収蔵されている。南朝方に関連した東妙寺に重要文化財が多い。特

九州・沖縄地方　　265

別史跡の吉野ヶ里遺跡などから出土した重要文化財の考古資料が、佐賀県立博物館で展示されている。建造物の国宝はなく、重要文化財は13件である。

◎吉野ヶ里遺跡墳丘墓出土品

佐賀市の佐賀県立博物館で収蔵・展示。弥生時代中期の考古資料。吉野ヶ里遺跡は筑後川水系に属し、佐賀平野東部の丘陵上にある。工業団地造成に伴う発掘調査が1986年に始まると、大規模な集落跡が見つかって歴史公園として保存整備された。弥生時代前期から後期の環濠集落、墓地、墳丘墓、古墳時代の古墳と集落、歴史時代の官衙など多数の遺構が確認され、膨大な数量の遺物が出土した。重要文化財に指定されたのは、遺跡北側にある弥生時代中期の、紀元前1世紀に造営された北墳丘墓の甕棺から出土した副葬品である。墳丘墓は南北長さ約40m、東西長さ約27mの長方形で、高さは現在2.5mであるが、元来4.5m以上あったと考えられている。墳丘墓から14基の大型甕棺が見つかり、そのうちの8基から、把頭飾付細形銅剣を含む銅剣8本、ガラス製管玉79個が出土した。墳丘墓は周辺の墳墓群から隔絶された高所にあり、しかもほかの墳墓からほとんど副葬品が出土していないことから、墳丘墓に埋葬された人たちは集落の首長・司祭など、特別な人物だったと推測されている。把頭飾付細形銅剣とは、柄の端部に細長い柳葉状のものを直交させた銅剣で、主に朝鮮南部に分布する。墳丘墓の副葬品は、階層分化と権力の象徴が出現したことを示す物品である。

◎梵網経

三田川町の東妙寺の所蔵。南北朝時代の典籍。梵網経は5世紀頃に中国で撰述された偽経といわれている。菩薩の階位と戒律に関する大乗菩薩戒の根本聖典として尊重され、在家戒として父母、師僧、三宝への孝順を強調する。東妙寺の梵網経は、後醍醐天皇の皇子懐良親王が、母霊照院禅尼の忌を迎えて1378年に写経したものである。長さ10.77mもあり、金銀箔を散らし、金泥で界線を引いた豪華な装飾経である。懐良親王は、南朝の拠点を九州に築くために征西将軍となって、1348年に肥後(熊本県)の菊池武光のもとに本拠を構えた。1361年に太宰府を奪取して10年間南朝の勢力を保ったが、九州探題の今川貞世によって肥後の山間へ追われ、1383年に筑後国矢部(福岡県矢部村)で失意の中で没したと伝えられる。写経の発願は、寂寥とした心境と無縁ではなかっただろう。

◎染付山水図輪花大鉢
有田町の九州陶磁文化館で収蔵・展示。江戸時代前期の工芸品。1640〜50年代に有田の山辺田窯で制作された染付磁器の大皿である。陶磁器は製造する焼成温度によって種類が異なり、土器は800℃前後、陶器は1,000〜1,300℃、磁器は1,300〜1,400℃の温度で焼かれる。日本における磁器生産は、豊臣秀吉の朝鮮侵略の時に連れて来られた李参平ら朝鮮人陶工たちによって、1616年に有田で始まった。1640年代には色絵磁器が出現し、成形や絵付が向上して、朝鮮系の素朴な染付磁器を脱する大きな変化が生じた。染付山水図輪花大鉢は口径39.4cmで、揃いの食器としてではなく、造形に工夫を凝らした一点物の高級品として制作された。高台から口縁部までの内外側面に、波を打つギザギザの輪花（鎬）を一つひとつ篦で削り出している。内面の文様は、中央下部に柳と垣根のある家屋、向かって右側に樹木と岩山、左側に湖に船や魚、岩山、中央上部には小さな月と列をなす雁行が描かれ、風流で緻密な山水図となっている。口縁部と底部周縁部には唐草文様がめぐる。外面の側面中段にも唐草文様をめぐらせる。有田焼の技術革新を示す代表的な作品である。

◎多久聖廟
多久市にある。江戸時代中期の神社。多久は江戸時代に佐賀藩の親類同格だった多久氏の領地で、4代領主多久茂文が儒学を重視して、孔子を祀る聖廟を1708年に建立した。聖廟の位置は中国の故事にならい、北に山を負い、南に仰高門と呼ばれる石造門をかまえ、門の前に泮池を設ける。仰高とは弟子の顔淵が孔子の高徳をたたえた言葉である。また弟子の子貢が孔子の墓に楷を植えたことにちなんで、仰高門の脇に楷樹がある。聖廟は、本堂と、背後に張り出した室と呼ばれる部分からなる複雑な構造である。本堂は桁行3間、梁間3間の入母屋造の本瓦葺で裳階がめぐり、正面に唐破風の1間向拝が付く。柱の下に礎盤があり、全体的に禅宗様の仏殿に似ている。正面唐破風の軒下の妻飾りには一対の大きな鳳凰の彫刻があり、また柱の木鼻を竜頭と象頭の丸彫りにするなど、細部に施されたさまざまな装飾や彫刻が目に付く。背面の裳階に桁行2間、梁間1間の室が連結し、室の奥の張り出した部分に神壇があり、その上に八角形厨子の聖龕が置かれて、中に孔子像が安置されている。中国建築を意識した独特な雰囲気をかもし出す大規模な孔子廟である。

◎山口家住宅
佐賀市にある。江戸時代後期の民家。屋根が口字型をした漏斗造という地域独特の農家で、19世紀初頭の建

九州・沖縄地方　267

造と推定されている。桁行、梁間ともに5間半の正方形をした寄棟造の建物で、屋根は葦葺である。北側中央に表玄関があり、北西側にはウマヤが突出する。内部は縦に二分されて、向かって右側にニワナカ（土間）、左側に4室ある。床上部の4室は、手前にザシキ、中間にアガリバナとナカノネドコの2室が並置され、奥にイタノマがある。この4間取りは、座敷とその奥に台所と納戸を並置させた3間取りから発展したと考えられている。口字型の屋根中央に集められた雨水は、土間の上部に設置された瓦製の樋（テェー）を流れて、右壁屋外下に置かれた木桶に排水するようになっている。漏斗造は筑後川河口付近の干拓地を中心に多く見られ、川打家住宅のような、佐賀平野に分布するくど造の一種と見られている。くど造とは、屋根がコ字型にまわり、かまど（くど）の形をしていることに由来する。直屋の端部に角屋を鉤形（直角）に付けた曲屋を拡張してコ字型のくど造となった。あるいは並列する2棟をつないでコ字型の屋根が発生したと考えられている。いずれにせよ、くど造は佐賀県の代表的民家である。

◎武雄温泉新館及び楼門

武雄市にある。大正時代の観光施設。武雄は古くから温泉地として有名で、江戸時代には佐賀藩の親類同格だった武雄鍋島氏の所有となった。近代に温泉は国有化されたが、払い下げられて柄崎温泉組（現武雄温泉株式会社）の運営となり、鉄道が開通して軍港佐世保や杵島炭鉱の温泉観光地となった。1913年に新しい温泉施設が計画され、日本銀行本店本館や東京駅丸ノ内本屋を設計した唐津出身の辰野金吾の辰野葛西事務所に、設計が依頼された。1915年に楼門と新館が完成した。2階建の楼門は入母屋造の本瓦葺で、初重の両側を袴腰風の漆喰塗白色大壁にした竜宮門形式である。初重中央はアーチ状の大きな通路となり、天井は折上格天井、柱下には礎盤がある。新館は木造2階建の桟瓦葺で、正面玄関車寄を中心に両翼が伸びる。1階後方左右に男女別の脱衣場があり、背面にそれぞれ5銭湯の八角形棟と10銭湯の長方形棟が付く。2階には8畳と12畳の休憩部屋が5室並ぶ。辰野が関与した数少ない和風建築であり、また湯治場を脱して、さまざまな娯楽を兼ね備えた近代的レジャー施設への志向がうかがえる。

🖙 そのほかの主な国宝／重要文化財一覧

	時　代	種　別	名　　　称	保管・所有
1	弥　生	考古資料	◎柚比本村遺跡墳墓出土品	佐賀県立博物館
2	弥　生	考古資料	◎桜馬場出土品	佐賀県立博物館
3	弥　生	考古資料	◎二塚山遺跡出土品	佐賀県立博物館
4	平　安	彫　刻	◎木造阿弥陀如来坐像	蓮厳院
5	平　安	彫　刻	◎木造帝釈天立像	常福寺
6	平　安	彫　刻	◎木造広目天立像・木造多聞天立像	大興善寺
7	平　安	書　跡	●催馬楽譜	鍋島報效会
8	平安～江戸	古文書	◎武雄神社文書	武雄神社
9	平　安	考古資料	◎築山経塚出土瓦経	佐賀県立博物館
10	鎌　倉	彫　刻	◎木造四天王立像	広福護国禅寺
11	鎌　倉	彫　刻	◎木造不動明王及二童子像	永寿寺
12	鎌　倉	彫　刻	◎木造普賢延命菩薩騎象像（康俊作）	竜田寺
13	鎌　倉	彫　刻	◎木造円鑑禅師坐像	高城寺
14	南北朝	工芸品	◎金銅宝塔	実相院
15	江　戸	工芸品	◎色絵山水竹鳥文輪花大皿（鍋島）	鍋島報效会
16	中国／元	絵　画	◎絹本著色見心来復像	萬歳寺
17	朝鮮／高麗	絵　画	◎絹本著色楊柳観音像	鏡神社
18	室町前期	神　社	◎田嶋神社本殿	田嶋神社
19	桃　山	石造物	◎与賀神社三の鳥居及び石橋	与賀神社
20	江戸中期	民　家	◎川打家住宅（多久市西多久町）	多久市
21	江戸後期	民　家	◎吉村家住宅（佐賀市富士町）	－
22	江戸末期	民　家	◎佐賀城鯱の門及び続櫓	佐賀市
23	江戸末期	民　家	◎西岡家住宅（嬉野市塩田町）	－
24	江戸末期	民　家	◎土井家住宅（杵島郡大町町）	－
25	明　治	住　居	◎旧高取家住宅	唐津市

九州・沖縄地方

長崎県

卜骨

地域の特性

　九州地方の北西部に位置し、半島と島嶼からなる。半島には北松浦半島、肥前半島、西彼杵半島、長崎半島、島原半島があり、島嶼には対馬、壱岐、五島列島などおよそ600の島々がある。島嶼と半島に、いずれもリアス海岸が発達して山地が海岸に迫り、平野はわずかしかない。水田は少なく、半島および島の狭小な傾斜地に畑地が営まれている。複雑な海岸線は自然の良港に適し、周辺海域の大陸棚に豊かな漁場が広がって、漁業が盛んである。県北部は佐世保の造船業を核にして工業が発達し、ハウステンボスなどに観光客が集まっている。県南部の長崎には、海外貿易港として日本唯一の長い歴史があり、異国情緒のあふれる観光地としてもにぎわっている。離島では経済力が低く、高齢化や過疎化が深刻になっている。

　古くから日本と大陸とを結ぶ接点に位置し、遣隋使・遣唐使は壱岐・対馬を通って行った。古代律令制の衰退とともに、松浦党の武士団が台頭した。平安時代末期から日宋貿易が盛んになると、倭寇という武装船団が大陸沿岸を襲撃した。室町時代後期には倭寇の活動が拡大し、八幡大菩薩の幟を船首にかかげた八幡船が東南アジアにまで達した。広域な密貿易の活発化によってポルトガル船が平戸に来たのである。江戸時代には五つの中小藩と、長崎の天領があった。明治維新の廃藩置県後に長崎県に統合され、1876年には佐賀県が編入された。1883年に佐賀県が分離されて、現在の長崎県となった。

国宝／重要文化財の特色

　美術工芸品の国宝はなく、重要文化財は33件である。建造物の国宝は3件、重要文化財は33件である。日本の歴史の中で海外との直接交流が最も長く続いた県なので、朝鮮半島、中国大陸、ヨーロッパとの関連性を示す国宝／重要文化財が多い。建造物の重要文化財には、キリスト教の禁教

◎原の辻遺跡出土品

壱岐市の一支国博物館で収蔵・展示。弥生時代の考古資料。壱岐島は対馬と東松浦半島との中間に位置し、『魏志倭人伝』では朝鮮半島から北部九州へ向かう海路の途中で、一大（支）国として登場する。原の辻遺跡は島の南東側、深江田原にのびる丘陵上にあり、近くを流れる幡鉾川を東に1km下ると内海湾に出る。1974年から発掘調査が始まり、調査の結果、繁栄した弥生時代中期から後期の環濠集落に、多数の交易品が往来したことが判明した。遺跡は特別史跡に、主要遺物の1,670点が重要文化財となった。中国・朝鮮からの遺物として鏡、銅剣、車馬具、銭貨、竿秤に用いる分銅の権、金属製鋤先、鉄斧、鉄鏃、朝鮮系無文土器、楽浪系や三韓系の瓦質土器、朝鮮三国系の陶質土器などがある。対する南からの遺物は、畿内、山陰、北部九州、中部九州などでつくられた土器である。土留め用の矢板を打ち込んだ水田跡が発見され、木製の鋤や鍬、えぶり、石包丁、鉄鎌、臼、縦杵、横槌などの農具、釣針、魚を突くための銛、網に使う石錘や浮子などの漁労具も出土している。甕棺に使用された壺の一つに、銛の刺さったクジラと舟とを線刻した捕鯨の図が描かれていた。祭祀占いに用いられたシカやイノシシの肩甲骨の卜骨が出土し、また特異な遺物である人の顔を模した人面石も、祭器だったと考えられている。多種多様な出土品は、交易で栄えた大集落の豊かな暮らしを反映している。

◎対馬宗家関係資料

対馬市の対馬歴史民俗資料館で収蔵・展示。江戸時代から明治時代の歴史資料。宗氏は鎌倉時代から江戸時代まで対馬や北部九州を支配した豪族で、江戸時代には日朝通交貿易を独占した大名だった。宗氏の文書は、対馬藩庁、韓国の釜山にあった倭館、江戸藩邸の3か所で作成され、現在国内外7か所で総数約12万点以上が収蔵されている。莫大な数量の文書が残された理由は、雨森芳洲の唱えた誠信外交を実行するため、記録の作成と活用が重視されたためだった。対馬歴史民俗資料館の文書は対馬藩庁のもので約8万点と最も多く、そのうち16,667点が重要文化財である。対馬藩庁の文書とは、幕府や諸藩との関係記録、宗氏関係の記録、領内統治や各地への伝達事項、控記録などである。朝鮮関係に限らず、藩政に関する詳細な日常記録や、典籍、大名道具、衣装なども長期にわたって保管された。近代になって藩がなくなると、御文庫と呼ばれる収蔵庫に収納され、旧家臣団の人たちに

九州・沖縄地方

よって実質的に管理された。1977年に空調設備の整った資料館が創設されて、御文庫から文書が移された。

◎シーボルト関係資料

長崎市のシーボルト記念館で収蔵・展示。江戸時代後期の歴史資料。ドイツ人医師のフィリップ・フランツ・フォン・シーボルト（1796〜1866年）は、長崎の出島にあったオランダ商館の医師（1823〜29年）として、またオランダ貿易会社顧問（1859〜62年）として2度来日した。滞在中に日本の歴史、地理、風俗、動植物などを幅広く調査するとともに、長崎郊外に開設した鳴滝塾で吉雄権之助らオランダ通詞をはじめ、美馬順三、高野長英、伊東玄朴、高良斎など多数の日本人蘭学者を育成した。任期を終えて帰国の際、1828年にシーボルト事件を起こし、翌年国外追放となった。オランダに帰った後、『日本』『日本植物誌』『日本動物誌』などを刊行して日本研究を大きく進展させた。膨大な収集資料は、現在ライデンやミュンヘンにある。シーボルト記念館にある関係資料は、娘の楠本いねなどに伝わった遺品31点である。シーボルトの処方箋や名刺、書状、ガラス製薬瓶を収納した薬籠、化粧道具小箱、護身用の短銃、眼球模型などがある。なかでも追放された翌年に、妻たきがシーボルトへ贈った嗅ぎ煙草入れの螺鈿合子には、蓋の表に妻たき、裏に娘いねの青貝細工の肖像が描かれ、中に頭髪やいね3歳図などが納められていたという。この華麗な合子は、数奇な運命をたどった家族の心象ともいえるだろう。

●崇福寺第一峰門

長崎市にある。江戸時代前期の寺院。江戸時代初期にキリスト教禁令が厳しくなる中、長崎に3寺の唐寺が建立された。長崎在住の中国福建省福州の商人たちが、故郷から僧超然を招いて1632年に開創したのが崇福寺である。1654年に隠元が来日して黄檗宗を伝え、弟子の即非の時に堂宇が整備されて黄檗宗伽藍となった。山麓の入口には赤色をした竜宮門形式の三門があり、石段を上っていくと第一峰門がある。1644年の建立とされるが、現存する門は浙江省寧波で工作してから船で運び、1696年に建てられたと考えられている。入母屋造の四脚門で、構造、組物、軒回りなどは日本の建築に見られない独特なものである。柱上の四手先の複雑な組物は極彩色で装飾され、正面から見上げると連続する菱形文様のように見える。そのほかにも細部に彫刻、彩色が施され、全体で美麗な装飾文様となっている。第一峰門を抜けると、大雄宝殿と護法堂が相対して建ち、大雄宝殿に隣接して軒廊

を兼ねた媽祖門がある。ほかでは見られない中国風の特色に満ちた伽藍である。

●大浦天主堂

長崎市にある。江戸時代末期の宗教施設。1858年の安政5か国条約の調印で長崎が開港され、外国人居留地が建設された。横浜で天主堂を1862年に建てたパリ外国宣教会のジラール神父が、フューレ神父、プティジャン神父を沖縄から長崎へ派遣して、苦労の末、大浦天主堂が1864年に居留地の隣接地に建てられた。この教会は1597年に処刑された26人の殉教者に献じられた。正面にゴシック風の大小3本の尖塔が立ち、3廊式で正面15m、側面30mと小規模だった。1865年に献堂式が行われた1か月後に、浦上の隠れキリシタンが教会を訪れ、神父に劇的な信仰告白をしてから、布教活動が始まった。しかし当時キリスト教はまだ禁教だったため、キリスト教徒たちは大弾圧を受け、明治新政府になっても流罪が続いた。欧米諸国からの圧力で政府は1873年に禁教を廃止した。布教が合法となり手狭となった教会が、建築に造詣の深いド・ロ神父の関与で拡張され、1879年に完成したのが現在の建物である。2倍の広さに増改築された大浦天主堂は5廊式で身廊部が高く、正面中央に細長い八角尖塔が立ち、簡素な外観である。内部は、板張りの床をボールト天井が覆い、広々とした空間となっている。外人宣教師の指導で日本人によって建てられた洋風建築の代表作品であり、宗教史の明暗も伝える意義深い建物である。

◎旧出津救助院

長崎市にある。明治時代前期の福祉施設。フランス人宣教師マルク・マリー・ド・ロ神父（1840～1914年）は、1868年に来日し1879年から外海に赴任した。当時外海地区は耕地も少なく、人々の生活は貧しかった。そこでド・ロ神父は多彩な才能を発揮して、産業、福祉、土木、建築、医療、開拓、教育文化など総合的慈善事業を推進した。旧出津救助院はフランス式に建てられ、日本建築のように貫ではなく、ナットやボルトを多用して柱や梁を固定している。主施設の授産所は1883年に建てられ、2階建寄棟造で桁行19.4m、梁間5.2m、四周は赤土を混ぜた漆喰を目地に用いた石積み壁で、「ド・ロ壁」と呼ばれている。洋風技術を基本に地域的条件が勘案された、独自の建築方法で建てられている。福祉施設としても珍しい。

九州・沖縄地方　273

☞ そのほかの主な国宝／重要文化財一覧

	時代	種別	名称	保管・所有
1	旧石器	考古資料	◎泉福寺洞窟出土品	佐世保市博物館島瀬美術センター
2	縄文	考古資料	◎佐賀貝塚出土品	対馬市峰町歴史民俗資料館
3	古墳	考古資料	◎笹塚古墳出土品	一支国博物館
4	飛鳥	彫刻	◎銅造如来立像	明星院
5	平安	彫刻	◎木造千手観音立像	観音寺
6	鎌倉	絵画	◎絹本著色不動明王三童子像	清水寺
7	鎌倉〜桃山	古文書	◎小田家文書	対馬歴史民俗資料館
8	室町	工芸品	◎梵鐘（旧清玄寺）	対馬市
9	桃山	絵画	◎紙本金地著色泰西王侯図	長崎県立美術博物館
10	江戸	典籍	◎珠冠のまぬある（吉利支丹版長崎刊）	カトリック長崎大司教区
11	江戸	歴史資料	◎安政二年日蘭条約書	長崎歴史文化博物館
12	朝鮮／高麗	絵画	◎絹本著色仏涅槃図	最教寺
13	朝鮮／高麗	工芸品	◎金鼓	多久頭魂神社
14	朝鮮／李朝	古文書	◎朝鮮国告身	―
15	オランダ／19世紀	歴史資料	◎竪削盤	三菱重工業株式会社長崎造船所史料館
16	江戸前期	石橋	◎眼鏡橋	長崎市
17	江戸中期	寺院	◎聖福寺	聖福寺
18	江戸中期	寺院	◎清水寺本堂	清水寺
19	江戸中期	民家	◎旧本田家住宅（長崎市中里町）	長崎市
20	江戸中期	居住地	◎旧唐人屋敷門	長崎市
21	江戸末期	住宅	◎旧グラバー住宅（長崎市南山手町）	長崎市
22	江戸末期	民家	◎主藤家住宅（対馬市厳原町）	―
23	明治	商業	◎旧香港上海銀行長崎支店	長崎市
24	大正	土木	◎旧佐世保無線電信所（針尾送信所）施設	国（文部科学省）
25	昭和	住居	◎旧鍋島家住宅	雲仙市

熊本県

通潤橋

地域の特性

　九州地方の中西部に位置し、西側北は島原湾、南は八代海に面し、西側中央から宇土半島が突出して、その先に天草諸島がある。県中央を東西に中央構造線が走り、この線の北側東部に阿蘇山、北部に筑肥山地が横たわる。菊池川、白川、緑川、球磨川などの河川流域に菊池（玉名）平野、熊本平野、八代平野が広がっている。構造線の南側に九州山地が北西から南東へのび、人吉盆地をはさんで、南端で国見山地が東西にのびている。県央部の熊本は古くから政治・経済・文化の中心地で、近年は先端技術産業が積極的に進められている。八代海沿岸では臨海工業が発達したが、水俣では公害問題が現在も尾を引いている。巨大カルデラ火山の阿蘇地域では、高原を利用した畜産が盛んで、また日本有数の観光地でもある。球磨焼酎で有名な人吉盆地は、歴史に富んだ地域である。

　畿内大和王権との関係を銀象嵌の金石文で示す大刀が江田船山古墳から出土し、古くから有力な豪族がいたと推測されている。古代律令制の衰退とともに、荘園を母体とする阿蘇氏、菊池氏などの武士団が台頭した。南北朝時代に菊池氏は南朝側に付いて活躍したが、両朝合一後に衰退した。戦国時代には争乱が続き、南から島津氏が攻めてきた。豊臣秀吉の九州平定後に佐々成政、加藤清正、小西行長が領主となった。江戸時代に細川氏の熊本藩54万石と三つの小藩、天草の天領が置かれた。明治維新の廃藩置県後、1873年に白河県に統合され、1876年に県名が白河県から熊本県に改称された。1877年の西南戦争の時に熊本城は攻囲され、天守が焼失した。

国宝／重要文化財の特色

　美術工芸品の国宝はなく、重要文化財は38件である。建造物の国宝は1件、重要文化財は29件である。旧熊本藩主細川氏伝来の美術品は、主に東京都の永青文庫に収蔵され、多数の国宝／重要文化財が含まれている。

2016年の熊本地震では文化財にも大きな被害が生じた。なかでも倒壊した熊本城、阿蘇神社の無残な姿が全国に報じられた。

◎阿弥陀如来坐像

人吉市の願成寺の所蔵。鎌倉時代前期の彫刻。願成寺は、遠江（静岡県）出身で人吉球磨地方を鎌倉時代から江戸時代まで統治した相良氏の菩提寺で、1233年に創建された。阿弥陀如来坐像は像高110.8cmで、檜材の寄木造である。ふくよかな頬をした穏やかな顔貌は平安時代後期の様相を示すが、細目をややつり上げて厳しい表情もうかがえる。両肩を衲衣でおおった通肩で、浄土に使者を迎える来迎印を結んで蓮華座に坐す。衣文や体部の写実的手法に鎌倉時代前期の特色が見られる。この仏像は、多良木町戸井口にあった妙法寺、もしくは深田町勝福寺の本尊だったが、普門寺に安置され、さらに相良頼寛によって1658年に願成寺金堂へ移されたと伝えられている。鎌倉時代前期の人吉地方の繁栄を示す仏像である。

◎天草四郎時貞関係資料

天草市の天草キリシタン館で収蔵・展示。江戸時代前期の歴史資料。1637～38年に起きた島原の乱で、首領となった益田時貞（天草四郎）が使用していたとされる指物（陣中旗）である。16世紀後半に天草にキリスト教が伝わり、1587年の豊臣秀吉による伴天連追放令後も、天草ではキリシタンが保護された。教育機関が移されて印刷機で書物を出版するなど、天草は一大拠点となった。しかし1613年の禁教令以降、天草のキリシタンも弾圧されるようになった。1637年10月に対岸の島原で強圧的支配に対して一揆が起こり、ほぼ同時に天草も蜂起した。合流して約3万7,000人となった一揆勢は、島原南部の原城跡に籠城したが、翌年2月27・28日に幕府側13万人による総攻撃で粉砕された。指物は縦横108.6cmの正方形した聖体秘跡図である。生糸で織られた菊花文様のある白綸子の布を用いて、中央に聖杯、その上に十字架の付いた円形の聖餅、そして聖杯の左右に合掌する有翼の天使を、西洋画の陰影法の技法で描く。上部には「至聖なる聖体は賛美せられ給え」という讃語が、中世ポルトガル語で横書きされている。血痕やキズがある。「聖体の組」という信徒組織（コンフラリア）の旗であったが、禁教令で秘蔵されていたのを軍旗に転用したと考えれている。2月28日の総攻撃で佐賀鍋島藩の鍋島大膳が一揆勢から奪い取り、その後20世紀中頃まで子孫の間で所持された。所有者の変遷後、1995年に本渡市（当時）に寄贈された。

◎明導寺（城泉寺）九重石塔

湯前町にある。鎌倉時代前期の石塔。城泉寺は鎌倉時代前期に建立され、近代になって廃寺となったが、仏堂と仏像、石塔が残っていた。阿弥陀堂は1229年に建てられ、浄心寺と称した。方3間の寄棟造で大きな茅葺屋根が目立つ。正面3間は桟唐戸で周りに縁がめぐり、素朴で静かな外観である。中に1229年作の阿弥陀如来及両脇侍像が安置され、宋風の写実的手法が注目されている。境内には九重石塔と七重石塔が立っていて、ともに沙弥浄心が1230年に建立したことが、両塔の初重にある銘文に記されている。浄心が誰なのかは不明である。各重の塔身四面に仏坐像が浮彫され、また屋根の軒裏には垂木を2段にした二軒を表現する段差が付けられ、四隅の隅木も削り出されるという、装飾の施された石塔である。かつて十三重塔も並んで立っていたのだが、米氏によって八代市植柳元町に移築されたため、現在はレプリカが建っている。この塔にも各重の塔身四面に阿弥陀如来坐像が浮彫され、そして各重の隅木の先に、歯をむき出して髪を逆立てる人吉地方独特の鬼面が彫刻されている。阿弥陀堂、阿弥陀三尊像、3基の石塔は、三者一体となって鎌倉時代前期の浄土信仰の優れた作品となっている。

●青井阿蘇神社

人吉市にある。桃山時代の神社。青井阿蘇神社は、長らく人吉地方を統治した相良氏の氏神として崇敬され、現在の社殿は1610年に建てられた。本殿、廊、幣殿、拝殿が直線状に接して並び、前方に楼門がある。2階建の楼門は3間1戸で、大きな寄棟造の茅葺屋根の上に千木がある。柱を黒漆塗り、柱上の組物を赤漆塗りにして、2層目の四周に高欄付きの縁をめぐらす。縁の下の琵琶板には飛天や二十四孝などの透彫がある。1層目の平坦な板張りの鏡天井には、退色して見えにくいが、竜の絵が描かれている。2層目の柱上の組物は、先端が伸びた尾垂木付きの三手先で、屋根軒裏の四隅には、隅木と尾垂木との間に人吉地方特有の鬼面の彫刻がある。拝殿は桁行7間、梁間3間、寄棟造の茅葺で、正面に銅板葺の唐破風の向拝が付く。拝殿の後方に接続する幣殿も寄棟造の茅葺で、柱間は板戸の窓となり、窓の上の小壁に草木模様の装飾がある。幣殿の後方に竜の彫刻が付いた短い廊がある。本殿は3間社流造の銅板葺の屋根で、高欄付きの縁が背面を除く三方に回る。黒漆塗りの柱間に赤色の桟がＸ字型に交差するのが特徴的である。総じて社殿は、棟の高い急勾配の茅葺屋根に、柱や梁、壁などの黒漆塗りと、柱

九州・沖縄地方　277

上の組物の赤漆塗りとがコントラストを見せ、さらに彩色されたさまざまな装飾が細部に施されている。

◎通潤橋

山都町にある。江戸時代末期の石橋。通潤橋は、熊本県東部にある三方を河川と低地で囲まれた白糸台地へ、水を送る灌漑用水路（通潤用水）の一部としてつくられた水路橋である。白糸台地は約8.4km^{2}の広さで、地下水位が約20mと深かったので畑作が中心だった。そこで惣庄屋だった布田保之助が、笹原川から取水して、五老ヶ滝川の上を渡して白糸台地上部に水を送り、台地全体に水を行き渡らせる用水路建設を計画した。この五老ヶ滝川の上にかけられた水路橋が通潤橋で、1854年に完成した。石造単アーチ橋で長さ約76m、水面からの高さ約20.2m、アーチの半径約26.5m、幅は約6.3mで3列の通水管が通っている。橋をできるだけ低くするためにサイフォンの原理が応用され、通水管の取入口は橋の上面よりも約7.6m高い位置に、そして橋を渡った吹上口は橋の上面よりも約6.5m高い位置にある。また漏水を防ぐため、試行錯誤の結果、通水管は石管を漆喰でつなぐことになった。延長30kmの用水路の完成で約100haの新しい水田ができ、水の供給は現在も続いている。通水管にたまったゴミや泥の排出を目的に、毎年秋に、美しいアーチ橋の中央から放水が行われる。

◎旧玉名干拓施設

玉名市にある。明治時代の土木施設。有明海の菊池川河口付近に築かれた海面干拓施設である。菊池川河口の干拓は中世から始まり、加藤清正が肥後国領主の時に菊池川の流路が変更され石塘（つつみ、どて）が築かれて、大規模干拓の基礎ができた。江戸時代には熊本藩主細川氏や家老の有吉氏によって開拓が続いた。近代になると個人でも干拓が可能となり、大地主共同による干拓が進められた。戦後に農林省の直轄事業として国営横島干拓が実施され、1967年に潮止め工事が完了してから、新たな干拓は実施されていない。古い干拓施設は道路や水路に改修され残存が悪いが、保存状態の良い1893～1902年に完成した末広開の堤防と樋門、明丑開、明豊開、大豊開の堤防が重要文化財になった。4か所の堤防は合わせて約5kmの長さにわたる。高さ約2～3mの城壁のような石積みが連続し、堤防上端には波返しが付いている。先人たちの努力がしのばれる大きな建造物である。

☞ そのほかの主な国宝／重要文化財一覧

	時代	種別	名　　称	保管・所有
1	弥生	考古資料	◎台付舟形土器	熊本市塚原歴史民俗資料館
2	古墳	考古資料	◎免田才園古墳出土品	熊本県立美術館
3	奈良後期～平安後期	古文書	◎浄水寺碑	豊野神社
4	平安	彫刻	◎木造毘沙門天立像	高寺院
5	平安～江戸	古文書	◎阿蘇家文書	熊本大学
6	鎌倉	絵画	◎絹本著色伝北条時定像	満願寺
7	鎌倉	彫刻	◎木造阿弥陀如来及両脇侍立像	青蓮寺
8	鎌倉	典籍	◎日本紀竟宴和歌	本妙寺
9	鎌倉	古文書	◎寒巌義尹文書	大慈寺
10	南北朝	彫刻	◎木造僧形八幡神坐像	藤崎八旛宮
11	南北朝～室町	古文書	◎紙本墨書広福寺文書	広福寺
12	室町	絵画	◎絹本著色伝菊池能運像	菊池神社
13	室町	彫刻	◎木造薬師如来立像	医王寺
14	中国／明	考古資料	◎浜御所跡出土品	熊本県立美術館
15	鎌倉前期	寺院	◎明導寺阿弥陀堂	明導寺
16	室町後期	寺院	◎青蓮寺阿弥陀堂	青蓮寺
17	室町後期	神社	◎六殿神社楼門	六殿神社
18	桃山～江戸後期	神社	◎岩屋熊野座神社	岩屋熊野座神社
19	桃山～江戸末期	城郭	◎熊本城	国（文部科学省）
20	江戸前期	寺院	◎生善院観音堂	生善院
21	江戸前期～中期	神社	◎老神神社	老神神社
22	江戸後期	民家	◎桑原家住宅（球磨郡錦町）	錦町
23	江戸末期	神社	◎阿蘇神社	阿蘇神社
24	江戸末期	交通	◎細川家舟屋形	永青文庫
25	明治	学校	◎旧第五高等中学校	熊本大学

九州・沖縄地方

大分県

古園石仏

地域の特性

　九州地方の北東部に位置し、東側は瀬戸内海の周防灘と豊後水道に面している。中央構造線が佐賀関半島から南西方向にのび、その北側に筑紫山地、国東半島、九重山、南側に九州山地が横たわる。山地や高原が多く、平地は大分平野と中津平野、日田盆地など少ない。周防灘に面する県北部では城下町の中津が栄え、駅館川下流の宇佐地方から国東半島にかけて独特な文化が花開いた。県央部には大分平野が広がり、政治・経済・文化の中心で近代工業化も進んでいる。別府は温泉場として、世界的観光保養地となった。県西部は山間地で、日田地方では木材加工業、玖珠地方では牧野がひらけて豊後牛の生産が盛んである。県南部のリアス海岸湾奥の港町では、造船業や漁業が営まれている。

　宇佐八幡宮を中心に、国東半島では古くから神仏習合の信仰心が篤かった。平安時代には天台宗に関連した山岳宗教色が強まり、六郷満山と総称される65か所の寺院があった。鎌倉時代に大友能直が守護となり、以後約400年にわたって大友氏の統治が続いた。戦国時代に大友氏21代宗麟が北部九州を支配する大大名となり、彼は海外交易に力を入れ、キリスト教布教も許可して自身も入信した。しかし薩摩の島津氏との対決に敗れて、大友氏は衰退した。江戸時代には多数の中小藩、天領、旗本領、飛地領が置かれた。明治維新の廃藩置県後、隣接県との統廃合を繰り返して、1876年に現在の大分県ができた。

国宝/重要文化財の特色

　美術工芸品の国宝は2件、重要文化財は54件である。建造物の国宝は2件、重要文化財は30件である。宇佐神宮をはじめ、六郷満山の諸寺院で栄えた国東半島周辺に国宝/重要文化財が多く分布している。ほかの地方では見られないほど、多様で豊富な石造文化財が残っている。そのほかに、

大友氏や歴代城主から庇護を受けた柞原八幡宮（ゆすはらはちまんぐう）に、多数の重要文化財がある。

◉臼杵磨崖仏（うすきまがいぶつ）　臼杵市（うすきし）の所有。平安時代から鎌倉時代の彫刻。臼杵川流域の丘陵山裾にある日本最大規模の磨崖仏（まがいぶつ）である。古園石仏（そのせきぶつ）、山王山石仏（さんのうざんせきぶつ）、ホキ石仏第1群、ホキ石仏第2群の4群からなり、総計59体が阿蘇溶岩でできた熔結凝灰岩層（ようけつぎょうかいがんそう）に彫られている。造立に関する資料はほとんどなく、仏像の様式などから平安時代後期から鎌倉時代の年代と考えられている。向かって左側の東側斜面にある古園石仏は大きな大日如来坐像（だいにちにょらいざぞう）を中心に、左右に如来、菩薩、明王（みょうおう）、天部が整然と並び合計13体で構成されている。大日如来像は像高約3mの丈六（じょうろく）で、ふっくらとした頬に端正な顔貌である。金剛界の大日如来とされ、古園石仏は密教曼荼羅（まんだら）を意味して臼杵石仏の中核とされている。山王山石仏も大きな如来坐像を中心に、左右に仏坐像を配した3尊からなる。右側の谷奥にホキ石仏第1群があり、3か所の龕（がん）にそれぞれ如来三尊像と、1か所の龕に地蔵十王像がある。谷手前にホキ石仏第2群があり、第1龕も大きな丈六の阿弥陀如来坐像（だにょらいざぞう）を中心とする阿弥陀三尊像、第2龕は9体の阿弥陀如来像を主体とする九品阿弥陀（くほんあみだ）である。かつて古園石仏の大日如来像は、頭部が落下したまま横に置かれ、胴部も剥落して残片が四散するなど、石仏の多くは損傷がひどかった。1980年から14年間かけて保存修復工事が行われ、面目を一新して、古代の優れた石造彫刻が再現された。

◉熊野磨崖仏（くまのまがいぶつ）　豊後高田市の所有。平安時代から鎌倉時代の彫刻。国東半島（くにさきはんとう）の山中にあり、付近は熊野権現の森となっている。麓の胎蔵寺（たいぞうじ）から石鳥居を抜けて、乱積みの険しい石段を上った場所に熊野社があり、石段途中の凝灰岩（ぎょうかいがん）の巨岩壁に、西南に面する大きな磨崖仏（まがいぶつ）が2体刻まれている。造立年代は、史料や仏像の様式などから、平安時代後期から鎌倉時代初期と考えられている。如来形像と不動明王及二童子像（にょうおうおよびにどうじぞう）で、いずれも頭部と胴上部だけを彫り、腹部から下のない半立像（はんりゅうぞう）である。如来形像は像高6.8mで、頭部の螺髪（らほつ）がくっきりと隆起し、肉髻（にくけい）は高くない。四角い顔で口をへ字型に結んでいる。半円形の光背を薄く彫り出し、見えにくいが、光背の上に種字（しゅじ）（梵字（ぼんじ））で仏を表現した種字曼荼羅（しゅじまんだら）が3面刻まれている。中央が理趣経曼荼羅（りしゅきょうまんだら）、左右が胎蔵界曼荼羅（たいぞうかいまんだら）と金剛界曼荼羅（こんごうかいまんだら）とされ、修験道思想との関連性が指摘されている。不動明王像は像高8mで、弁髪（べんぱつ）を左側に垂らし、右手に剣、左手に索を持つ。両眼が飛び出して広が

九州・沖縄地方　281

った鼻、下ぶくれの顔貌をして、不動明王像に通例見られる激しく怒る忿怒相というよりも、温和でユーモラスな表情である。2童子像は存在が見分けられないほど、ほとんど摩滅している。

◎**銅鐘** 竹田市の竹田市立歴史資料館で収蔵・展示。西洋／17世紀前半の工芸品。1612年頃に製造されたキリシタンの鐘である。銅製ベル型をして高さ80.5cm、口径66.0cm、重量108.5kgである。表面の中位やや上に十字型の記号があり、下位に HOSPITAL SANTIAGO 1612 の銘文があるので、サンチャゴ病院にあった鐘とされ、通称サンチャゴの鐘と呼ばれている。サンチャゴ病院とは、長崎にあった慈善院（ミゼリコルディア）の附属病院で、一般の病人や癩病人を収容していたが、両院とも1620年に長崎奉行長谷川権六の命で破壊されたと記録されている。鐘は大分の岡藩中川氏の岡城に移されて秘蔵され、明治維新後に城の取り壊しで発見されて、竹田市拝谷原の中川神社の所有となった。長崎から大分に移された経緯は不明である。大分はキリシタン大名だった大友宗麟の領地で、竹田市にはキリシタン文化の文化財が多い。

●**富貴寺大堂** 豊後高田市にある。平安時代後期の寺院。富貴寺は宇佐八幡宮大宮司の宇佐氏によって創建され、代々庇護を受けたとされる。大堂は12世紀後半の建立と推定され、京都府平等院鳳凰堂や岩手県中尊寺金色堂と同じく、阿弥陀如来を安置する阿弥陀堂である。桁行3間、梁間4間の宝形造で、屋根は丸瓦の一端を細めて重ねてゆく行基葺である。正面3間の柱間に板扉、大面取の角柱、柱上の組物を大面取の舟肘木にして、屋根の軒が長い簡素で優美な外観である。側面前方2間と背面中央1間を板扉にして、そのほかの柱間は板壁である。内部は、やや後方に円柱の四天柱を立てて内陣とし、高欄付き須弥壇を設けて阿弥陀如来坐像を安置する。内陣の天井は折上小組格天井、外陣は小組格天井である。須弥壇を中心に内陣、外陣の板壁には壁画が描かれている。宇佐市の大分県立歴史博物館で実物大のレプリカが復元され、創建当時の色鮮やかな仏教壁画を見ることができる。須弥壇後方の来迎壁には極楽浄土を描いた阿弥陀浄土変相図、来迎壁の裏側には千手観音と28部衆図、四天柱には上下3段にわたって菩薩・天部・明王70数体の密教諸尊が描かれている。外陣上部の横長の小壁には、東に薬師、南に釈迦、西に阿弥陀、北に弥勒の4仏浄土図がある。浄土教の主題に、密教的要素の含まれた平安時代後期の代表的な阿弥陀堂である。

●宇佐神宮本殿

宇佐市にある。江戸時代末期の神社。宇佐八幡宮と呼ばれ、神仏習合の宮寺だった。八幡神を祀り古くは社地を転々としたが、782年に小椋山の現在地に移されたと伝えられる。現在の本殿は1855～61年の間に造営され、第1殿、第2殿、第3殿の3社殿が東西に接近して並ぶ。それぞれの社殿は同じ形態をしていて、ほぼ同形同大の切妻造の桁行3間、梁間1間の外院と、桁行3間、梁間2間の内院とを、軒を接続させて一体化させている。平面では桁行3間、梁間4間の建物のようだが、実際には切妻造の屋根が前後に2棟並列している。両院の四周に高欄付き縁をめぐらし、中央の第2殿を除いて、左右の社殿正面に階段がある。外院正面を蔀戸とし、両院の外側は白壁である。八幡宮は隼人の反乱や藤原広嗣の乱などの鎮圧で中央から尊崇を受け、また東大寺の守護神として手向山八幡宮となって奈良に移されるなど、社格も上げられた。738年には弥勒寺が建立され、国東半島に六郷満山が設けられて、神仏習合の大きな霊場が形成された。平安時代には京都に石清水八幡宮が創設され、さらに八幡神を信仰する源氏によって鎌倉にも八幡宮が建てられて、八幡信仰は全国に広まった。明治維新の廃仏毀釈で宇佐神宮と改称し、六郷満山は独立、弥勒寺は廃絶となった。

◎白水溜池堰堤水利施設

竹田市にある。昭和時代の土木施設。通称白水ダムと呼ばれる。大分県南西部を流れる大野川から灌漑用水路の富士緒井路へと水を送るダムで、1938年に完成した。富士緒井路は1914年に完成して約388haの農地を潤したが、1924年に水不足が起き、そこで安定して水を供給するため白水ダムが計画された。白水ダムは、コンクリート造および割石造の越流式重力ダムで、主堰堤と副堰堤からなる。付近は阿蘇溶岩でできた脆弱な岩盤なので、落下する水圧から川底や壁面を保護するため、水流の減圧が必要だった。主堰堤は高さ14.1m、長さ87.26mで、右岸側は曲線状の湾曲した石組、左岸側は階段状の石壁にして水圧を分散させた。荒い切石を積み上げた堤体の斜面を水が落ち、水泡となって水の勢いが弱まる。水の落下する様子は白いカーテンのような美しい眺めである。灌漑用ダムでありながら、山間の自然の中で芸術的造形美を見る思いである。

☞ そのほかの主な国宝 / 重要文化財一覧

	時代	種別	名　称	保管・所有
1	弥生	考古資料	◎吹上遺跡出土品	大分県立歴史博物館
2	古墳	考古資料	◎免ヶ平古墳出土品	大分県立歴史博物館
3	飛鳥	彫刻	◎銅造仏像（社伝阿弥陀如来立像）	柞原八幡宮
4	平安	彫刻	◎木造弥勒仏及両脇侍像	大楽寺
5	平安	彫刻	◎木造阿弥陀如来坐像	真木大堂
6	平安	彫刻	◎木造僧形八幡神坐像	奈多宮
7	平安	考古資料	◎銅板法華経	長安寺
8	鎌倉	彫刻	◎木造十一面観音立像（観音堂安置）	永興寺（日田市）
9	鎌倉	工芸品	●孔雀文磬	宇佐神宮
10	南北朝	絵画	◎絹本著色放牛光林像	龍祥寺
11	南北朝	彫刻	◎木造足利尊氏坐像	安国寺
12	南北朝	彫刻	◎羅漢寺石仏	羅漢寺
13	江戸	絵画	◎紙本淡彩稲川舟遊図（田能村竹田筆）	大分県立美術館
14	江戸	絵画	◎三浦梅園遺稿	三浦梅園資料館
15	鎌倉前期	石塔	◎九重塔	川野岳人・外25名
16	鎌倉後期	寺院	◎龍岩寺奥院礼堂	龍岩寺
17	鎌倉後期	石塔	◎岩戸寺宝塔	岩戸寺
18	室町前期	寺院	◎神角寺本堂	神角寺
19	室町中期	寺院	◎善光寺本堂	善光寺
20	室町後期	寺院	◎泉福寺仏殿	泉福寺
21	江戸後期	神社	◎柞原八幡宮	柞原八幡宮
22	江戸後期	民家	◎旧矢羽田家住宅（日田市大山町）	日田市
23	江戸後期	石橋	◎虹澗橋	臼杵市／豊後大野市
24	明治	病院	◎旧日野医院	日野病院運営委員会
25	大正	住居	◎旧成清家日出別邸	日出町

宮崎県

衝角付冑と短甲

地域の特性

　九州地方の南東部に位置し、東側は太平洋にのぞむ。北から北西側にかけて九州山地が連なり、南西側に霧島火山群、南側に鰐塚山地があり、概して山地が多い。平地には、日向灘に東流する小丸川、一ッ瀬川、大淀川によって形成された宮崎平野と、霧島火山群を取り囲むように加久藤盆地、小林盆地、都城盆地がある。県北部ではほぼ全域を山地が占め、人口は少ない。延岡では化学工業が進んでいる。県央部には宮崎平野が広がり、政治・経済・文化の中心で、近郊農業や果樹栽培、畜産が盛んである。県南部では農業を主体に果樹栽培、林業、畜産が営まれ、美しい自然景観を資源に、観光も重要な産業となっている。

　天孫降臨の地ともいわれ、神話や伝説が多い。西都原古墳群は300基以上の古墳からなり、勢力のある豪族が存在したと考えられている。古代律令制の衰退とともに、島津荘、宇佐八幡宮領、国富荘などの大規模な荘園が発達した。室町時代には伊東氏、土持氏、島津氏による勢力争いが続いた。戦国時代には北から侵入する大友氏を島津氏が破ったが、島津氏は豊臣秀吉に敗北した。江戸時代には四つの小藩と、薩摩藩領、人吉藩領、天領などがあった。明治維新の廃藩置県後、1873年に宮崎県ができた。1876年に鹿児島県に編入されて消滅し、1883年に再び宮崎県が設置された。

国宝／重要文化財の特色

　美術工芸品の国宝はなく、重要文化財は9件である。建造物の国宝もなく、重要文化財は9件である。宮崎県の国宝／重要文化財の件数は全部で18件しかなく、全国で最も少ない。重要文化財に指定された寺院建築はなく、仏像もわずかしかない。明治維新前後の廃仏毀釈で、大量の仏像・仏具、堂宇が破却されたことが、現存する古美術品や古建築の少ない原因の一つだろう。薩摩藩の影響を受けて佐土原藩、高鍋藩、延岡藩、飫肥藩

九州・沖縄地方　　285

で排仏廃寺が断行された。その流れは明治維新後の1871～73年にピークに達し、県内650か所以上の寺院が廃仏毀釈の打撃を受けたという。その一方で、地方の小さな神社から宮崎神宮、霧島六社権現の一つから霧島神宮、鵜戸山仁王護国寺から鵜戸神宮へと神社の創建・改称が続いて、高千穂の神下る天孫降臨の地というイメージが強化されたのである。

◎島内地下式横穴墓群出土品

えびの市の歴史民俗資料館で収蔵・展示。古墳時代の考古資料。宮崎県南西部の加久藤盆地中央を流れる川内川流域に、地下式横穴墓群が多数分布している。島内地下式横穴墓群は盆地内西側に位置し、東西650m、南北350mの範囲に分布し、2012年4月までに横穴墓131基が調査された。調査されたのは推定数の約1割強とされる。地下式横穴墓とは、地表から下へ竪坑を掘り、竪坑の底から横へ埋葬施設である玄室を設けて、竪坑の上部もしくは玄室前の羨門を板石や土塊で塞いだ墓で、南部九州に分布する地域的墓制である。横穴墓群から多数の副葬品が出土し、300体を超える人骨も確認された。出土品は短甲、冑、鉄刀、銀象嵌龍文大刀、鉄剣、蛇行剣、鉄鉾、鉄鏃、鉄鎌、刀子、鉄斧、鉇、鑿、骨鏃、轡、辻金具、雲珠、杏葉、耳環、銅鈴、ガラス小玉、水晶製切小玉、貝釧、砥石などで、武器・武具が多数を占める。古墳の副葬品としてよく見られる農具や土器、鏡が含まれていない点が特徴とされる。重要文化財となったのは1,029点で、その大半が金属製の武器・武具である。遺物や横穴墓の類型から、横穴墓群は5世紀前半から6世紀に造営されたと考えられている。前方後円墳が築造されなかった川内川流域で、大和王権との関係を示す在地勢力の特殊な副葬品である。

◎薬師如来及両脇侍像

宮崎市の王楽寺の所蔵。鎌倉時代前期の彫刻。薬師如来坐像を中心に日光・月光菩薩立像からなる三尊像である。薬師如来坐像は像高85cmで、左手に薬壺を持ち、右の股の上に左足をおく結跏趺坐で、右肩を露出させた偏袒右肩に衣をかけている。くっきりとした円弧の眉にややつり上がった細い眼をし、顎のふくらんだ角ばった顔貌である。堂々とした体部を明瞭な衣文がおおう。両脇侍像は2体とも像高102cmで、それぞれ日輪と月輪を両手で持ち、足をやや浮かし、腰をひねる。頭上の宝髻を高く結い上げ、丸い顔貌の柔和な表情である。上半身は天衣と条帛をまとい、下半身には裳を着ける。薬師如来坐像は威厳のある重厚感を感じさせ、両脇侍像は優雅な雰囲気で

ある。鎌倉時代前期の写実的表現がうかがえる。

◎朝鮮国王国書

都城市の都城島津邸で収蔵・展示。朝鮮／李朝時代の歴史資料。朝鮮国王燕山君が1500年に琉球国王尚真へ宛てた外交文書である。縦58.1cm、横118.4cmの大型で厚い朝鮮製楮紙に、小さい文字の漢文体で書かれている。書契というスタイルの文書で、最初に朝鮮国王の名前と印、次に琉球国王の名前、本文、日付、最後に再び朝鮮国王の名前と印となり、全部で12行からなる。押された印の印文は「為政以徳」（徳を以て政を為す）とあり、朝鮮国王の私印である。本文の内容は、1497年に朝鮮南方（済州島）に船が漂着し琉球人が10人乗っていた。不幸にも6人死亡したが、生存する4人を対馬人に渡航費用を与えて送還を託したので、彼らが帰ってもとの生活に戻れれば幸甚ですという、漂流民の安否と出国を伝えている。当時、東アジアでは倭寇が盛んに活動し密貿易も活発だった。東アジアでの外交文書が少ない中、朝鮮国王が丁寧な対応をとったことを示す史料である。この文書は琉球国王宛ての国書であるから、本来ならば沖縄で伝わる文書である。沖縄ではなく、薩摩島津氏の分家都城島津氏に伝来した理由がいくつか推測されている。家臣の向井新左衛門が1750年にこの国書を都城島津氏へ献上したのだが、向井氏は、中世に明から日本へ渡航する船の警固をしていた野辺氏の一族だった。野辺氏は警護銭を支払わなければ荷物を奪う海賊行為も行っていたので、その際に入手したのかもしれないという説がある。また1609年に島津氏が琉球王国を侵攻した際に都城島津氏も従軍し、向井氏も参加していたので、侵攻の行賞として入手したという説もある。

◎神門神社本殿

美郷町にある。江戸時代前期の神社。7間社流造の社殿で1661年に建てられた。特殊な平面構造をしていて、中央の正面5間、側面2間を母屋の内陣にして、内陣を取り囲むように前方と両側面のそれぞれ1間通りを外陣とする。本殿正面中央5間には4本の柱がなく、長い大梁をかけ渡して、前面に横長の階段が付く。正面両端の柱間と両側面は格子で、背面は板壁である。内陣正面は、中央の柱間を板扉にしてその両側を格子、両端の柱間は板壁である。以前は両端の柱間も板扉だったという。内陣の両側面は板壁である。柱は円柱であるが、本殿正面には面取の角柱が使用されている。柱上の組物は舟肘木をおいて、簡素な外観である。屋根は板葺目板打ちの段葺という珍しい手法のようだが、現在覆屋で本殿が保護されている状態なので、屋根を詳し

九州・沖縄地方

く見ることは困難である。

◎高千穂神社本殿

高千穂町にある。江戸時代後期の神社。高千穂神社は宮崎県北西部の九州山地にあり、現在の本殿は、延岡藩3代藩主内藤政脩によって1778年に造営された。本殿は5間社流造で屋根は銅板葺で、南東に面して建つ。中央の正面5間、側面2間を母屋にして、母屋前面と両側面の三方に高欄付きの縁が回る。向かって右側縁の奥には、背面に沿った脇障子に彫刻が施され、反対側の左側縁の奥には小さな稲荷社がある。本殿正面中央3間には2本の柱がなく、広い空間となる。正面両端のそれぞれ2本の柱には面取の角柱が使われ、象頭の彫刻のある虹梁型頭貫で柱を相互に結び、獅子頭の付いた海老虹梁で母屋とつなぐ。母屋は円柱で正面は蔀戸、右側面前方1間を板扉にして、そのほかは板壁である。柱上の組物は三斗で、軒廻りに支輪をつける。右側妻の軒下には鳳凰、左側妻には藤棚に猿の彫刻が飾られている。中備の蟇股にもさまざまな装飾が施され、左側妻の蟇股には猟師と猪の珍しい彫刻が配置されている。右側縁の脇障子にある彫りの深い大きな彫刻は、社伝では、三毛入野命が鬼八を退治する彫像としている。左側縁奥にある稲荷社は方1間の切妻造、杮葺で平入の社殿である。縁に小社殿を置く類例は江戸時代中期以降、宮崎県北部と大分県南部に限られるという。細部に装飾が施され、地域的特色を備えた大規模な社殿である。

◎旧黒木家住宅

宮崎市の宮崎県総合博物館にある。江戸時代末期の民家。もと宮崎県南西部の高原町にあった薩摩藩郷士の家で、1835年に建てられた。オモテとナカエという寄棟造で茅葺の2棟を、鉤形（直角）に並べた分棟型民家である。向かって右側のナカエは桁行4間半余り、梁間3間の妻入りで、内部は前方が土間（ドマ）、奥が竹床筵敷（ナカエ）である。左側のオモテは桁行5間、梁間3間半の平入で、正面と側面に吹き放しの縁が付く。内部はナカノマ、カシラノマ、ナンドの3間取りである。オモテとナカエの接合部分はテノマという板敷で、軒下に竹を並べた樋を通して雨水を防ぐ。上部構造は、オモテ、ナカエともに矩形断面の大梁を井桁状に組んで、上に扠首組の屋根を設ける。交差する太い梁は、民家特有の構造美を見せている。

☞ そのほかの主な国宝／重要文化財一覧

	時 代	種 別	名　　称	保管・所有
1	平　安	考古資料	◎銅印（印文「児湯郡印」）	西都市
2	鎌　倉	彫　刻	◎木造阿弥陀如来及両脇侍像	万福寺
3	鎌　倉	彫　刻	◎鉄造狛犬	高千穂神社
4	南北朝	彫　刻	◎木造騎獅文殊菩薩及脇侍像	大光寺
5	南北朝	書　跡	◎乾峯士曇墨跡	大光寺
6	室町中期	神　社	◎巨田神社本殿	巨田神社
7	室町中期	神　社	◎興玉神社内神殿	興玉神社
8	江戸後期	民　家	◎旧藤田家住宅 　（旧所在　西臼杵郡五ヶ瀬町）	宮崎県
9	江戸後期	民　家	◎那須家住宅（東臼杵郡椎葉村）	－
10	大　正	住　居	◎旧吉松家住宅	串間市

九州・沖縄地方

鹿児島県

旧集成館機械工場

地域の特性

　九州地方の南端部に位置し、西方の甑島列島と南方の薩南諸島を含む。中央の鹿児島（錦江）湾を、東西両側から取り囲むようにして、薩摩半島と大隅半島が南側にのびている。山地が多く、北から順に国見山地、出水山地、薩摩半島の南薩山地、大隅半島の高隈山地、肝属山地などがある。霧島山、湾の中央の桜島、南の湾口の開聞岳と火山が並ぶ。県央部の鹿児島は、14世紀以来島津氏の拠点・城下町として発展した。国分・隼人地区では、ハイテク産業が進んでいる。県西部の薩摩半島では、川内川流域の大口盆地や川内平野が稲作地帯となって、古くから開発が進んだ。県東部の大隅半島では、広大なシラス台地が広がり、水田化が困難で開発が遅れた。島嶼部ではサトウキビ栽培が盛んで、亜熱帯気候の独特な自然景観は多くの観光客を魅了している。

　古代大和王権に反抗的な熊襲・隼人と呼ばれる人たちが住んでいたが、8世紀前半までに服属させられた。律令制の衰退によって荘園が増加し、なかでも島津荘の規模は大きくなり、1185年に島津氏初代島津忠久が島津荘下司職（荘田・荘民の現地管理人）となった。以来島津氏は次第に勢力を強めていった。戦国時代に島津16代義久と17代義弘は九州制覇をねらったが、豊臣秀吉に阻まれた。義弘は、豊臣秀吉の朝鮮侵略の際に朝鮮半島から陶工を連れ帰り、薩摩焼の創業に尽力した。江戸時代に島津氏の薩摩藩77万石が置かれた。明治維新の廃藩置県で鹿児島県が設置された後、1876年に宮崎県が合併された。1879年に琉球が沖縄県として分離され、さらに1883年には宮崎県も再設置されて、現在の鹿児島県ができた。第2次大戦後に薩南諸島の大部分が沖縄のアメリカ軍軍政下に置かれたが、1951年に十島村の下七島、1953年に奄美群島が返還された。

国宝／重要文化財の特色

　美術工芸品の国宝は1件、重要文化財は26件である。建造物の国宝はなく、重要文化財は11件である。仏教に関連した文化財は、重要文化財の仏画が1件あるだけで極端に少ない。平田篤胤の国学の影響が強かった薩摩藩では、明治維新の廃仏毀釈で領内寺院の廃寺が命じられて、1,000か所以上あった寺院がすべて破壊された。仏像・仏具などもことごとく焼却され、残った文化財は仏教色の乏しい内容となった。

◎上野原遺跡出土品

　霧島市の上野原縄文の森で収蔵・展示。縄文時代早期の考古資料。上野原遺跡は、霧島市東部の鹿児島湾沿岸から約1.2km離れた標高約250mの台地上にある。県工業団地の建設に伴い1986年から発掘調査が始まった。北側4工区で52軒の住居跡、39基の調理施設の集石遺構、16基の連穴土坑が見つかり、約9,500年前（縄文時代早期前半）の定住化初期の集落として史跡となった。重要文化財となったのは、1991～94年に調査された3工区から出土した約7,500年前（縄文時代早期後半）の遺物で、深鉢形土器、壺形土器、土製耳飾りや土偶などの土器・土製品類と、石鏃、磨製石斧、打製石斧、石製垂飾（ペンダント）、使用方法不明の異形石器、石核などの石器類からなり、767点ある。祭りや儀式に使用され埋められたと考えられる一対の特殊な壺形土器2個が、台地の最高所から出土し、周辺には斜めに埋められた壺形・鉢形土器が10個出土した。また石斧をまとめて埋めた遺構も6か所見つかった。これらの遺構を取り囲むようにして、土偶を含む土器片や土製耳飾り、石器が環状に出土して、付近一帯は長期にわたって神聖な場所だったと推測されている。多様な縄文文化の始まりを示す南部九州の重要な資料である。

◎八相涅槃図

　南さつま市の竜厳寺の所蔵。レプリカを輝津館で展示。鎌倉時代後期の絵画。釈迦が入滅（死亡）する涅槃図を中心に、生涯で起きた重要事跡の八相を描いた縦250cm、横256cmの大きな画幅である。中央の涅槃の情景では、沙羅双樹の下、横臥した釈迦のまわりを嘆き悲しむ弟子や動物が取り囲み、上方には忉利天から飛来する麻耶夫人が描かれている。そのほかに、釈迦の昇天、不動の金棺、城を旋回する金棺、棺から出る釈迦の足、緒国王に分けられる仏舎利の5場面を描く。そして涅槃図の向かって右側には下から上へ、入胎、

誕生、試芸、四門出遊、左側には出家踰城、山中剃髪、降魔、初転法輪の各場面を描いている。八相だけでなく、入滅に関連する説話も描き入れた点で、類例の少ない珍しい作品となっている。もと和歌山県の根来寺に伝来したが、1585年の豊臣秀吉による焼討ちの際に、防津の有力寺院だった一乗院に移されたという。明治維新の廃仏毀釈で一乗院は廃絶となり、この絵は民家で保存されて、後に竜厳寺に寄贈された。

◎大久保利通関係資料

鹿児島市の鹿児島県歴史資料センター黎明館で収蔵・展示。江戸時代から明治時代の歴史資料。薩摩藩出身で明治維新の政治家だった大久保利通（1830～78年）の関係資料である。大久保利通の書いた日記、文書、使用した遺品類、利通に宛てられた書状などからなり、死後に大久保氏に伝来して重要文化財となった。現在鹿児島県の黎明館に1,650点、千葉県の国立歴史民俗博物館に3,053点所蔵されている。黎明館の資料は、書状が大半を占め1,595点ある。例えば初期のものとして、1853年に妹キチの夫の石原近昌へ8両の借金を申し入れた書状がある。この頃、幕末に起きたお由羅騒動という島津氏の内紛に関連して、父利世が罰せられて遠島となり、利通も記録所書役助を免職となっていた。下級武士の大久保氏は金銭的に困難な時期だったのだろう。遺品として愛用の碁石・碁盤、洗面道具などがある。洗面道具とは青色の洗面器や水差し、ブラシ、カミソリなどで、暗殺された1878年5月14日の朝に、使用されたままの状態で保存されていたという。大久保利通自身の身辺に限らず、幕末から維新にかけての歴史や政治思想の研究に不可欠な資料である。

◎霧島神宮

霧島市にある。江戸時代中期の神社。古来霧島山周辺では山岳信仰が盛んで、平安時代中期に性空が入山して霧島六所権現を祀ったと伝える。霧島神宮は、もと西御在所霧島六所権現と称し、別当寺として修験の華林寺があって、天台真言系の修験が盛んだった。霧島信仰は島津氏の領国支配の根幹となっていた。霧島六所権現を祀る周辺のいくつかの神社の中から、1874年に霧島神宮と改称して発展した。現在の社殿は島津氏によって1715年に建てられ、本殿・幣殿・拝殿の大規模な複合社殿に、登廊下、勅使殿が連なる。中腹傾斜地の高い場所に本殿・幣殿・拝殿があり、拝殿の前面に、下から長さ10間の登廊下が伸び、登廊下の入口に勅使殿が建っている。本殿は桁行5間、梁間4間、入母屋造の大規模な建物である。拝殿は桁行7間、梁間3間の入母屋造で、正面

屋根に千鳥破風が付く。正面は蔀戸で、上部の小壁には黄色地に極彩色の華麗な鳳凰が描かれている。勅使殿は方1間の入母屋造で、正面から唐破風の向拝が付き、極彩色で塗られたさまざまな彫刻が施されている。装飾に満ちた豪華な社殿である。

◎旧集成館機械工場

鹿児島市にある。江戸時代末期の工場。薩摩藩11代藩主島津斉彬（1809～58年）は、藩主になると1852年に別邸仙巌園の竹林を切り開いて反射炉の築造に着手し、周囲に機械、ガラス、陶磁器などの工場を設けて、1857年に集成館と命名した。兵器製造や造船を主体に手広く事業を展開させ、成果品として1857年に撮影された銀板写真（島津斉彬像）や、活版印刷用の鉛活字を開発した木村嘉平関係資料などが残されている。1863年の薩英戦争で集成館はイギリス艦隊によって破壊されたが、1865年に機械工場として再興され、オランダ製形削盤などが設置された。現存する旧集成館機械工場はこの時のものである。桁行77m、梁間12.45mの細長い石造平屋建、桟瓦葺の洋風建築で、ストーンホームと呼ばれた。屋根を支える木造小屋組のキングポストトラスは、現存最古の洋風小屋組と考えられている。洋風とはいえ、外側の壁体基部には亀腹という寺社建築の土壇に見られる丸く膨らんだ石が並べられ、従来の和様の手法も採用されている。1867年には集成館の西隣に鹿児島紡績所と技師館（異人館）が建てられた。廃藩置県で集成館は政府所管となり、1877年の西南戦争で周辺一帯が戦場となって多くの工場が焼失した。西南戦争後に集成館は民間に払い下げられ、1889年に再び島津氏の所有となった。その後、機械工場だけは残され、1923年に島津氏の資料を展示する博物館となった。

◎旧増田家住宅

薩摩川内市にある。明治時代前期の住居。1874年頃に建てられた分棟型の薩摩藩郷士の民家で、かつての武家集落の中にある。中世の豪族入来院氏の山城だった清色城の山裾に家臣たちが集住し、入来麓という集落が形成された。江戸時代には地頭館（お仮屋）が置かれて、玉石垣の連なる武家集落となった。旧増田家住宅は、オモテとナカエと呼ばれる寄棟造の2棟を鉤形（直角）に並べている。向かって右側のオモテはツギノマ、ウチザ、ザシキ、ナンドの4部屋からなる整形4間取りで、主に接客に使用した。ナカエは、土間と、囲炉裏のある広いナカエの2部屋からなり、居間として使われた。接合部分は板敷で、上部に竹で組んだ樋で雨水を流している。

☞ そのほかの主な国宝／重要文化財一覧

	時　代	種　別	名　称	保管・所有
1	縄　文	考古資料	◎前原遺跡出土品	鹿児島県立埋蔵文化財センター
2	弥　生	考古資料	◎広田遺跡出土品	鹿児島県歴史資料センター黎明館
3	弥生～古墳時代	考古資料	◎広田遺跡出土品	南種子町
4	鎌　倉	工芸品	◎銅鏡（花鳥文様）	新田神社
5	鎌　倉	工芸品	◎秋草蝶鳥鏡	新田神社
6	鎌　倉	工芸品	◎柏樹鷹狩鏡	新田神社
7	鎌　倉	工芸品	◎銅鏡（秋草双雀文様）	八幡神社
8	鎌　倉	工芸品	◎銅鏡（唐草鴛鴦文様）	山宮神社
9	鎌　倉	工芸品	◎銅鏡（籬二菊双雀文様）	都万神社
10	鎌倉～江戸	古文書	◎新田神社文書	新田神社
11	室　町	工芸品	◎松梅蒔絵櫛笥	枚聞神社
12	安土桃山	歴史資料	◎文禄三年島津氏分国太閤検地尺	尚古集成館
13	江　戸	歴史資料	◎船大工樽木家関係資料	薩摩川内市川内歴史資料館
14	江　戸	歴史資料	◎銀板写真（島津斉彬像）	尚古集成館
15	江　戸	歴史資料	◎木村嘉平関係資料	尚古集成館
16	オランダ／19世紀	歴史資料	◎形削盤	尚古集成館
17	室町後期	神　社	◎箱崎神社本殿	箱崎神社
18	室町後期	神　社	◎八幡神社本殿	八幡神社
19	江戸中期～後期	民　家	◎祁答院家住宅（大口市里）	―
20	江戸後期～明治	民　家	◎二階堂家住宅（肝属郡肝付町）	高山町
21	江戸末期	民　家	◎古市家住宅（熊毛郡中種子町）	中種子町
22	江戸末期	住　居	◎旧鹿児島紡績所技師館	鹿児島市
23	明　治	住　居	◎泉家住宅（奄美市笠利町）	―
24	明　治	土　木	◎鹿児島旧港施設	鹿児島県

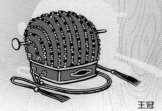

王冠

地域の特性

　日本の最南西に位置し、沖縄島（本島）および160の島々からなる島嶼県である。沖縄諸島、先島諸島（八重山列島、宮古列島）、尖閣諸島、大東諸島で構成される。沖縄島は石川・仲泊地峡を境に、北側には山岳が多く、南側には丘陵や波浪状の低地、カルスト台地が広がる。サンゴ礁の海岸がのびて、南国の雰囲気に包まれているが、沖縄はアメリカ軍基地と深い関係にある。沖縄島北部では人口が少なく、名勝地や行楽地が多い。中南部ではアメリカ軍の基地密度が高く、都市化が進んで人口過密となった。宮古島ではサトウキビ栽培、石垣島ではサトウキビとパイナップルの栽培が盛んである。西表島には低地が乏しく、熱帯・亜熱帯の原生林が繁茂している。

　他県とは異なる独自の歴史文化・言語が展開され、日本の範疇に含めるのが困難な点が多い。沖縄固有の時代区分が設定されている。紀元前4700年頃から貝塚時代となり、12世紀から15世紀までをグスク時代、政治的に統一された1406～69年を第1尚氏時代、1469年から琉球王国が解体される1879年までを第2尚氏時代という。琉球国と称して中国へ入貢する冊封関係にあったが、1609年に薩摩藩から侵攻を受け、日本と中国の両者から支配されるようになった。近代になって1879年に沖縄県ができたものの、琉球王国の帰属をめぐって日中間で確執が続き、日清戦争で日本勝利となってから日本への帰属が決定的となった。第2次世界大戦末期にアメリカ軍が上陸して激しい戦闘となり、多大な犠牲者が生じた。戦後もアメリカ軍統治が続き、1972年に日本に復帰した。

国宝／重要文化財の特色

　美術工芸品の国宝は1件、重要文化財は10件である。建造物の国宝はなく、重要文化財は23件である。本土で見られないような、独特な文化財

九州・沖縄地方　　295

が多い。太平洋戦争で、日本で唯一大規模な地上戦が展開された。侵攻するアメリカ軍に対して、日本軍は首里城の地下に司令部を置いて戦った。首里城や、旧琉球国王尚氏の霊廟のあった崇元寺、尚氏の菩提寺だった円覚寺などが戦前に国宝に指定されていたが、石造の橋や門を除いて、ことごとく破壊された。沖縄県立博物館・美術館に展示されている文化財にも生々しい弾痕の付いている文化財が多い。

◎**銅鐘** 那覇市の沖縄県立博物館・美術館で収蔵・展示。室町時代中期の工芸品。第1尚氏6代王尚泰久によって1458年に鋳造され、首里城正殿にかけられた銅鐘である。尚泰久は日本僧を琉球に招き、寺院を多数創建して、23口もの鐘を製造した。銅鐘は総高155.5cm、口径92cm、重さ721kgで、和鐘様式だが、頭頂部の竜頭がやや小型で、下帯がないのが特徴である。胴部の池の間の4区に銘文が刻まれている。銘文は、船を往来させて万国の津梁（懸け橋）となり、異国の宝物が国中に満ちあふれるという内容であることから、この鐘は万国津梁の鐘とも呼ばれている。交易によって国富を目指す琉球国王の気概がうかがえ、また沖縄のアイデンティティとして今でも重視されて、県知事公室に銘文を書いた屏風が置かれている。その後この鐘は正殿から首里城の島添アザサや、那覇の真教寺に移され、1943年には郷土博物館に展示された。戦時には首里城の濠の中に隠され、戦後見つかって沖縄陳列館に保管された。同博物館内には沖縄戦で堂宇を失った円覚寺の梵鐘3口も展示されている。なかでも旧円覚寺楼鐘は総高207.9cm、重さ1.7tもあり、現存する沖縄最大の梵鐘である。戦後アメリカ軍によってフィリピンに運ばれたが、1947年に沖縄に返還された。

●**琉球国王尚家関係資料** 那覇市の那覇市歴史博物館で収蔵・展示。第2尚氏時代から明治時代の歴史資料。第2尚氏の統治は、初代尚円が即位した1469年から、19代尚泰の時に琉球処分で王国が消滅する1879年まで、約400年間続いた。尚家関係資料は工芸品85点、文書・記録類1,166点からなる。工芸品には王装束、衣装、調度類、刀剣がある。王装束は皇帝の装束に倣った王冠や唐衣装で、冊封体制下の中国との深いつながりを示している。衣装には、色鮮やかな黄色や紅色をした紅型と呼ばれる琉球独特の衣装や、織物、刺繍がある。竜や鳳凰、蝙蝠など中国のめでたい吉祥文様や、花鳥などが描かれている。調度類には、儀式用の豪華な三御飾（ヌーメーウスリー）、螺鈿細工の琉球

漆器、陶器がある。刀剣は王統の逸話を伝える遺品である。文書・記録類は主に19世紀の資料で、内容は王家関係をはじめ、冠船、進貢、接貢、琉球・薩摩、異国船、琉球処分関係など多岐にわたる。明治政府が押収した文書群は関東大震災で焼失し、首里の尚氏に残っていた文書類も沖縄戦で壊滅してしまった。東京に送られて尚氏に伝わった文書類が、琉球王国に関する残された唯一の資料となり、那覇市に寄贈された。

◎おもろさうし

那覇市の沖縄県立博物館・美術館で収蔵・展示。江戸時代中期の典籍。祭祀や賀宴などで歌われた「おもろ」の歌謡集で、1531年、1613年、1623年の3回にわたって編纂された。首里城の火災で焼失したため1710年頃に書写された唯一の写本である。22冊総計1,554首が採録され、そのうち306首が重複している。料紙は唐紙で、ひらがなに少数の漢字を交える。内容は、国王と聞得大君を賛美する歌、地方の按司や神女（ノロ）を賛美する歌、航海の歌、神遊びや饗宴の歌などがある。歌い方が伝わっているのはごく少数で、具体的な歌い方や語意などは不明な点が多い。琉球古言語、民俗学に関する重要な文献である。長らく国王尚氏に伝わり、沖縄戦でアメリカに持ち出されたが、1953年に返還された。

◎旧円覚寺放生橋

那覇市にある。室町時代後期の石橋。円覚寺は首里城の北隣にあった禅宗寺院で、尚氏の菩提寺だった。第2尚氏3代王尚真が1494年に建立し、開山は京都府南禅寺出身の芥隠で、神奈川県円覚寺にならって7堂伽藍が整備されたという。1879年の琉球処分で尚氏の私寺となり、その後総門、三門、仏殿、龍淵殿、獅子窟、放生橋など9棟が国宝に指定された。沖縄戦で木造建物はすべて焼失し、放生橋も被災したが、1967年に元の位置に修復された。1968年には総門と左右の披門が復元された。直線状に建物が配置された禅宗伽藍で、境内へ向かう総門と三門との間に横16.4m、縦8.7mの長方形の放生池があり、池の中央に放生橋がかけられている。池の前後から石敷の参道を張り出して、長さ2.7m、幅3.6mの高欄付き石造1間の桁橋をかける。高欄は参道部分にも伸びて長さ5.5mあり、左右各4本の親柱が立って、柱頂部には獅子の彫刻がのる。親柱の間にある羽目石には牡丹、獅子、雲鶴などの浮彫が施されている。親柱には、1498年の造営とする銘文が刻まれていた。羽目石の彫刻は沖縄の石造彫刻の最高作と評価され、またかつて豪壮な伽藍を誇った円覚寺の唯一残った建造物として、貴重な石橋で

ある。なお近くに、端麗な石造アーチ橋の天女橋がある。

◎上江洲家住宅
久米島町にある。江戸時代中期の民家。久米島西部の海岸から約1.1km離れた地点にある。上江洲氏は具志川間切地頭代という要職を代々務め、現在の建物は1754年頃に建てられた。屋敷の周囲は琉球石灰岩を使った立派な石垣がめぐり、石垣殿内と呼ばれている。南側の表門を抜けると、ヒンプンという目隠しまたは魔除け用の石牆が東西に伸び、その奥に主屋、西側に前の屋、主屋の奥さらに北側にフールという豚舎兼便所がある。主屋は、寄棟造で本瓦葺のウフヤとトングワという2棟からなり、現在は接続しているが、当初は別棟で茅葺だった。向かって右側のウフヤは桁行13m、梁間12.5mのほぼ方形で、平面は前側に3室あり、前側右端に床の間の付いた客間の1番座、中央に仏壇のある間口1間の細長い2番座、左端に庇を伸ばし入側縁のある3番座が並ぶ。後方の裏座には2室ある。トングワはウフヤの左側に接続し、桁行8.6m、梁間7.6mで、土間の台所と板間、4畳半2室からなる。家屋の四周には、直射日光や風雨をしのぐ雨端という庇が回っている。沖縄の風土に適した特徴を備え、また分棟型から接合型への展開を示す代表的な民家である。

◎新垣家住宅
那覇市にある。江戸時代末期の民家。焼物の町壺屋にある陶工の民家である。沖縄の窯業は17世紀前半に始まった。島津氏の琉球進攻で捕虜となった佐敷王子(後の8代王尚豊)が、1616年に帰国の際に朝鮮人陶工3人を伴ってから、沖縄での焼物生産が開始された。朝鮮人陶工は、豊臣秀吉の朝鮮侵略で薩摩へ連行された人たちだった。1682年に湧田、知花、宝口の窯場が王府の政策で壺屋に統合され、以来窯業が続いている。新垣家住宅は、主屋を中心に東側に登窯(東ヌ窯)、南東に離れと沈殿池、南西に作業場、西側に豚舎兼便所のフールがある。建物の築造年代は不明だが、20世紀初頭までに現在の形に整備されたと考えられている。主屋はウフヤと、その西側に1間南へずれて接続するトングワからなる。登窯は全長22.7m、幅4mあり、焼成室が9房連続する連房式で、上焼という施釉陶器を専門に焼き、1974年まで使用された。陶工の住居、窯、作業場が一体となって残る沖縄窯業史の重要な資料である。

☞ そのほかの主な国宝／重要文化財一覧

	時代	種別	名称	保管・所有
1	尚氏第1王統	考古資料	◎首里城京の内跡出土陶磁器	沖縄県立埋蔵文化財センター
2	尚氏第1〜第2王統	考古資料	◎斎場御嶽出土品	南城市
3	室町〜江戸	古文書	◎由名家文書	—
4	江戸	典籍	◎混効験集	沖縄県立博物館・美術館
5	江戸	工芸品	◎梵鐘（旧円覚寺楼鐘）	沖縄県立博物館・美術館
6	大正	歴史資料	◎琉球芸術調査写真（鎌倉芳太郎撮影）	沖縄県立芸術大学
7	中国／明 15世紀	歴史資料	◎明孝宗勅諭	沖縄県立博物館・美術館
8	室町後期	石門	◎旧崇元寺第一門及び石牆	—
9	室町後期	墓	◎玉陵	—
10	室町後期	石門	◎園比屋武御嶽石門	那覇市
11	室町後期	石橋	◎天女橋	那覇市
12	江戸中期	石牆	◎旧仲里間切蔵元石牆	久米島町
13	江戸中期	墓	◎伊江御殿墓	—
14	江戸中期	墓	◎旧和宇慶家墓	石垣市
15	江戸中期〜後期	墓	◎豊見親墓	平良市字西仲宗根財産区
16	江戸後期	神社	◎権現堂	石垣市
17	江戸後期〜明治	民家	◎中村家住宅（中頭郡北中城村）	—
18	江戸後期	民家	◎旧宮良殿内（石垣市大川）	石垣市
19	江戸後期	井戸	◎喜友名泉	宜野湾市
20	江戸後期	廟	◎瀬底土帝君	—
21	明治	住居	◎高良家住宅（島尻郡座間味村）	座間味村
22	明治	住居	◎銘苅家住宅（島尻郡伊是名村）	伊是名村
23	大正	住居	◎旧与那国家住宅	竹富町
24	大正	土木	◎仲村渠樋川	仲村渠財産区
25	昭和	産業	◎津嘉山酒造所施設	津嘉山酒造所

九州・沖縄地方

付録　表1　100年前の国宝　約3,400件 (1915年、寺社所有に限定)

	絵画	彫刻	美術工芸	刀剣	書籍文書経巻	計	件数	棟数	総計
						国宝	特別保護建造物		
北海道						0			0
青森県		1	5			6	3	3	9
岩手県	1	4	6		1	12	2	2	14
宮城県		2		3		5	8	9	13
秋田県						0	1	1	1
山形県	2	2	1	1	2	8	5	5	13
福島県	3	7	1			11	6	6	17
茨城県	2	9	1	1		13	6	6	19
栃木県	3	1	3	9	6	22	10	54	32
群馬県			1			1	4	4	5
埼玉県	5	4	3	2	3	17	1	1	18
千葉県	2	2	1			5	1	1	6
東京府	9	6	4	12	4	35	9	11	44
神奈川県	25	17	11		20	73	2	2	75
新潟県		8	1			9	4	4	13
富山県	1				2	3	2	2	5
石川県	1	2	7	2	5	17	4	4	21
福井県	10	4	4		10	30	4	4	34
山梨県	2	11	1	2	2	18	10	10	28
長野県	1	14	1	2		18	13	13	31
岐阜県	1	34	1	2		38	10	10	48
静岡県	2	3	2	14	3	24	6	10	30
愛知県	8	18	4	9	6	45	18	18	63
三重県	13	36	3	3	13	68	2	2	70
滋賀県	76	303	13	1	38	431	88	96	519
京都府	243	167	31	5	128	574	150	271	724
大阪府	18	75	14	3	15	125	17	25	142
兵庫県	36	73	7		8	125	32	32	157
奈良県	46	361	55	1	29	492	135	173	627
和歌山県	31	63	24	18	11	147	18	18	165
鳥取県	3	7	2	1		13	5	5	18
島根県	6	11	5	2	2	26	5	5	31
岡山県	21	12	3	1	2	39	5	5	44
広島県	5	17	27	10	10	69	20	34	89
山口県	3	7	3		5	20	10	10	30
徳島県	5	15			3	23			23
香川県	19	18	2	1	1	41	4	4	45
愛媛県		7	15	1	2	25	9	9	34
高知県		44		1		45	4	5	49
福岡県	8	47	7	2	4	68	11	11	79
佐賀県		12	2		1	15	1	1	16
長崎県						0	7	17	7
熊本県	1	10	1	1	2	15	2	2	17
大分県		5	1	3		9	4	7	13
宮崎県						0			0
鹿児島県						0			0
沖縄県			1			1			1
合計	612	1,439	275	117	338	2,781	658	911	3,439

(文部省宗教局『宗教要覧』1916, pp. 235-41)

付録　表2　戦時中の国宝　約6,000件

(宝物類1940年3月31日、建造物1941年3月31日現在)

	宝物類								建造物		総計
	絵画	彫刻	文書	典籍	書跡	刀剣	工芸	計	件数	棟数	
北海道								0	1	1	1
青森県		2				2	5	9	7	15	16
岩手県	1	14			1	1	8	25	3	3	28
宮城県		6				3		9	12	23	21
秋田県	1						1	2	1	1	3
山形県	2	2	3		1	12	3	23	5	5	28
福島県	3	20		1	1	1	7	33	9	9	42
茨城県	5	14				3	4	26	10	10	36
栃木県	4	5	4	19	2	17	12	63	16	62	79
群馬県		1	1			1	3	6	4	4	10
埼玉県	5	7	1	3		3	4	23	3	3	26
千葉県	2	5					1	8	11	12	19
東京府	135	46	25	198	27	165	37	633	22	149	655
神奈川県	63	58	22	5	8	3	24	183	18	19	201
新潟県	6	18		3	3	2	3	35	7	7	42
富山県	1	6		3		2	1	13	6	7	19
石川県	3	10		6	4	3	10	36	17	24	53
福井県	10	12		3	2	6	3	41	8	8	49
山梨県	7	13		1		4	2	27	13	13	40
長野県	4	32	2	2		2	2	44	29	36	73
岐阜県	2	39		1		9	6	57	12	17	69
静岡県	6	9	3	2	1	26	4	51	8	15	59
愛知県	19	32		8	1	28	8	96	42	91	138
三重県	17	59	7	2	4	3	8	100	14	14	114
滋賀県	87	349	35	20	32	2	24	549	116	126	665
京都府	341	295	86	180	159	18	52	1,131	185	342	1,316
大阪府	34	85	11	22	5	14	27	198	35	44	233
兵庫県	63	87	2	15	7	14	10	198	42	126	240
奈良県	49	452	15	31	19	8	85	659	159	200	818
和歌山県	45	95	6	10	8	26	38	228	33	49	261
鳥取県	3	16			1		3	23	5	5	28
島根県	6	17	5			2	11	41	7	7	48
岡山県	27	14		1	3	5	4	53	24	47	77
広島県	5	23	3	1	6	19	26	83	27	41	110
山口県	5	9	1	1	3	8	5	32	13	13	45
徳島県	5	15	1	1	1	1		25			25
香川県	20	22			3	5	2	52	5	5	57
愛媛県	2	10		5		10	19	46	13	47	59
高知県		49				4	1	54	6	20	60
福岡県	9	49	2		2	14	5	81	15	15	96
佐賀県		12			1	5	2	20	2	2	22
長崎県						2	1	3	18	19	12
熊本県	1	10		3	4	1	2	20	8	25	28
大分県		15				4	4	23	7	20	30
宮崎県								0			0
鹿児島県	1					5	5	11			11
沖縄県								1	11	23	12
合計	1,000	2,034	239	540	313	456	492	5,074	1,000	1,713	6,074

(文部省宗教局『国宝(宝物類)目録』1940, pp. 465-7.同『国宝(建造物)目録』1941, pp. 191-3)

付録　301

付録　表3　戦時中の重要美術品　約6,000件 (1942年3月31日現在)

	宝 物 類						建造物	総計
	絵画	彫刻	文書典籍書跡	刀剣	工芸考古学資料	計	件数	
北海道				8		8		8
青森県	4			3	1	8		8
岩手県	1		3		3	7	2	9
宮城県	126			1	7	134		134
秋田県	10		5	6		21		21
山形県	5		14	21	8	48		48
福島県		1	4	2	19	26		26
茨城県	3		3	4		10		10
栃木県	4	1	2	1	9	17		17
群馬県	2	1	1		13	17	1	18
埼玉県	1	1	3		22	27	2	29
千葉県	4	2		1	4	11		11
東京府	569	251	996	559	505	2,880	4	2,884
神奈川県	49	19	33	5	20	126	14	140
新潟県	22	2	7	23	18	72		72
富山県	1		9	16	1	27		27
石川県	17	1	9	6	22	55		55
福井県		1	2	3	2	8		8
山梨県				1	3	4		4
長野県	1	4	4		9	18	4	22
岐阜県	5		23		12	40		40
静岡県	6	2	4	1	10	23		23
愛知県	27	4	145	21	46	243	2	245
三重県	3	1	44		7	55	4	59
滋賀県	15	5	26	3	60	109	20	129
京都府	51	15	308	16	177	567	63	630
大阪府	46	9	90	111	144	400	17	417
兵庫県	167	15	59	63	195	499	9	508
奈良県	8	1	21	1	24	55	13	68
和歌山県	13		6		6	25	2	27
鳥取県							10	10
島根県				2	1	3		3
岡山県	20	2	9	2	12	45	7	52
広島県	7		3	1	4	15	4	19
山口県	2		7		9	19		19
徳島県			5		5	10		10
香川県			1	4	4	9		9
愛媛県	8		7	1	3	19	6	25
高知県					1	1		1
福岡県	6	1	6	12	22	47	2	49
佐賀県			2	1	7	10		10
長崎県	12		4		2	18		18
熊本県			9	7	2	18		18
大分県	1					1	13	14
宮崎県				1		1		1
鹿児島県	1				4	5		5
沖縄県						0	2	2
合計	1,217	339	1,877	907	1,431	5,771	193	5,964

(文部省教化局『重要美術品等物件目録』1943. 『重要美術品等認定物件目録』復刻版, 思文閣, 1972)

付録　表4　現在の国宝 約1,100件 (2017年)

	絵画	彫刻	工芸	書跡	古書	考古	歴史	計	建造物 件数	建造物 棟数	総計
北海道						1		1			1
青森県			2			1		3			3
岩手県	1	1	4	1				7	1	1	8
宮城県				2			1	3	3	4	6
秋田県			1					1			1
山形県	1		2		1	1		5	1	1	6
福島県		1		1				2	1	1	3
茨城県			2					2			2
栃木県			4	5	1			10	7	10	17
群馬県								0	1	3	1
埼玉県			2	1				3	1	1	4
千葉県			1	2			1	4			4
東京都	64	3	93	85	17	16		278	2	2	280
神奈川県	6	1	6	5				18	1	1	19
新潟県						1		1			1
富山県								0	1	3	1
石川県			2					2			2
福井県			3	1				4	2	2	6
山梨県	2		1					3	2	2	5
長野県			1			2		3	5	10	8
岐阜県	1		2		1			4	3	3	7
静岡県		1	7	2	1			12	1	1	13
愛知県	1			4				6	3	3	9
三重県				3		1		4	2	2	6
滋賀県	4	4	4	12	8	1		33	22	23	55
京都府	44	38	15	55	27	3		182	51	72	233
大阪府	9	5	22	15	2	3		56	5	8	61
兵庫県	2	1	2	4		1		10	11	14	21
奈良県	9	73	36	11	1	3		138	64	71	202
和歌山県	9	5	4	9	1	1		29	7	7	36
鳥取県	1					1		2	1	1	3
島根県			2					2	3	3	5
岡山県	2		5					7	2	2	9
広島県	2		9	1				12	7	12	19
山口県	1		3	2				6	3	3	9
徳島県								0			0
香川県			1	3				4	2	2	6
愛媛県			8			1		9	3	3	12
高知県			1	1				2	1	1	3
福岡県			5	1	1	5		12			12
佐賀県				1				1			1
長崎県								0	3	3	3
熊本県								0	1	5	4
大分県		1	1					2	2	4	4
宮崎県								0			0
鹿児島県			1					1			1
沖縄県							1	1			1
補遺								0			0
合計	160	134	253	227	61	47	3	885	225	284	1,110

(文化庁ホームページの資料. 2017年12月1日)

付録　表5　現在の重要文化財　約12,000件 (2017年)

	絵画	彫刻	工芸	書跡	古書	考古	歴史	計	件数	棟数	総計
北海道		1	3	1		15	6	26	29	66	55
青森県		2	8			12		22	32	71	54
岩手県		21	13		3	6	2	45	26	69	71
宮城県	2	9	11	2	1	8	3	36	18	39	54
秋田県	5	1	2	1		3	1	13	27	61	40
山形県	7	11	31	4	6	5	1	65	28	38	93
福島県	5	24	19		3	10		61	34	50	95
茨城県	7	15	13			4	1	40	32	51	72
栃木県	9	14	52	28	2	8	1	114	27	157	141
群馬県	5	3	6	3	1	17	1	36	22	66	58
埼玉県	9	10	18	4	2	9	2	54	23	40	77
千葉県	7	13	13	1	5	3	1	43	29	59	72
東京都	554	210	664	606	155	161	76	2,426	80	144	2,506
神奈川県	45	74	64	45	30	9	9	276	53	70	329
新潟県	2	18	6	9	4	9		48	34	80	82
富山県	3	9	11	1	3	2	1	30	19	75	49
石川県	9	17	21	21				86	45	83	131
福井県	14	35	7	9	4	5	1	77	27	50	104
山梨県	10	25		7	5	6	1	54	50	107	104
長野県	16	40	18	7	4	11	2	98	82	156	180
岐阜県	10	49	24	9	4	7		103	46	85	149
静岡県	45	22	66	25	10	4		177	32	95	209
愛知県	50	44	75	62	6	6	2	245	78	142	323
三重県	20	67	17	24	18	9	4	159	23	56	182
滋賀県	95	374	62	30	26	9	5	601	163	232	764
京都府	444	379	170	402	257	24	23	1,699	248	591	1,947
大阪府	116	103	154	91	24	30	2	520	95	178	615
兵庫県	95	104	63	31	8	47	1	349	97	250	446
奈良県	80	422	173	161	44	30	12	922	200	332	1,122
和歌山県	62	98	69	32	9	6	4	280	75	135	355
鳥取県	2	18	5	1		9		35	17	53	52
島根県	10	22	18	3	8	10		71	21	81	92
岡山県	27	22	43	2	1	8	2	105	55	154	160
広島県	11	44	55	11	7	4	4	136	55	101	191
山口県	14	19	27	9	11	4	7	91	35	74	126
徳島県	6	15		2	1	4	1	29	18	45	47
香川県	22	33	17	9	5	1	1	88	27	49	115
愛媛県	1	14	78	3	3		1	100	47	120	147
高知県	2	51	11	1	1	1		67	20	60	87
福岡県	16	49	36	13	6	32		152	39	57	191
佐賀県	2	13	8	2	5	5	1	36	13	16	49
長崎県	4	5	7	4	4	3	6	33	33	54	66
熊本県	2	12	6	4	9	5		38	29	79	67
大分県	6	31	8	1	3	4	1	54	30	50	84
宮崎県		4	1	1		2	1	9	9	16	18
鹿児島県	1		12		1	5	7	26	11	23	37
沖縄県			2	2	1		5	10	23	41	33
補遺	5	1	10					16			16
合計	1,857	2,567	2,204	1,682	703	586	202	9,801	2,255	4,701	12,056

（文化庁ホームページの資料．2017年12月1日から作成）

304

主要参考文献

（発行年順）

黒板勝美編『特建国宝目録』岩波書店、1927年。
文部省宗教局保存課『国宝（宝物類）目録』1940年。
文部省宗教局保存課『国宝（建造物）目録』1941年。
文部省教化局編『重要美術品等認定物件目録』1943年（『重要美術品等認定物件目録』復刻版、思文閣、1972年）
太田博太郎他編『日本建築史基礎資料集成』既刊14巻、中央公論美術出版、1971〜2006年。
毎日新聞社「重要文化財」委員会事務局編『重要文化財』全32巻、1972〜77年。
奈良国立博物館編『国宝・重要文化財仏教美術』全8巻、小学館、1972〜80年。
澤田　巌編『原色版国宝』全12巻、毎日新聞社、1979年。
関野　克監修、鈴木嘉吉・工藤圭章編集協力『日本の民家』全8巻、学習研究社、1980〜81年。
「重要文化財」編纂委員会編『新指定重要文化財　解説版』全13巻、毎日新聞社、1981〜84年。
文化庁監修「国宝」編纂委員会編『国宝』増補改訂版、全15巻、毎日新聞社、1984年。
『国宝大事典』全5巻、講談社、1985〜86年。
久野　健編『仏像集成　日本の仏像』全8巻、学生社、1986〜97年。
週刊百科編集部編『朝日百科　日本の国宝』全12巻、朝日新聞社、1997〜99年。
文化庁監修、図書編集部・第二図書編集部編『国宝・重要文化財大全』全13巻、毎日新聞社、1997〜2000年。
各府県教育委員会編『日本の民家調査報告書集成』全16巻、東洋書林、1998〜99年。
内田啓一監修『密教の美術―修法成就にこたえる仏たち』東京美術、2008年。
内田啓一監修『浄土の美術―極楽往生への願いが生んだ救いの美』東京美術、2009年。
太田博太郎・藤井恵介監修『日本建築様式史　カラー版』美術出版社、2010年。
山下裕二・髙岸　輝監修、來嶋路子・押金純士・藤田容子・諏訪美香編『日本美術史』美術出版ライブラリー、2014年。

主要参考文献　305

美術品名索引

あ 行

- ◎愛染明王坐像（新潟県）………121
- ◎会津大塚山古墳出土品（福島県）
  ……………………………………75
- ●赤糸威鎧（青森県）……………51
- ◎天草四郎時貞関係資料（熊本県）
  ………………………………276
- ◎阿弥陀如来及両脇侍像（山梨県）
  ………………………………141
- ◎阿弥陀如来及両脇侍像（鳥取県）
  ………………………………217
- ●阿弥陀如来及両脇侍立像（兵庫県）
  ………………………………196
- ●阿弥陀如来坐像（神奈川県）…115
- ●阿弥陀如来坐像（静岡県）……156
- ●阿弥陀如来坐像（熊本県）……276
- ◎雨森芳洲関係資料（滋賀県）…174

- ◎板碑（埼玉県）…………………96
- ◎板彫真言八祖像（高知県）……256
- ◎板彫法華曼荼羅（岐阜県）……151
- ◎1号機関車（埼玉県）……………96
- ◎一乗谷朝倉氏遺跡出土品（福井県）
  ………………………………136
- ●伊能忠敬関係資料（千葉県）…101
- ●色絵雉香炉（石川県）…………132

- ◎上野原遺跡出土品（鹿児島県）
  ………………………………291
- ●臼杵磨崖仏（大分県）…………281

- ◎Nの家族（岡山県）……………226
- ◎エンボッシング・モールス電信機
  （東京都）……………………109

か 行

- ◎近江名所図（滋賀県）…………173
- ◎大岩日石寺磨崖仏（富山県）…126
- ◎大久保利通関係資料（鹿児島県）
  ………………………………292
- ◎大坂夏の陣図（大阪府）………189
- ◎大谷磨崖仏（栃木県）……………85
- ◎おもろさうし（沖縄県）………297

- ●餓鬼草紙（東京都）……………107
- ●懸守（大阪府）…………………189
- ●観音図・猿鶴図（京都府）……182
- ●観音塚古墳出土品（群馬県）……90
- ●観音菩薩立像（島根県）………221

- ◎金印（福岡県）…………………261
- ◎金字一切経（岩手県）……………55
- ◎禽獣葡萄鏡（愛媛県）…………251
- ◎金鈴塚古墳出土品（千葉県）…101

- ◎草戸千軒町遺跡出土品（広島県）
  ………………………………232
- ◎熊野磨崖仏（大分県）…………281

- ●慶長遣欧使節関係資料（宮城県）
  ……………………………………61
- ●源氏物語絵巻（愛知県）………161
- ●玄奘三蔵絵（大阪府）…………189

- ◎荒神谷遺跡出土品（島根県）…221
- ◎紅白梅図（静岡県）……………157
- ◎古楽面（岐阜県）………………151
- ◎粉河寺縁起（和歌山県）………210
- ◎古今和歌集（山口県）…………236

●古事記（愛知県）‥‥‥‥‥‥162
●古神宝類（和歌山県）‥‥‥‥211
◎五大明王像（宮城県）‥‥‥‥60
●五大明王像（京都府）‥‥‥‥180
●古文尚書（東京都）‥‥‥‥‥108
●婚礼調度類（愛知県）‥‥‥‥162

さ 行

●蔵王権現像（東京都）‥‥‥‥106
●埼玉稲荷山古墳出土品（埼玉県）95
●笹山遺跡出土深鉢形土器（新潟県）
　‥‥‥‥‥‥‥‥‥‥‥‥‥‥121
●三帖和讃（三重県）‥‥‥‥‥167
◎三内丸山遺跡出土品（青森県）‥49

●信貴山縁起（奈良県）‥‥‥‥203
●四季山水図（山口県）‥‥‥‥237
●獅子唐草文鉢（岐阜県）‥‥‥151
◎志度寺縁起（香川県）‥‥‥‥246
◎不忍池図（秋田県）‥‥‥‥‥65
◎シーボルト関係資料（長崎県）
　‥‥‥‥‥‥‥‥‥‥‥‥‥‥272
◎島内地下式横穴墓群出土品
　（宮崎県）‥‥‥‥‥‥‥‥‥286
◎釈迦堂遺跡出土品（山梨県）‥‥141
◎釈迦如来坐像（広島県）‥‥‥231
●錫杖頭（香川県）‥‥‥‥‥‥247
◎綽如上人勧進状（富山県）‥‥126
●十一面観音立像（滋賀県）‥‥172
◎聖観音立像（岩手県）‥‥‥‥55
●聖武天皇勅書（静岡県）‥‥‥156
◎白滝遺跡群出土品（北海道）‥‥45
◎神像（島根県）‥‥‥‥‥‥‥222

◎陶邑窯跡群出土品（大阪府）‥‥188
◎砂沢遺跡出土品（青森県）‥‥50

●清拙正澄墨跡（神奈川県）‥‥117
◎斉民要術（愛知県）‥‥‥‥‥161
◎清明上河図（岡山県）‥‥‥‥227

●線刻千手観音等鏡像（秋田県）
　‥‥‥‥‥‥‥‥‥‥‥‥‥‥65
●千手観音坐像（大阪府）‥‥‥188

◎増長天立像・多聞天立像（高知県）
　‥‥‥‥‥‥‥‥‥‥‥‥‥‥256
●宋版史記（千葉県）‥‥‥‥‥102
●宋版尚書正義（栃木県）‥‥‥86
●蘇言機（茨城県）‥‥‥‥‥‥81
●染付山水図輪花大鉢（佐賀県）
　‥‥‥‥‥‥‥‥‥‥‥‥‥‥267

た 行

◎大威徳明王像（長野県）‥‥‥146
◎大工頭中井家関係資料（大阪府）
　‥‥‥‥‥‥‥‥‥‥‥‥‥‥190
◎大乗寺障壁画（兵庫県）‥‥‥197
●泰西王侯図（群馬県）‥‥‥‥91
◎多賀城碑（宮城県）‥‥‥‥‥60
◎高野長英関係資料（岩手県）‥‥56
◎鷹見泉石関係資料（茨城県）‥‥80
●達磨図（山梨県）‥‥‥‥‥‥142

◎朝鮮国王国書（宮崎県）‥‥‥287
●朝鮮鐘（福井県）‥‥‥‥‥‥137
◎長宗我部元親像（高知県）‥‥257
◎長楽寺文書（群馬県）‥‥‥‥90

◎対馬宗家関係資料（長崎県）‥‥271

●鉄宝塔（山口県）‥‥‥‥‥‥236

◎銅壷（岡山県）‥‥‥‥‥‥‥226
◎銅鐘（大分県）‥‥‥‥‥‥‥282
◎銅鐘（沖縄県）‥‥‥‥‥‥‥292
●道成寺縁起（和歌山県）‥‥‥211
◎銅鐸（徳島県）‥‥‥‥‥‥‥241
●銅鐸と銅戈（兵庫県）‥‥‥‥196
●饕餮文方盉（東京都）‥‥‥‥108
●東都名所図（福島県）‥‥‥‥76

美術品名索引　307

●土偶（北海道）・・・・・・・・・・・・・・・・・45
●土偶（青森県）・・・・・・・・・・・・・・・・・50
●土偶（山形県）・・・・・・・・・・・・・・・・・70
●土偶（長野県）・・・・・・・・・・・・・・・146
◎土偶頭部（岩手県）・・・・・・・・・・・54
◎徳島藩御召鯨船千山丸（徳島県）
　・・・・・・・・・・・・・・・・・・・・・・・・・・・・・・・・241

な　行

◎長浜祭鳳凰山飾毛綴（滋賀県）
　・・・・・・・・・・・・・・・・・・・・・・・・・・・・・・・・174
●那須国造碑（栃木県）・・・・・・・85

◎日蓮像（富山県）・・・・・・・・・・・126
◎如来坐像（三重県）・・・・・・・・・167

◎野口1号墳出土須恵器（鳥取県）
　・・・・・・・・・・・・・・・・・・・・・・・・・・・・・・・・216

は　行

◎白山三社神像（石川県）・・・・・・・131
◎八相涅槃図（鹿児島県）・・・・・・・291
◎原の辻遺跡出土品（長崎県）・・・・271

●平原方形周溝墓出土品（福岡県）
　・・・・・・・・・・・・・・・・・・・・・・・・・・・・・・・・261

●風神雷神図（京都府）・・・・・・・181
●風俗図（滋賀県）・・・・・・・・・・・173
◎服飾類（茨城県）・・・・・・・・・・・80
◎福富草紙（京都府）・・・・・・・・・181
●藤ノ木古墳出土品（奈良県）・・・・202
●仏涅槃図（和歌山県）・・・・・・・210
●舟橋蒔絵硯箱（東京都）・・・・・・・107

●平家納経（広島県）・・・・・・・・・231

●伯耆一宮経塚出土品（鳥取県）
　・・・・・・・・・・・・・・・・・・・・・・・・・・・・・・・・216
◎法華経一品経（埼玉県）・・・・・・・95

◎法華経序品（滋賀県）・・・・・・・172
●梵鐘（福井県）・・・・・・・・・・・・・136
●梵鐘（福岡県）・・・・・・・・・・・・・262
◎梵網経（佐賀県）・・・・・・・・・・・266

ま　行

●籬菊螺鈿蒔絵硯箱（神奈川県）
　・・・・・・・・・・・・・・・・・・・・・・・・・・・・・・・・116
◎松浦武四郎関係資料（三重県）
　・・・・・・・・・・・・・・・・・・・・・・・・・・・・・・・・168
◎松法川北岸遺跡出土品（北海道）
　・・・・・・・・・・・・・・・・・・・・・・・・・・・・・・・・46
◎摩耶夫人及天人像（東京都）・・・・106
◎真脇遺跡出土品（石川県）・・・・・131

●弥勒菩薩半跏像（京都府）・・・・・180
●弥勒菩薩立像（神奈川県）・・・・・115

●宗像大社沖津宮祭祀遺跡出土品
　（福岡県）・・・・・・・・・・・・・・・・・・・・262

◎目黒山形関係資料（愛媛県）・・・・251

や　行

●薬師如来及両脇侍像（福島県）
　・・・・・・・・・・・・・・・・・・・・・・・・・・・・・・・・75
◎薬師如来及両脇侍像（宮崎県）
　・・・・・・・・・・・・・・・・・・・・・・・・・・・・・・・・286

●油滴天目茶碗（大阪府）・・・・・・・190

◎吉野ヶ里遺跡墳丘墓出土品
　（佐賀県）・・・・・・・・・・・・・・・・・・・・266
◎与州新居系図（愛媛県）・・・・・・・251

ら　行

●洛中洛外図（山形県）・・・・・・・・・70
●楽焼白片身変茶碗（長野県）・・・・147

●琉球国王尚家関係資料（沖縄県）

308

‥‥‥‥‥‥‥‥‥‥‥‥‥‥296
●盧舎那仏坐像（奈良県）‥‥‥‥202
●盧舎那仏坐像（奈良県）‥‥‥‥203

◎楼閣人物填漆箪笥（山形県）‥‥‥71

わ　行

◎割竹形石棺（香川県）‥‥‥‥‥246

建造物名索引

あ行

●青井阿蘇神社（熊本県）‥‥‥‥277
●阿弥陀堂（福島県）‥‥‥‥‥‥76
◎新垣家住宅（沖縄県）‥‥‥‥298
●安楽寺八角三重塔（長野県）‥‥147

●石山寺多宝塔（滋賀県）‥‥‥175
●出雲大社本殿（島根県）‥‥‥223
●厳島神社（広島県）‥‥‥‥‥233
●犬山城天守（愛知県）‥‥‥‥163
◎今西家住宅（奈良県）‥‥‥‥206

◎上江洲家住宅（沖縄県）‥‥‥298
●宇佐神宮本殿（大分県）‥‥‥283
◎碓氷峠鉄道施設（群馬県）‥‥92
◎梅小路機関車庫（京都府）‥‥184

●永保寺観音堂（岐阜県）‥‥‥152
●延暦寺根本中堂（滋賀県）‥‥176

●大浦天主堂（長崎県）‥‥‥‥273
◎大阪府立図書館（大阪府）‥‥192
●大崎八幡宮（宮城県）‥‥‥‥62
◎大滝神社本殿及び拝殿（福井県）
　‥‥‥‥‥‥‥‥‥‥‥‥‥138
◎尾山神社神門（石川県）‥‥‥133

か行

●鶴林寺太子堂（兵庫県）‥‥‥197
◎笠森寺観音堂（千葉県）‥‥‥102
●歓喜院聖天堂（埼玉県）‥‥‥97
◎願興寺本堂（岐阜県）‥‥‥‥153
●観心寺金堂（大阪府）‥‥‥‥191

◎喜多院（埼玉県）‥‥‥‥‥‥97
●吉備津神社本殿及び拝殿（岡山県）
　‥‥‥‥‥‥‥‥‥‥‥‥‥227
◎旧阿仁鉱山外国人官舎（秋田県）
　‥‥‥‥‥‥‥‥‥‥‥‥‥67
◎旧五十嵐家住宅（福島県）‥‥77
◎旧円覚寺放生橋（沖縄県）‥‥297
◎旧開智学校校舎（長野県）‥‥148
◎旧菊池家住宅（岩手県）‥‥‥57
◎旧北村家住宅（神奈川県）‥‥119
◎旧黒木家住宅（宮崎県）‥‥‥288
◎旧弘道館（茨城県）‥‥‥‥‥82
◎旧金毘羅大芝居（香川県）‥‥248
◎旧済生館本館（山形県）‥‥‥72
◎旧佐渡鉱山採鉱施設（新潟県）
　‥‥‥‥‥‥‥‥‥‥‥‥‥123
●旧閑谷学校（岡山県）‥‥‥‥228
◎旧出津救助院（長崎県）‥‥‥273
◎旧集成館機械工場（鹿児島県）
　‥‥‥‥‥‥‥‥‥‥‥‥‥293
◎旧正宗寺三匝堂（福島県）‥‥77
◎旧大社駅本屋（島根県）‥‥‥223
◎旧玉名干拓施設（熊本県）‥‥278
◎旧津島家住宅（青森県）‥‥‥52
●旧東宮御所（東京都）‥‥‥‥110
◎旧外川家住宅（山梨県）‥‥‥143
◎旧トーマス住宅（兵庫県）‥‥199
●旧富岡製糸場（群馬県）‥‥‥92
◎旧西村家住宅（和歌山県）‥‥213
◎旧日本聖公会京都聖約翰教会堂
　（愛知県）‥‥‥‥‥‥‥‥164
◎旧花田家番屋（北海道）‥‥‥47
◎旧増田家住宅（鹿児島県）‥‥293
◎旧諸戸家住宅（三重県）‥‥‥169

310

◎旧矢掛本陣石井家住宅（岡山県）
　……………………………………228
◎旧魚梁瀬森林鉄道施設（高知県）
　……………………………………258
◎旧煉瓦製造施設（埼玉県）……98
◎霧島神宮（鹿児島県）………292
●金峯山寺本堂（奈良県）………205

◎日下部家住宅（岐阜県）……153
●久能山東照宮（静岡県）……158

◎建長寺仏殿（神奈川県）……117

◎康楽館（秋田県）………………67
◎庫蔵寺本堂（三重県）………168

◎金刀比羅宮表書院（香川県）…248
●金剛峯寺不動堂（和歌山県）…212

さ　行
●西明寺本堂（滋賀県）………175
◎佐竹寺本堂（茨城県）…………81
◎佐藤家住宅（新潟県）………122
●三仏寺奥院（鳥取県）………217

●慈眼院多宝塔（大阪府）……191
◎シャトーカミヤ旧醸造場施設
　（茨城県）………………………82
●如庵（愛知県）………………163
◎乗禅寺石塔（愛媛県）………252
●浄土寺本堂（広島県）………232
◎正八幡宮（山口県）…………238
●浄瑠璃寺本堂（京都府）……183
◎丈六寺（徳島県）……………242
◎白岩堰堤砂防施設（富山県）…128
◎新勝寺（千葉県）……………103
◎仁風閣（鳥取県）……………218

●瑞巌寺本堂（宮城県）…………61
●瑞龍寺（富山県）……………127

◎菅江真澄遊覧記（秋田県）……66
●住吉神社本殿（山口県）……237

◎成巽閣（石川県）……………133
●清白寺仏殿（山梨県）………143

●崇福寺第一峰門（長崎県）……272

た　行
●大善寺本堂（山梨県）………142
◎当麻寺本堂（奈良県）………205
◎高千穂神社本殿（宮崎県）…288
◎多久聖廟（佐賀県）…………267
◎武雄温泉新館及び楼門（佐賀県）
　……………………………………268
◎田中家住宅（徳島県）………243

●中尊寺金色堂（岩手県）………57
◎長勝寺（青森県）………………51

●通潤橋（熊本県）……………278
●築地本願寺本堂（東京都）…111

◎天徳寺（秋田県）………………66

◎道後温泉本館（愛媛県）……253
●東照宮（栃木県）………………87
●土佐神社本殿、幣殿及び拝殿
　（高知県）……………………258

な　行
◎那須疏水旧取水施設（栃木県）…87
◎那谷寺本堂（石川県）………132

●二条城（京都府）……………184

●根来寺多宝塔（和歌山県）…212

は　行
◎俳聖殿（三重県）……………169

◎白水溜池堰堤水利施設（大分県）
　‥‥‥‥‥‥‥‥‥‥‥‥‥‥283
●羽黒山五重塔（山形県）‥‥‥‥71
◎箱木家住宅（兵庫県）‥‥‥‥198
◎筥崎宮本殿（福岡県）‥‥‥‥263
◎箸蔵寺（徳島県）‥‥‥‥‥‥242
◎飯高寺（千葉県）‥‥‥‥‥‥102
●鑁阿寺本堂（栃木県）‥‥‥‥86

◎美々8遺跡出土品（北海道）‥‥46
●姫路城（兵庫県）‥‥‥‥‥‥198
●平等院鳳凰堂（京都府）‥‥‥182
●日吉大社西本宮本殿及び拝殿
　（滋賀県）‥‥‥‥‥‥‥‥176
◎広島平和記念資料館（広島県）
　‥‥‥‥‥‥‥‥‥‥‥‥‥‥233

●富貴寺大堂（大分県）‥‥‥‥282
◎福田家住宅（鳥取県）‥‥‥‥218
◎福永家住宅（徳島県）‥‥‥‥243
◎富士山本宮浅間神社本殿（静岡県）
　‥‥‥‥‥‥‥‥‥‥‥‥‥‥158
●豊楽寺薬師堂（高知県）‥‥‥257

◎宝山寺獅子閣（奈良県）‥‥‥206
●法隆寺金堂（奈良県）‥‥‥‥204
◎北海道庁旧本庁舎（北海道）‥‥47
◎本興寺本堂（静岡県）‥‥‥‥157

ま 行

●松江城天守（島根県）‥‥‥‥222
◎松本家住宅（宮城県）‥‥‥‥62

●松本城天守（長野県）‥‥‥‥147
◎松山城（愛媛県）‥‥‥‥‥‥252
◎丸岡城天守（福井県）‥‥‥‥138

◎三池炭鉱宮原坑施設（福岡県）
　‥‥‥‥‥‥‥‥‥‥‥‥‥‥263
◎神門神社本殿（宮崎県）‥‥‥287
●妙義神社（群馬県）‥‥‥‥‥91
◎妙宣寺五重塔（新潟県）‥‥‥122
●明通寺本堂（福井県）‥‥‥‥137
◎明導寺（城泉寺）九重石塔
　（熊本県）‥‥‥‥‥‥‥‥277

◎村上家住宅（富山県）‥‥‥‥128

◎明治丸（東京都）‥‥‥‥‥‥111

●本山寺本堂（香川県）‥‥‥‥247

や 行

●薬師寺東塔（奈良県）‥‥‥‥204
◎山形県旧県庁舎および県会議事堂
　（山形県）‥‥‥‥‥‥‥‥‥72
◎山口家住宅（佐賀県）‥‥‥‥267

ら 行

◎臨春閣（神奈川県）‥‥‥‥‥118

●瑠璃光寺五重塔（山口県）‥‥237
●蓮華王院本堂（京都府）‥‥‥183
◎蓮華峰寺骨堂（新潟県）‥‥‥122

47都道府県・国宝／重要文化財百科

平成30年 5 月25日　発　　　行
令和 7 年 4 月15日　第 4 刷発行

著作者　　森　本　和　男

発行者　　池　田　和　博

発行所　　丸善出版株式会社
〒101-0051　東京都千代田区神田神保町二丁目17番
編　集：電話（03）3512-3266／FAX（03）3512-3272
営　業：電話（03）3512-3256／FAX（03）3512-3270
https://www.maruzen-publishing.co.jp

© Kazuo Morimoto, 2018
組版／富士美術印刷株式会社
印刷・製本／大日本印刷株式会社

ISBN 978-4-621-31095-3　　C 0539　　　　　　Printed in Japan

JCOPY　〈(一社)出版者著作権管理機構　委託出版物〉
本書の無断複写は著作権法上での例外を除き禁じられています。複写される場合は、そのつど事前に、(一社)出版者著作権管理機構（電話03-5244-5088, FAX 03-5244-5089, e-mail : info@jcopy.or.jp）の許諾を得てください。